SPECTRUM

D0610329

Kenia

afgeschreven

Auteurs:
Philip Okwaro, Mourine Wambugu,
Zdenka Bondzio, Michie Gitau, Eric Hanna,
Rupert Watson, Eva Ambros, Angela Anchieng,
Prof. Osaga Odak, Jean Hartley, Barbara Credner,
Brigitte Henninges, Clive Mutiso, Clement Obare

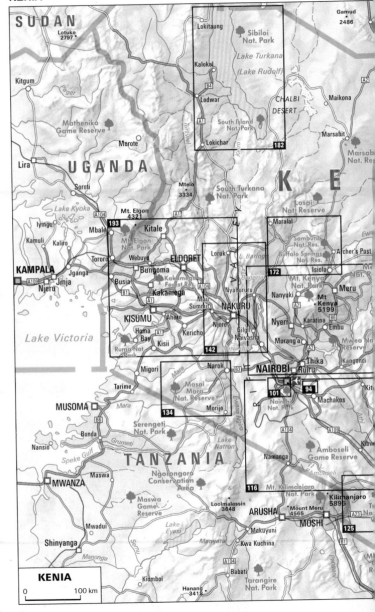

KENIA

0   100 km

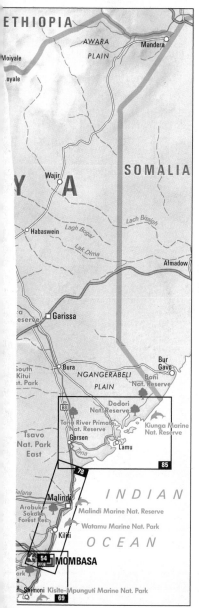

Ondanks al de aan de samenstelling van de tekst bestede zorg, kan noch de redactie noch de uitgever aansprakelijkheid aanvaarden voor eventuele schade die zou kunnen voortvloeien uit enige fout die in deze uitgave zou kunnen voorkomen.

COLOFON / LEGENDA

Geachte lezer,

Actualiteit is een van de belangrijkste kenmerken van de *Nelles gids*. Een groot aantal correspondenten houdt de redactie op de hoogte van de laatste ontwikkelingen in de reiswereld. Een team van cartografen staat garant dat de kaarten in overeenstemming zijn met de tekst. De reiswereld is echter steeds in beweging. Daarom kunnen we niet garanderen dat alle informatie juist is. Mocht u afwijkingen constateren, dan zouden we het op prijs stellen als u ons dit laat weten op een van de volgende adressen: Nelles Verlag, Machtlfinger Str. 11, D-81379 München, tel. +49 (0)89 3571940, fax: +49 (0)89 35719430, Duitsland, of Het Spectrum B.V., Postbus 97, 3990 DB Houten.

LEGENDA

★★ topattractie *(op de kaart)*	**Malindi** *(plaats)* de geel gemarkeerde namen	autoweg
★★ *(in de tekst)*	*Gedi Ruins (bezienswaardigheid)* worden in de tekst vermeld	grote verkeersweg *(overweg. geasfalteerd)*
★ bezienswaardigheid *(op de kaart)*	internationale luchthaven / nationale luchthaven	grote verkeersweg *(overwegend steenslag)*
★ *(in de tekst)*	landingsbaan	hoofdweg *(niet verhard)*
❽ oriëntatienummer in tekst en op kaart	**Batian** 5199 bergtop *(hoogte in meters)*	gewone weg *(gedeeltelijk verhard)*
⑧ oriëntatienummer in tekst en op plattegrond	*Sele Guble* pas	secundaire weg, piste, rijweg
■ openbaar / belangrijk gebouw	nationaal park	spoor
■ hotel, lodge, camp	strand	staatsgrens
● restaurant, club, casino	hindoe tempel	administratiegrens
⊕ ⊠ hospitaal, post	☼ ☪ synagoge, moskee	drinkwater, bron / drinkwater
■ ○ ambassade, markt	✝ ⚮ ✝ kerk, klooster, kerkhof	❶ 18 afstand in kilometers
Ⓘ informatiecentrum	vuurtoren, fort	A14 C108 wegnummer
✔ golfterrein	historisch plaatsen, uitkijkpunt	

KENIA

© Nelles Verlag GmbH, 81379 München
All rights reserved
ISBN 978-3-88618-849-9
Print: Bayerlein, Germany

Druk 2009
Uitgeverij het Spectrum
Postbus 97, 3990 DB Houten
NUR 510, ISBN 978-90-274-9710-9

Uitgever:	Günter Nelles	**Nederlandstalige editie**:	
Hoofdredactie:	Berthold Schwarz	**Tekstverzorging**:	*de Redactie,*
Cartografie:	Nelles Verlag GmbH, München		Amsterdam
		Vertaling:	drs Albert Witteveen,
Lithografie:	Scannerstudio Schaller, Priegnitz		Joost Pollmann
		Eindredactie:	Peter Vosmeer

---

1 GESCHIEDENIS EN CULTUUR

2 MOMBASA

3 ZUIDKUST

4 NOORDKUST

5 NAIROBI

6 TEN ZUIDEN VAN NAIROBI

13 PRAKTISCHE TIPS

GESCHIEDENIS EN CULTUUR

GESCHIEDENIS VAN KENIA

Zo afwisselend als zijn landschappen, zo afwisselend is ook de geschiedenis van Kenia. De oorspronkelijke bevolking van dit deel van Oost-Afrika heeft de loop van de geschiedenis evenzeer beïnvloed als de verschillende golven immigranten uit Europa, Azië en andere Afrikaanse landen.

De geschiedenis en cultuur van Kenia beginnen in prehistorische tijden. Archeologische en paleoantropologische vondsten op Rusinga Island in het Victoriameer, bij Fort Ternan en aan het Turkanameer wijzen erop dat de veelbesproken 'wieg der mensheid' inderdaad in Oost-Afrika stond. Hier ontdekten de wetenschappers alle belangrijke stadia in de evolutie van de mens – van de oermens tot en met homo sapiens. Een van de belangrijkste vindplaatsen is het gebied rond het Turkanameer, waar men stenen werktuigen en skeletresten van meer dan 2 miljoen jaar oud ontdekte.

De prehistorische ontwikkeling van de mensheid en haar cultuur in Oost-Afrika kan worden onderverdeeld in drie grote tijdperken: de steentijd, de jonge steentijd en de ijzertijd.

Eerste vondsten in Koobi Fora

De steentijd in Kenia begon zo'n 2 miljoen jaar geleden en ging ongeveer 10.000 jaar geleden over in de jonge steentijd. De ijzertijd begon circa 2000 jaar geleden en kwam pas tot een einde met de kolonisatie van Oost-Afrika.

De steentijd zelf valt onder te verdelen in de oude steentijd (Paleolithicum) en de midden steentijd (Mesolithicum). Deze bestaan weer uit ver-

Voorgaande pagina's: Diani Beach – een van de mooiste stranden langs de kust van Kenia. Olifanten voor de Kilimanjaro. Kudde gnoes. Links: Fort Jesus, Mombasa.

schillende perioden. De vroegste fase van de oude steentijd, het oud-Paleolithicum, wordt gekenmerkt door werktuigen gemaakt van vuistgrote keien en stukken rots. Het oudste bewijsmateriaal uit deze periode werd gevonden in Koobi Fora, ten oosten van het Turkanameer; de voorwerpen zijn ongeveer 2 miljoen jaar oud. De tweede fase, het zogenaamde Neopaleolithicum, begint ongeveer 1 miljoen jaar geleden. Kenmerkend voor deze periode zijn tweezijdig bewerkte werktuigen, zoals die onder andere werden aangetroffen in Olorgasailie bij het Magadimeer en in Kariandusi aan het Elmenteitameer. De vrij toegankelijke vindplaatsen vormen tegenwoordig een interessant openluchtmuseum.

De midden steentijd wordt gekenmerkt door de opkomst van verbeterde methoden voor het vervaardigen van stenen werktuigen. Deze maakten het mogelijk kleinere, beter gevormde en verfijndere werktuigen te vervaardigen. Ruwweg 15.000 jaar geleden waren nog verder gevorderde technieken voor het vervaardigen van werktuigen reeds gemeengoed, hetgeen erop wijst dat de laatste fase van de steentijd zijn intrede had gedaan. Overheersend in deze periode zijn verschillende soorten kleine werktuigen, in vakkringen microlieten genoemd. Karakteristiek is een kleine sikkel met een scherp snijblad. Ook heeft men priemen gevonden die werden gebruikt bij het naaien van kleding en speciale werktuigen om te schaven en te snijden.

De jonge steentijd speelt een cruciale rol in de geschiedenis van de mensheid. In de loop van deze periode begonnen de oude jagers-verzamelaarsculturen namelijk gewassen te verbouwen en vee te houden. Dit betekende een revolutionaire stap van een leven van jagen en voedsel verzamelen naar een leven van veeteelt en landbouw. Er is weliswaar geen direct bewijs dat in Kenia gedurende de vroegste fase van de jonge steentijd volken landbouw bedreven,

15

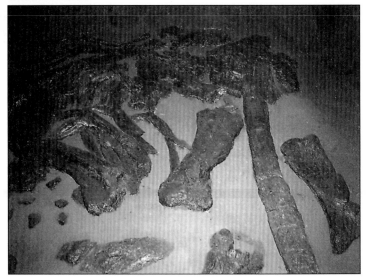

maar des te meer aanwijzingen zijn er voor de aanwezigheid van veehoudende stammen. Vondsten van beenderen van dieren geven aan dat men toen al runderen, schapen en geiten hield. Tot de gebruiksvoorwerpen behoorden geslepen stenen voor verschillende soorten bijlen, microlieten en andere stenen werktuigen, maalstenen, stenen kommen en borden, aardewerk, houten vaten en kralen van been, kiezels en zaden. Het aardewerk vertoont een grote verscheidenheid in omvang en vorm, en ook de aangebrachte decoraties variëren sterk, met een voorkeur voor groeven en een eenvoudige stempeltechniek.

De ijzertijd

De ijzertijd is de periode die eerst en vooral wordt bepaald door de invloed van het nieuwe materiaal ijzer en zijn veelzijdige toepassingsmogelijkheden bij het vervaardigen van werktuigen en

Boven: Prehistorische stenen werktuigen en skeletten in het Nairobi Museum. Rechts: Rotstekeningen uit de prehistorie.

wapens. Doordat ijzer na verloop van tijd verroest, vinden archeologen slechts zelden goed geconserveerde ijzeren voorwerpen. Het bewijs dat de technieken van ijzerbewerking in Kenia bekend waren, werd geleverd door de vondst van ijzerslakken en de ontdekking van speciale buizen die werden gebruikt als mondstuk voor de blaasbalg. Daarnaast heeft men losse ijzeren werktuigen uit deze periode opgegraven, maar talrijker zijn de gevonden stenen kunstvoorwerpen, keramische voorwerpen en beenderen van schapen, geiten en runderen. Vooral de aangetroffen voorwerpen van aardewerk waren belangrijk, daar deze de archeologen in staat stelden een nauwkeurige chronologische datering van deze periode te maken.

De vroege ijzertijd wordt gekenmerkt door aardewerk, gedecoreerd met fijne groeven en voren die reliëfs en bij de bodem afgeronde driehoeken vormen. In het gebied van het Turkwellbekken heeft men aardewerk gevonden uit ruwweg de tijd tussen 900 en 1000 n.C. De bekers zijn gedecoreerd met

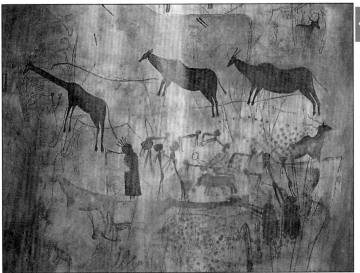

verschillende soorten groeven. Uit Midden-Kenia komt nog een derde groep keramiek, die zich onderscheidt doordat de bekers vooral zijn bewerkt met een eenvoudige stempeltechniek.

De immigranten

De niet-Afrikaanse etnische groeperingen van Kenia verschenen voor het eerst in de 7de eeuw, toen de Arabieren, als gevolg van de steeds frequentere handelsverbindingen tussen de Oost-Afrikaanse kust en de Oriënt, hun intrede deden. In de 8ste eeuw leidden de opkomst van de islam en onrust in landen als Oman, Iran en Syrië uiteindelijk tot een grote immigratiegolf van oosterlingen in de kustgebieden van Oost-Afrika. Uit de vermenging van islamitische immigranten met de inheemse bevolking komen de huidige Swahilivolken voort. De handel tussen Oost-Afrika en het Midden-Oosten nam in de daaropvolgende eeuwen een enorme vlucht.

Toen de eerste Europese ontdekkingsreizigers (met de Portugezen voorop) in de 15de eeuw voet op Oost-Afrikaanse bodem zetten, hadden de rijke stadsculturen al een bloeiperiode van zo'n 300 jaar achter de rug, waarvan de talrijke moskeeën, stenen gebouwen en steden aan de Oost-Afrikaanse kust tot op de dag van vandaag de stille getuigen zijn. Vanaf het eind van de 19de eeuw, in het kielzog van de Europese ontdekking van Afrika en de vestiging van missieposten en koloniale nederzettingen, kwamen grote groepen Europeanen, onder wie vooral veel Britten en andere immigranten, overwegend Indiërs en Pakistani.

De Swahili- en Azaniculturen

De handelsbetrekkingen van de kustbewoners met de islamitische wereld en met oosterse volken uit China en het huidige India en Indonesië gaven de inheemse beschaving een aantal bijzondere karakteristieken. Het resultaat was de Swahilicultuur, waarvan het islamitische wereldbeeld het centrale punt vormt. De Swahili-architectuur in Kenia wordt gekenmerkt door bouwwer-

ken van koraalsteen met unieke *makuti*-daken van palmbladeren.

De handelscentra van de Swahili lagen verspreid over de hele kustlijn, waar ze zich ontwikkelden tot echte stadstaten. Deze stadstaten, ruim twintig in totaal, bestonden onafhankelijk naast elkaar, ook al gingen ze herhaaldelijk nieuwe bondgenootschappen aan waarin nu eens de ene stad domineerde en dan weer een andere. Zo wisselden bijvoorbeeld Pate, Lamu en Faza elkaar in de loop der tijden af in de rol van machtigste stad aan de oostkust.

De inwoners van deze stadstaten vervaardigden keramiek, bewerkten ijzer en schiepen bouwkundige meesterwerken. Deze kan men bijvoorbeeld zien in Manda, waar men een muur bouwde van monolithische koraalblokken die elk meer dan een ton wogen.

In de 11de eeuw bevond zich in de Lamu-archipel een florerende ijzer-smelterij en ijzer was een van de belangrijkste handelsproducten. In deze tijd ontstonden aan de kust vele nieuwe Arabische nederzettingen, met als gevolg dat de Swahilicultuur steeds sterker in de islamitische invloedssfeer raakte.

Parallel met de opkomst van de Swahilicultuur ontwikkelde zich in het binnenland van Kenia de Azanicultuur. Deze ging een volkomen andere weg en bleef door en door Afrikaans. Tot de erfenis van de Azanicultuur behoren stenen paleizen en monumentale fortificaties. Archeologen hebben ook sporen gevonden van stenen muren, holten in de grond, de zogenaamde *sirikwa*-gaten, oeroude irrigatiesystemen en aanwijzingen voor de verbouw van gewassen op terrassen van berghellingen. Het verspreidingsgebied van de Azanicultuur omvat grote delen van het binnenland van Kenia, vooral de Rift Valley en de westelijke hooglanden. Verschillende kenmerken van deze cultuur treft men ook aan in het district Zuid-Nyanze en onder de Bukusu in de meer afgelegen gebieden van West-Kenia. Daar

Boven: De ruïnes van de stad Gedi. Rechts: Al honderden jaren lang gaan de vrouwen van Lamu gesluierd.

staan de zogenaamde Bukusuforten die overduidelijk zijn beïnvloed door de Azanicultuur.

De Portugese overheersing

De eerste Europeanen die landden op de kust van Kenia waren de Portugezen, die uiteindelijk de teloorgang van de Swahiliheerschappij zouden bewerkstelligen. De beroemde ontdekkingsreiziger en zeevaarder Vasco da Gama landde in 1498 met zijn vloot in Malindi, op zoek naar een zeeroute naar Indië. Vele Portugezen volgden zijn voorbeeld. Aangetrokken door de rijkdommen van de Oost-Afrikaanse kust, zeilden zij rond de zuidelijkste punt van Afrika, plunderden de welvarende stadstaten en heersten zo'n 200 jaar over het land. Een van de succesvolste Portugezen was Francisco d'Almeida, die in 1505 met 23 schepen naar Mombasa voer en de stad na een grimmige en bloedige strijd onderwierp. De stad Malindi ging diplomatiek te werk en bereidde, trouw aan zijn motto 'De vijanden van Mombasa zijn de vrienden van Malindi', de Portugezen een uiterst vriendelijk welkom.

Economisch gezien ging het met de kuststeden onder de Portugese overheersing bergafwaarts. De tot dan toe bloeiende handel met de Arabische landen werd door de Portugezen overgenomen en via Portugal naar Europa geleid. Elke tegenstand van de inheemse bevolking werd meedogenloos onderdrukt. Mombasa, waar Fort Jesus elke vijandige aanval sinds 1593 had weerstaan, werd het belangrijkste Portugese bolwerk aan de kust van Oost-Afrika.

De nieuwe heersers

De positie van de Portugezen werd verzwakt door verscheidene gewapende opstanden van de inheemse bevolking, door epidemieën en ook door hun ellenlange aanvoerlijnen. In 1696 ging het sultanaat Oman, dat eveneens onder Portugese heerschappij stond, een alliantie aan met de lokale heersers van Mombasa om een opstand op touw te zetten. Fort Jesus viel in 1698 na een

19

beleg van vijftien maanden en de Omanieten werden de toonaangevende bevolkingsgroep aan de Oost-Afrikaanse kust.

De Omanieten, net als de Swahilimoslims, onderdrukten de kustbewoners echter al spoedig even genadeloos als hun voorgangers. Na een korte periode van samenwerking groeide de antipathie tegen de Omanieten snel en de bevolking reageerde opnieuw met opstanden. De Omanieten bleven echter aan de macht. In 1828 verplaatsten ze de hoofdstad naar Zanzibar, waarna ze zich allengs meer toelegden op de binnenlandse handel. In het begin was ivoor hun belangrijkste handelsproduct, maar al snel ontwikkelde de slavenhandel zich tot de lucratiefste bron van inkomsten. In 1836 waren handelaars uit Zanzibar reeds tot het Wakikoejoegebied doorgedrongen en rond 1854 legden ze zelfs al contacten in Oeganda. De stamhoofden, die waren omgekocht

Boven: De uniformen van de obers in Hunter's Bar doen denken aan de koloniale tijd.

met wapens en glazen kralen, leverden hun onderdanen over aan de slavernij. Tegen het eind van 19de eeuw waren miljoenen Afrikaanse slaven gedeporteerd naar de zuidelijke staten van de Verenigde Staten, Brazilië, het Caraïbisch gebied en ook naar Zanzibar.

De invloed van de Omanieten nam nog toe toen de Fransen en Britten Réunion, Mauritius en de Seychellen bezetten en zo nieuwe slavenmarkten openden. De hier opvolgende betrokkenheid van Groot-Brittannië bij de strijd tegen de slavenhandel was zeker niet alleen gebaseerd op humanitaire overwegingen, maar diende vooral als voorwendsel om zich op de Oost-Afrikaanse kust te kunnen vestigen en de handelsroutes van Oman te beheersen. De slavernij werd in 1873 officieel afgeschaft, maar het duurde nog bijna twee decennia voor deze bloeiende handel eindelijk tot staan was gebracht.

Zo bewogen als de geschiedenis van de kustgebieden in de 19de eeuw was, zo weinig opzienbarend verstreken de eeuwen in het binnenland. Etnische contacten speelden zich daar uitsluitend af tussen Afrikaanse stammen, die leefden van landbouw en veeteelt, of die als nomaden door het land zwierven.

Ontdekkingsreizen

De nog niet in kaart gebrachte binnenlanden van Afrika lokten in de 19de eeuw vele Duitse en Britse missionarissen, ontdekkingsreizigers, handelaars en wetenschapsbeoefenaars over Oost-Afrika. De Duitsers Krapf en Rebmann berichtten over de met sneeuw bedekte Kilimanjaro; de Engelsen Burton en Speke drongen door tot het Tanganyikameer, waarna Speke erin slaagde om zonder zijn partner, die ziek was geworden, het Victoriameer te bereiken; de Schot Thomson reisde door het land van de Masai en graaf Teleki bereikte een groot meer in het noorden, dat hij het Rudolfmeer doopte (tegenwoordig Turkanameer), naar de toenmalige Oostenrijkse kroonprins.

De kennis die deze ontdekkingsreizigers over Kenia verzamelden, legde de basis voor de latere kolonisatie van het land. Ook de missionarissen brachten niet louter positieve zaken naar het zogenaamde Donkere Continent. Zij vernietigden het bestaande sociale systeem in de overtuiging dat de Europese religie en leefgewoonten de enige juiste waren. Britse en Duitse handelsondernemingen sloten contracten met lokale stamhoofden af. Deze vormden later de basis voor de territoriale aanspraken van hun respectieve vaderlanden. Zo richtte Carl Peters de Duits-Oost-Afrikaanse Maatschappij op en dwong hij de stamhoofden met min of meer grove methoden om zogenaamde 'beschermingscontracten' af te sluiten.

Speelbal van de koloniale machten

De territoriale aanspraken van Groot-Brittannië en Duitsland leidden tot grote diplomatieke activiteiten. Naar aanleiding van het Verdrag van Helgoland eigende Groot-Brittannië zich de zeggenschap over Zanzibar, Kenia en Oeganda toe. In ruil daarvoor verkreeg Duitsland de zeggenschap over het tot dan toe Britse Helgoland en over het huidige Tanzania. Beide Europese landen konden zich verheugen over het bezit van een van Afrika's besneeuwde bergen: de Kilimanjaro was voor keizer Wilhelm en de Mount Kenya voor koningin Victoria. De grenzen werden in die tijd vastgelegd en bestaan voor een groot deel tot op de dag van vandaag.

Aanvankelijk bestuurden de Britten hun nieuwe protectoraat Brits Oost-Afrika vanuit Zanzibar. Maar in de praktijk lieten ze het beheer over aan de *Imperial British East African Company*, die onder meer moest toezien op het opleggen en innen van belastingen. Er werden handelsposten opgericht die de exploitatie van de economische hulpbronnen moesten vergemakkelijken. Verder lagen in Oeganda flinke winsten uit de ivoorhandel in het verschiet; het probleem daarbij was echter het transport van het ivoor van de binnenlanden naar de kust.

Daartoe werd allereerst een spoorlijn aangelegd tussen Mombasa en Port Florence, het huidige Kisumu. Het werk begon in 1896. Deze spoorlijn, die later werd doorgetrokken tot Oeganda, was bedoeld om de transportkosten te verminderen en zo bij te dragen aan de ontwikkeling van plantages. Met de spoorlijn kwamen ook telefoon- en telegraafverbindingen naar het binnenland. De aanleg van de spoorlijn door de woeste gebieden van Oost-Afrika zorgde voor vele ontberingen, nu eens door de steile hellingen van de Rift Valley, dan weer door mensen etende leeuwen, epidemieën of verrassingsaanvallen van de inboorlingen. De meerderheid van de 30.000 arbeiders kwam uit India, terwijl de lokale bevolking maar weinig voordeel had van het gigantische project.

De extreem hoge kosten van de spoorlijn moesten ergens van worden

betaald en dus bood men het voorheen ontoegankelijke hoogland aan als landbouw- en vestigingsgebied. Als gevolg daarvan stroomden talloze immigranten Kenia binnen, voornamelijk uit Groot-Brittannië, maar ook uit andere Europese landen. De meesten van hen waren boeren die zich in de 'White Highlands' grote landerijen toe-eigenden. 'White Highlands' (het witte, blanke hoogland) noemden zij dit vruchtbare gebied, dat aan blanken voorbehouden diende te blijven, zo meenden zij.

De Europese kolonisten beperkten hun landtoe-eigening niet tot de onbewoonde gebieden tussen de territoria van de lokale stammen. De Afrikaanse bevolking werd meedogenloos verjaagd en voor velen van hen was het enig overblijvende alternatief om in dienst te treden bij de blanke boeren. De militaire superioriteit van de Europeanen ontnam de inheemse bevolking iedere mogelijkheid tot verzet. Een aanvullend onderdrukkingsmiddel was de verplichte registratie van de Afrikanen met de bepaling dat ze een persoonsbewijs, de *kipande*, bij zich moesten dragen.

De blanke koloniale heersers speelden hun rol met groot succes. Meer dan voldoende goedkope arbeidskrachten stonden tot hun beschikking, de koloniale regering was altijd bereid hen met subsidies bij te staan en het voorzichtige gemor uit Europa over de uitbuiting van de Afrikaanse bevolking drong amper tot hen door.

De politieke leider van de kolonisten was de legendarische Lord Delamere, die wanneer het om buitensporige braspartijen ging vooraan in de rij van zijn 'Kenya cowboys' stond.

Maar niet alleen boeren trokken in die tijd naar Oost-Afrika. Het land oefende ook grote aantrekkingskracht uit op jagers en avonturiers, die verhalen over de onmetelijke jachtgronden hadden gehoord, en ook op toeristen, onder wie een aantal prominente persoonlijkheden uit de wereldpolitiek, zoals de

Boven: De eerste spoorlijn in Kenia dateert uit 1896. Rechts: Houtsnijwerk zoals dat in veel winkels is te vinden.

Amerikaanse president Theodore Roosevelt en Sir Winston Churchill.

Inmiddels had Groot-Brittannië het bestuur verplaatst van Zanzibar naar Mombasa en later, in 1907, weer van Mombasa naar het spoorwegknooppunt Nairobi. Het uitbreken van de Eerste Wereldoorlog bleef ook voor Oost-Afrika niet zonder gevolgen. De Britten en Duitsers hadden hier namelijk een gemeenschappelijke grens, wat een confrontatie vrijwel onvermijdelijk maakte.

Het patriottisme van de Britten deed een groot deel van de kolonisten naar de wapens grijpen. Op pony's die vermomd waren als zebra's trokken ze samen met Afrikaanse rekruten op tegen de Duitsers, die onder het commando stonden van Paul von Lettow-Vorbeck. Veel succes had dit niet, want Lettow-Vorbeck wist met trucs en listen tot het eind van de oorlog stand te houden tegen zijn veel sterkere opponenten.

Na de oorlog versterkten de blanke kolonisten hun positie nog verder. Zo werden de aanspraken op hun landerijen verlengd van 99 tot 999 jaar. Een nieuwe toestroom van Britse immigranten versnelde de ontwikkelingen. Vooral veel land van de Kikoejoe werd door boeren in bezit genomen.

In 1920 werd Kenia officieel een Britse kroonkolonie, met uitzondering van de kuststrook, die in bezit bleef van de sultan van Zanzibar, al werd de strook beschouwd als Brits pachtgebied.

Als gevolg van een ernstige economische crisis werden in 1921 de lonen van de Afrikanen verlaagd. Bovendien werd het hun verboden om lucratieve exportvruchten te verbouwen, om zo hun afhankelijkheid nog verder te vergroten. Behalve de inheemse bevolking werd het ook aan andere gekleurde personen, onder wie de Indiërs, verboden zich te vestigen in de White Highlands. Maar het doel van de kolonisten, de kolonie omvormen tot een 'Blank Kenia' met zelfbestuur, werd niet bereikt. In 1923 bepaalde de Britse regering dat Kenia een Afrikaans land was en dat de belangen van de Afrikanen voorgingen. Maar de werkelijkheid zag er nog lange tijd anders uit.

De weg naar de onafhankelijkheid

Voor de eerste keer in hun geschiedenis reageerden de Afrikanen met een politiek georganiseerd protest. Men richtte de *Young Wakikuyu Association* op, waaruit later de *East African Association* voortkwam. Deze organisatie werd echter spoedig verboden en haar leider, Harry Thuku, gearresteerd. Het feit dat de Kikoejoe de eersten waren die zich verzetten tegen de koloniale politiek, kwam voornamelijk doordat zij het meest te lijden hadden van de grondonteigeningen. Andere politieke groepen en partijen volgden, vooral in West- en Midden-Kenia. Deze werden georganiseerd naar stamlidmaatschap.

Tussen 1932 en 1938 werden door het hele land anti-koloniale bewegingen opgericht die vochten voor de teruggave van onteigend land. De roep om onafhankelijkheid, *uhuru* in het Swahili, verstomde daarna niet meer. Jomo Kenyatta was vanaf het begin een van de leiders van de onafhankelijkheidsbeweging. Hij reisde al in 1929 met een delegatie naar Londen om de belangen van de Afrikanen te bespreken.

De strijd voor onafhankelijkheid werd verscherpt doordat de Britten in 1914 Afrikanen voor hun leger hadden gerekruteerd, een maatregel die zij in 1939 herhaalden. De zwarte soldaten die hadden gediend in Kenia, Ethiopië, India en Burma, waren bij hun terugkeer ervaren soldaten en wisten dat de tijd was gekomen om voor hun rechten op te komen. Als gevolg van hun systematische politieke strijd slaagden de Afrikanen er uiteindelijk in enige concessies van de koloniale heersers los te krijgen. In 1944 werd Eliud Mathu als eerste Afrikaanse afgevaardigde in de

wetgevende kamer benoemd. In 1946 richtte Mathu de eerste politieke beweging op die over de stammengrenzen heen ging, de *Kenya African Association*, later omgedoopt tot *Kenya African Union*, de KAU. Deze organisatie eiste de afschaffing van het *kipande*-systeem, gratis onderwijs en toestemming om zich in de White Highlands te vestigen. Maar Londen luisterde niet naar deze eisen. In hetzelfde jaar keerde Jomo Kenyatta, na een bijna zestienjarig verblijf in Engeland, terug naar Kenia en werd tot president van de KAU gekozen.

De slechte sociale en economische situatie verbitterde vele jonge Kikoejoe, die zich verenigden in geheime genootschappen. Ze begonnen een guerrilla tegen de regering, die de geschiedenis is ingegaan als de 'Mau-Mau-opstand'. Hoewel de KAU niet deelnam aan de gewapende strijd, probeerde de regering toch de KAU in diskrediet te brengen door haar in verband te brengen met de guerrillamoorden op de kolonisten.

Op 20 oktober 1952 riep de regering de noodtoestand uit en liet verschillende KAU-leiders arresteren. In 1953 bracht men de gevangenen, onder wie Jomo Kenyatta, voor het gerecht en veroordeelde hen tot zeven jaar dwangarbeid. Daarop volgden jaren van wanhopige opstand tegen het koloniaal gezag. Verslagen van de door de Mau-Mau-rebellen gepleegde gruwelijkheden werden over de hele wereld verspreid. De feiten spreken deze verhalen evenwel tegen. Meer dan 10.000 Kikoejoe- en Mau-Mau-rebellen kwamen hierbij om, tegen 95 gesneuvelden aan de kant van de Europeanen.

Het keerpunt kwam in 1956. De Britten waren eindelijk bereid met de Afrikanen te praten en het politieke conflict in diplomatieke banen te leiden. Er werd een reeks bijeenkomsten belegd met vertegenwoordigers van alle betrokken groeperingen. In de loop van de gesprekken werd het iedereen duidelijk

Rechts: Oorkonde ter gelegenheid van het bezoek van de latere koningin Elizabeth II aan de Treetop Lodge in 1952. Uiterst rechts: Beeld van een Mau-Maukrijger (Kenyatta).

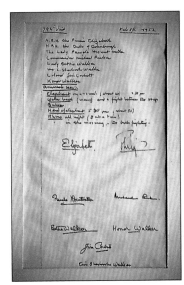

waar het om ging: een geschikt klimaat scheppen voor een onafhankelijkheidsverklaring door een gekozen regering. Het toen uitgewerkte Littleton Plan droeg weliswaar nog vele kenmerken van racisme, maar was toch een belangrijke stap voorwaarts naar een evenredige Afrikaanse vertegenwoordiging in de wetgevende kamer. Zo mochten na de verkiezingen van 1957 acht extra Afrikanen hun volken in het parlement vertegenwoordigen. Onder hen bevond zich ook een jonge activist, Daniel arap Moi, die zich om de KAU-leiders had bekommerd. Men liet het Littleton Plan al gauw vallen en verving het in 1958 door de Lennox-Boyd-grondwet, die het aantal Afrikaanse zetels in de kamer tot zestien verhoogde. Het gevolg was de oprichting, in 1959, van verschillende nieuwe Afrikaanse partijen die onafhankelijkheid eisten, alsmede de vrijlating van Jomo Kenyatta en andere KAU-leiders. In april 1960 schortte de regering de noodtoestand op en opende hiermee de mogelijkheid om onderhandelingen over de onafhankelijkheid te beginnen. De Afrikanen kregen nu 33 vertegenwoordigers in de wetgevende kamer en vier van de dertien ministersposten.

In 1960 ontstond dan ook de *Kenya African National Union*, de KANU, onder leiding van James Gichuru. Kort daarop ontstond de concurrerende *Kenya African Democratic Union*, de KADU. De opkomst van de KADU werd versneld door het feit dat de kleinere stammen bezorgd waren dat de KANU, die duidelijk werd gedomineerd door sterkere stammen als de Wakikoejoe en de Luo, de belangen van de minderheden zou verwaarlozen. Uiteindelijk kwamen de twee partijen tot een overeenkomst. Na de verkiezingen zouden ze een coalitieregering vormen en de ministersposten evenredig verdelen.

In mei 1963 vonden de eerste algemene verkiezingen plaats. De KANU won en Jomo Kenyatta werd de eerste premier. Het land kreeg eigen zeggenschap over alle binnenlandse aangelegenheden. Defensie en Buitenlandse Zaken bleven in handen van de Britse regering. Pas op 12 december 1963 kreeg Kenia volledige onafhankelijk-

25

heid. Kenyatta bleef president tot zijn dood op 22 augustus 1978.

Uhuru en harambee

Uhuru en *harambee*, onafhankelijkheid en samenwerking, zijn trefwoorden bij de ontwikkeling van het huidige Kenia. Lang genoeg had men ernaar gestreefd de Britse koloniale heerschappij omver te werpen, maar de moeilijkheden om van de vele etnische groepen één staat te maken, waren niet gering. De periode van afrikanisering begon.

Ook de herverdeling van de voormalige landerijen van de kolonisten ging niet zonder problemen. Weliswaar werd in het kader van landhervormingen zo'n 600.000 ha land onder 50.000 boeren verdeeld, maar verdere aangekondigde toewijzingen bleven uit. Bovendien werden de grotere boerderijen voornamelijk aan rijke Kikoejoe toegewezen. Europees bezit werd niet onteigend,

Boven: Het staatswapen van Kenia. Rechts: In 1963 werd Jomo Kenyatta de eerste president van Kenia.

maar het werd de Europeanen verboden om nieuw land te verwerven. Aziaten konden geen nieuwe handelsvergunningen meer krijgen, tenzij ze het Keniase staatsburgerschap aannamen.

Het vervangen van de Europeanen in leidinggevende posities in de regering en het bedrijfsleven verliep echter traag. Tot op heden staat de grote rol die zij spelen in belangrijke sectoren van de economie in geen verhouding tot hun aandeel in de bevolking. Wedijver tussen de kapitalistische en socialistische vleugels van de partijen was in de dagen van de jonge republiek aan de orde van de dag en in feite vergelijkbaar met de vroegere stammentwisten.

In 1964 werd in het noordoosten van het land een bloedige burgeroorlog gevoerd. De strijd ontstond doordat de Somali van de door Somalië ondersteunde *Shifta*-beweging hun onafhankelijkheid eisten. In 1969 kwam het tot een bloedige strijd tussen de Luo en Kikoejoe nadat een Kikoejoe de Luopoliticus Tom Mboya had vermoord.

Toen op 22 augustus 1978 Kenia's eerste president Jomo Kenyatta op 86-

jarige leeftijd overleed, werd hij opgevolgd door Daniel Arap Moi. De nieuwe president verklaarde de oorlog aan corruptie en nepotisme en kondigde amnestie af voor politieke gevangenen.

De vestiging van een echte democratie in Kenia kwam ook onder Moi niet echt van de grond en er bleven beschuldigingen dat de staat de mensenrechten schond.

Sinds 1993 heeft het land een meerpartijensysteem. Bij de presidentsverkiezingen van 2002 won **Mwai Kibaki** met zijn 'Regenboogverbond' ongeveer tweederde van de stemmen. De historische machtswisseling, waarbij de corrupte regering rondom Daniel Arap Moi verslagen werd, verliep onverwacht vredig. De nieuwe president beloofde omvangrijke hervormingen en bestrijding van corruptie in het land. Men had hoge verwachtingen van Kibaki, maar tot op heden kon hij daaraan slechts deels voldoen. De corruptie is ook onder zijn leiding wijd verbreid. Net als vroeger slaat de politie demonstraties tegen de regering met traangas neer. Er is intussen meer persvrijheid, maar afgezien van de invoering van kosteloos basisschoolonderwijs en economische groei is Kibaki's coalitieregering haar verkiezingsbeloften amper nagekomen. Kibaki bleek aan machtshonger te lijden en trok de leden van zijn eigen stam, de Kikoejoe, voor. De verkiezingen van eind 2007 won hij met een zeer kleine marge, zijn tegenstrever Odinga van de Luo-stam verweet hem verkiezingsbedrog. Er ontstonden rellen die in bloedige etnische conflicten ontaardden. Kofi Annan bemiddelde en Odinga is sinds 2008 de premier van de coalitieregering.

Een moeilijke toekomst?

Ondanks al deze problemen komt Kenia er in vergelijking met zijn Afrikaanse buren nog redelijk goed van af. Maar het land wordt al lang niet meer

beschouwd als een van de politiek en economisch stabielste landen van het continent. De sociale tegenstellingen kunnen moeilijk over het hoofd worden gezien. Apartheid zoals in Zuid-Afrika heeft Kenia weliswaar niet gekend, maar het komt zelden voor dat een zwarte Afrikaan bijv. met iemand trouwt die Indische voorouders heeft of dat de Kikoejoe en Luo de macht probleemloos delen. De verschillen tussen de klassen zijn groot: arme blanken of arme Indiërs zijn er haast niet en ook de rijke zwarte heersers worden meer in beslag genomen door het vergroten van hun eigen bezit dan door inzet voor het algemeen welzijn. Dit blijkt maar al te duidelijk uit de luxe woonwijken van Nairobi, die in schril contrast staan met de sloppenwijken van de stad.

Maar de erfenis van duizenden jaren, de rijkdom van de dierenwereld en het geweldige landschap maken Kenia tot een fascinerend land. Men kan de gastvrije bevolking slechts toewensen dat de toekomst hun een uitweg uit de vele sociale en economische problemen zal brengen.

KENIA'S VOLKEN EN HUN CULTUREN

Zo veelzijdig als het land zelf, zo veelzijdig is ook de bevolking van Kenia. Binnen de grenzen van het land wonen zo'n 38 miljoen mensen, die behoren tot meer dan veertig etnische groepen. Afrikanen uit alle hoeken van het continent wonen hier samen met de afstammelingen van immigranten uit Europa en Azië. De huidige Keniase bevolking komt voort uit de vele historische en recente immigrantengolven. Duizenden jaren geleden verhuisden stammen uit heel Afrika naar dit vruchtbare gebied in het oosten. Ze kunnen daarom als voorvaderen van alle Afrikaanse etnische groepen in Kenia worden beschouwd.

Een van de grootste Afrikaanse immigrantengroepen waren de Bantoes, die in verschillende golven uit het westen en zuidwesten naar Oost-Afrika kwamen. De Kikoejoe behoren ook tot Bantoetaal sprekende volken. Tegenwoordig vormen zij met meer dan 5 miljoen leden de grootste stam in Kenia. Sprekers van de Nilotische en Koesjitische talen daarentegen kwamen Kenia binnen vanuit het noorden en noordoosten.

De Koesjitische groepen baanden zich in talrijke veldslagen vanuit het Somalische schiereiland een weg naar het zuiden, waarbij ze de Bantoes en Arabieren uit hun nederzettingen aan de kust verdreven. Daarna zwierven ze westwaarts de binnenlanden van Kenia in.

De Koesjitische taalgroep valt in twee subgroepen onder te verdelen. Tot de grootste daarvan behoren de Somali, die zich als nomadische herders in het oostelijk deel van de droge noordoostelijke regio vestigden. De stammen van de tweede subgroep wonen in het westelijk deel van deze regio. Tot de belangrijkste van deze stammen horen de Rendille en de Orma. De Koesjitischtalige stammen bewonen een gebied dat ongeschikt is voor landbouw. Hun bestaan als veehouders is dan ook een aanpassing aan hun moeilijke leefomgeving. De laatste jaren hebben ze te maken met een duidelijke verslechtering van hun levensomstandigheden. Het toenemende gebruik van de grond door zowel mensen als vee was zeer nadelig voor de kwetsbare planten die van vitaal belang waren voor het beschermen van de bodem. Het gevolg was een toenemende woestijnvorming.

De Bantoes, wier taal tot de Niger-Kongo-taalgroep behoort, vormen nog steeds de grootste bevolkingsgroep van Kenia. Volgens de volkstelling van 1989 bestaat meer dan zestig procent van de totale bevolking uit Bantoes. Alles wijst erop dat dit percentage als gevolg van hun relatief hoge geboortecijfer en tegelijkertijd lage sterftecijfer de laatste tien jaar nog zal stijgen. De Bantoevolken bevinden zich tegenwoordig ten zuiden van een denkbeeldige lijn tussen de Mount Elgon en de stad Lamu aan de Indische Oceaan. Ze wonen vooral in drie geografische regio's binnen dit gebied: het bekken van het Victoriameer, de East Rift Highlands en de kuststrook.

Tot de belangrijkste Bantoegroepen behoren naast de Kikoejoe de Embu, de Meru, de Mbere, de Wakamba en de Tharaka. Deze stammen bewonen vooral de vruchtbare centrale hooglanden, die zich uitstrekken van de Nyambene Hills in het Merudistrict en de hellingen van de Mount Kenya tot de eerste heuvels van de indrukwekkende Nyandarua Mountains.

De overige Kenianen van Afrikaanse afkomst kunnen ruwweg in twee taalkundige categorieën worden ondergebracht: de Nilotische en de Koesjitische. Tot stammen die een Nilotische taal spreken, behoren onder meer de

Voorgaande pagina's: Direct achter de zuidelijke grens van Kenia, in Tanzania, rijst de Kilimanjaro op, de hoogste berg van Afrika (5895 m). Links: Een Kikoejoevrouw uit het hoogland.

koejoe, Luhya, Luo, Akamba, Kalenjin, Kisii en Meru – maken 81,3 procent van de bevolking uit. Hierbij brengen de Bantoetalige stammen het er met hun ruim zestig procent goed af vergeleken met de Nilotischtaligen.

De grenzen van de jonge staat Kenia zijn een erfenis van de koloniale tijd, toen Britten en Duitsers Oost-Afrika naar hun eigen inzichten opdeelden en zich niet in het minst om de voorvaderlijke landrechten van de lokale bevolking bekommerden. Een gevolg hiervan is dat de nationale grenzen van Kenia dan ook niet corresponderen met het vestigingsgebied van de diverse stammen. Zo strekken bijvoorbeeld de migratieroutes van de Masai, die ze als nomaden al generaties lang volgen, zich uit tot ver in het buurland Tanzania.

Volksverhuizingen

De eerste inwoners van Kenia waren jagers-verzamelaars die de open savannen en de wat drogere woudgebieden bewoonden. Deze groepen kunnen nauwelijks in etnische groepen worden geclassificeerd. Waarschijnlijk hadden de Koesjitische groepen die uit de Ethiopische hooglanden naar het zuiden trokken, al bij het begin van de jaartelling het noorden van het huidige Tanzania bereikt, waar ze vervolgens door Nilotische groepen en Bantoes werden verdreven. Ook is vastgesteld dat reeds rond 6000 v.C. een economische verandering plaatsvond van een cultuur van jagen en voedsel verzamelen naar het bedrijven van landbouw. Verder waren rond 1000 v.C. de herdersstammen verspreid over Kenia en heel Oost-Afrika.

Luo, de Kalenjin, de Masai en aanverwante stammen. De Kalenjin en verwante Masaigroepen waren oorspronkelijk herdersvolken die vrijwel het hele land in een reeks migraties van noord naar zuid doorkruisten. Daarbij kwamen ze in aanraking met de Koesjitische groepen die de droge noordelijke streken bewoonden. Later kwamen deze migraties tot een einde door de grootschalige landbouw van de blanken. Nu zijn de meeste van deze voormalige veehouders overgestapt op de landbouw.

Het is opvallend dat geen van de stammen in Kenia de andere domineert. De Bantoegroep is in omvang weliswaar de grootste, maar door culturele en geografische verdeeldheid spelen ze geen politieke rol van belang. De Kikoejoe vormen de grootste stam, maar maken slechts twintig procent van de totale bevolking uit. De zeven grootste stammen van Kenia bij elkaar – de Ki-

Deze ontwikkelingen versterkten de algemene tendens tot een plaatsgebonden bestaan, dat op zijn beurt leidde tot een bevolkingsgroei en een daarmee samenhangende ruimtelijke expansie van de diverse groepen. Zodoende waren rond 1000 v.C. het bedrijven van landbouw en veeteelt de voornaamste bestaansvormen geworden, terwijl de tot

Boven: De Turkana behoren tot de Nilo-Hamiten. Rechts: De hutten langs het Turkanameer worden op traditionele wijze gebouwd.

dan toe florerende gemeenschappen van jagers-verzamelaars langzaam maar zeker naar randgebieden werden teruggedrongen.

De **Koesjieten** slaagden erin om voor een deel hun zelfstandigheid te bewaren ten opzichte van andere volken. Hun afstammelingen, onder wie de Somali, de Galla of Oromo, de Rendille en de Boni, bewonen tegenwoordig de noordelijke en oostelijke delen van Kenia. De voorouders van de Omo-Tana-Koesjieten stammen uit de streken tussen het Abayameer en het Turkanameer.

In 500 n.C. vestigden de voorouders van de Jabarti, Boni en Somali, die voornamelijk kamelenfokkers waren, zich in het gebied tussen het Turkanameer en de Indische Oceaan. De Galla (Oromo) daalden in verschillende migratiegolven af uit het Ethiopische hoogland en bereikten tegen het midden van de 16de eeuw de rivier de Juba. Sindsdien hebben de Somali tot in de 20ste eeuw getracht hen te verdringen.

De **Bantoes**, wier talen verreweg de grootste linguïstische groep van Kenia vormen, drongen het land binnen vanuit het zuiden en westen. Vanaf het begin van de christelijke jaartelling hebben ze zich vanuit het gebied van het huidige Kameroen naar het midden en het zuiden van Afrika verplaatst. De migratiegolven van de Bantoes en hun daaropvolgende vestiging in Kenia duurden voort tot na het jaar 1000. Op een gegeven moment trokken ze langs de kust zo ver noordwaarts dat ze op de Galla en Somali stuitten, die er vermoedelijk in slaagden om hen te dwingen weer naar het zuiden te keren. Volgens de Mijikenda was de reden dat de Bantoes uiteindelijk Shungwaya bereikten, een mysterieus rijk ergens in het noorden van Kenia.

De tweede Bantoegolf voerde van de kust naar de hooglanden, hetgeen door mondelinge overleveringen van de Meru en Akamba wordt bevestigd. Zo trokken de Akamba tussen 1450 en 1550 van het Kilimanjarogebied naar Ukambani. Ongeveer tezelfdertijd zetten ook de andere stammen uit het gebied van de Mount Kenia zich in beweging, zoals de Chuka, Mbere, Embu, Ndia, Gicugu en Wakikoejoe. Zij ver-

huisden van Tiggania en Igembe naar het noordoostelijke puntje van Meru. Ze trokken om de Meru Hills heen en zwierven naar het zuiden door het Ntugiwoud via Igambangombe, Kiambere en Ithanga, tot ze tegen het eind van de 16de eeuw het Kikoejoeland binnentrokken.

In de daaropvolgende drie eeuwen consolideerden deze gemeenschappen zich en breidden zich verder uit. De Kikoejoe bijvoorbeeld verspreidden zich naar de gebieden Murang'a, Nyeri en Kiambu.

Grote delen van West-Kenia werden oorspronkelijk (tot het einde van de 16de eeuw) bevolkt door de Nilotische Kalenjingroepen, terwijl de voorouders van de Bantoestam de Luyia slechts kleine gedeelten van het zuiden van Baluyia bewoonden. Aan het eind van de 16de en in het begin van de 17de eeuw kwamen echter andere Bantoestam-

Boven: Het is gebruikelijk dat zowel mannen als vrouwen sieraden dragen. Rechts: De Masai, de Luo en andere stammen behoren tot de Niloten.

men, sommige verdreven door de Nilotische Luo, in groten getale vanuit Oeganda Kenia binnen. Zij waren de voorouders van de huidige Tiriki, Wanga, Bukhoya, Maragoli en Marachi. Tegelijkertijd gingen Masai- en Nandigroepen op in de Bantoes, zoals blijkt uit het feit dat zij hun eigen taal en cultuur opgaven.

Nieuwe immigratiegolven overspoelden het land en rond 1870 was het Baluyiagebied volledig bewoond. In dezelfde periode trokken de Gusii hun huidige woongebieden binnen.

De **Nilotische volken**, die aanzienlijke delen van Oost-Afrika bewonen, kunnen in drie groepen worden onderverdeeld: de Rivier-Meer-Niloten, de Laagland-Niloten en de Hoogland-Niloten. De geschiedenis van de Laagland-Niloten is, anders dan die van de Rivier-Meer-Niloten, niet volledig overgeleverd. Niettemin tonen recente onderzoeken aan dat hun land van herkomst rond het Turkanameer moet hebben gelegen.

In de loop van de 1ste eeuw n.C. kwamen de Hoogland-Niloten in nau-

wer contact met hun buren, de Koesjieten van het oosten en het zuiden. Zo zwierven bijvoorbeeld de voorouders van de Kalenjin zuidwaarts naar het Uasin Gishu Plateau. In de 2de eeuw splitste deze groep zich op in de Elgon, Pokot, Nandi en Zuid-Kalenjin. Deze Zuid-Kalenjin breidden zich verder naar het zuiden uit en kwamen daarbij tot in het noorden van Tanzania. Rond 1600 lijkt dit proces te zijn gestopt.

Ook de Masai speelden een grote rol bij de ontwikkeling van de uiteindelijke vorm van de Kalenjinsamenleving. In de 18de eeuw splitsten de Masai, die zich ook in het Uasin Gishu Plateau hadden gevestigd, de Nandisprekende Kalenjin in twee groepen op. Aan de ene kant kwam er een oostelijke groep, de voorouders van de huidige Tugen, Marakwet en Keiyo; aan de andere kant een westelijke groep, waaronder de Nandi en Kipsigi. Tegen 1850 waren de Masai, befaamd om hun krijgskunst, uitgegroeid tot een van de machtigste Nilotische stammen in Oost-Afrika.

In de Nilotische taalgroep bevindt zich een van de kleinste etnische gemeenschappen van Kenia, de El Molo, die bij de volkstelling van 1979 uit slechts 538 leden bestond. Sinds die tijd is hun aantal nog verder afgenomen, zodat de regering kortgeleden speciale maatregelen heeft afgekondigd om hun uitsterven te voorkomen.

De El Molo zijn een zijtak van de Turkana en leven als vissers aan het Turkanameer. Ze worden tegenwoordig gerekend tot de Nilotische taalgroep, wat goed aantoont hoe snel culturen en talen bezwijken voor veranderende tijden en met elkaar versmelten. Tot voor kort spraken de El Molo namelijk nog hun voorvaderlijke Koesjietentaal, maar hun vermenging met de naburige Samburu gaf hun een nieuwe Nilotische taal en talrijke nieuwe gewoonten en gebruiken.

Een beter begrip van de verschillende Keniase stammen en subgroepen krijgt men door zich voor ogen te houden welke invloed de geografische ligging van hun vestigingsgebied op hun ontwikkeling heeft gehad. Zo heeft het waterrijke landschap van Midden-Kenia, met haar valleien en bergen, haar sporen nagela-

ten op de sociale en politieke instellingen van de Kikoejoe.

Op dezelfde wijze hebben de vissersvolken van de Rivier-Meer-Niloten hun leven en tradities afgestemd op hun omgeving van rivieren en meren. De Koesjieten daarentegen, wier woongebieden met extreme klimatologische omstandigheden hebben te maken, zijn afhankelijk van het houden van kamelen, dromedarissen, schapen, geiten en runderen.

De kameel, een niet erg veeleisend dier, heeft van oudsher een belangrijke rol gespeeld als leverancier van melk, vlees en leer. Dit laatste wordt ook gebruikt voor het vervaardigen van tenten. Bovendien is de kameel nog immer transportmiddel nummer één voor de nomadische Koesjieten.

Volgens de laatste volkstelling leven er 38 stammen in het land, de niet-Keniase Afrikanen en andere groepen niet meegerekend. Dit getal laat ook die stammen buiten beschouwing die met

andere stammen taalgemeenschappen vormen, zoals de Kalenjin, de Mijikenda of de Luyia. Kalenjin is bijvoorbeeld eigenlijk een samenvattende term voor verschillende etnische groepen die met elkaar zijn versmolten door onder meer de verwantschap van hun talen, hun geografische posities en hun politieke overtuigingen.

Tot de Kalenjin worden de Nandi, Kipsigi, Tugen, Marakwet en Keiyo gerekend. Allen bewonen aangrenzende gebieden in de Rift Valley. De negen stammen of subgroepen die tot de Mijikenda behoren, hebben daarentegen zulke nauwverwante talen dat ze als dialecten van één taal kunnen worden beschouwd. Deze stammen zijn: de Digo, Rabai, Giriama, Kauma, Ribe, Kamba, Jibana, Chonyi en Duruma. Ze wonen in de kustgebieden van Kenia.

De Luyia bestaan in feite niet uit één stam, maar uit een combinatie van zestien stammen, die waarschijnlijk hun krachten bundelden om hun verdediging te versterken. Hun idioom verschilt nauwelijks, iets wat ook onder Bantoestammen niet ongebruikelijk is.

Boven: Een familie van Samburuherders in het gelijknamige National Park.

De Luyia behoren tot de Marigoli; zij zijn momenteel de leidende groep wat betreft omvang en niveau van ontwikkeling. Verder zijn er de Bunyore, Tiriki, Marachi, Isukha, Idakho, Tachoni, Kabras, Wanga, Bukhayo, Samia, Abanyala ba Ndombi, Marama, Kisa en Bukusu.

De verschillende levensomstandigheden hebben geleid tot verschillende gebruiken en levenswijzen van de diverse etnische groeperingen. De volgende schetsen van een aantal volken verschaffen wellicht enig inzicht in het traditionele leven van de gehele Afrikaanse bevolking van Kenia.

De Kikoejoe

De belangrijkste woongebieden van de Kikoejoe, met 20% de grootste etnische groep van Kenia, zijn de districten Murang'a, Kiambu en Nyeri in Midden-Kenia. Door het vruchtbare land werden zij succesvolle boeren; landbezit is bij de Kikoejoe traditioneel van groot sociaal belang. Ze worden echter niet alleen gezien als goede landbouwers, maar ook als begaafde handelaars en ondernemers. Tegenwoordig wonen veel Kikoejoe in Nairobi, waar ze belangrijke posities in het zakenleven en de politiek bekleden. Jomo Kenyatta, de eerste president van het onafhankelijke Kenia, was ook een Kikoejoe.

De mythen van de Kikoejoe verhalen van twee stamouders, van wie de man Gikoejoe en de vrouw Mumbi heet. Hun god, Ngai, schiep de berg Kirinyaga en wees Gikoejoe een deel van zijn valleien en dieren toe.

Vanaf de top van de berg liet de god Gikoejoe de schoonheid van het land zien, vooral de plek onder een enorme vijgenboom waar Gikoejoe zijn huis moest bouwen. Daar trof hij Mumbi aan, die hij tot zijn vrouw nam en bij wie hij negen dochters kreeg. De dochters werden volwassen, maar nergens was er een man met wie ze konden trouwen. Gikoejoe smeekte Ngai om hulp en offerde een lam en een geitje voor

hem. De volgende keer dat hij de offerplaats bezocht, trof hij er negen mannen aan en dolgelukkig bracht hij hen naar zijn huis. Gikoejoe wilde echter slechts onder twee voorwaarden met het huwelijk van de negen mannen met zijn negen dochters instemmen. In de eerste plaats moesten de mannen hem beloven niet na het huwelijk met hun bruid te vertrekken en in de tweede plaats moesten zij het matriarchaat erkennen. Zo leefden ze samen als een groep, die ze 'Mbari ya Mumbi' noemden, ter ere van de moeder van hun clan.

Pas nadat hun ouders waren gestorven, vormden de dochters met hun nazaten elk hun eigen familie, maar het saamhorigheidsgevoel tussen de individuele clans bleef voortbestaan. Vele generaties lang heersten de vrouwen over de families, zoals was afgesproken.

Na verloop van tijd werden de mannen evenwel ontevreden over de steeds aanmatigender houding van de vrouwen, alsmede over hun veelmannerij. Uiteindelijk kwamen ze bijeen om tegen de vrouwen samen te zweren.

Ze maakten de vrouwen het hof en verleidden hen en toen alle vrouwen zwanger waren, namen de mannen het gezag over. Van toen af aan was alles omgekeerd: nu waren de mannen de leiders van de gemeenschappen en zij beoefenden op hun beurt polygamie. Het enige privilege dat de vrouwen behielden, was dat ze in naam de beschermvrouwen van de negen belangrijkste Kikoejoeclans bleven.

De Luo

De Luo vormen de op een na grootste stam van Kenia. Ze vestigden zich voornamelijk in de omgeving van het Victoriameer en in Zuid- en Noord-Nyanza, waar ze leven van landbouw en visserij. Vele belangrijke politici stammen uit hun gelederen.

Vroeger leefden de Luo als semi-nomadische herders, maar vanwege hun snelle bevolkingsgroei verhuisden ze

naar de hooglanden en vestigden zich daar als boeren en vissers. Oorspronkelijk hechtten ze weinig waarde aan landbezit, maar dit veranderde naarmate hun bestaan honkvaster werd. Land was het gemeenschappelijk bezit van het volk en verzekerde de positie van ieder stamlid. De raad van ouderen wees de velden toe naar gelang de behoeften en omvang van de families.

Intensieve missieactiviteiten in westelijk Kenia leidden in de koloniale periode tot het stichten van talloze scholen en opleidingsinstituten en hadden mede tot gevolg dat het opleidingsniveau van de Luo vergeleken met dat van andere bevolkingsgroepen zeer hoog was. Daarom werd uit de gelederen der Luo vroeger een groot deel van het politieke leiderschap gerekruteerd. Onder deze leiders bevonden zich beroemde persoonlijkheden als Tom Mboya en Oginga Odinga, die beiden zeer actief

Boven en rechts: In de hooglanden is het 's nachts behoorlijk koud. Warme kleding is bij de daar levende herdersvolken dan ook heel gewoon.

waren in de onafhankelijkheidsbeweging. Odinga, oppositieleider en strijder voor de democratie, overleed in 1993.

Naast hun politieke activiteiten zijn de Luo echter vooral bekend vanwege hun vaardigheid als vissers. In de Winam Gulf en langs het Victoriameer vissen ze met werpnetten en vishaken op tilapia, een geliefde vis in Kenia.

De Masai

De Masai zijn de beroemdste stam van Kenia, hoewel ze slechts 1,6% van de bevolking uitmaken. Tegenwoordig wonen ze in het zuiden van het land. Een deel van dit krijgshaftige herdersvolk verwerpt nog steeds elke moderne verworvenheid en is trots op zijn oeroude tradities. Taalkundigen delen de Masai in bij de Oost-Niloten, wier taal, het *Maa*, in elk geval sterk is beïnvloed door het Koesjitisch. De Samburu en de Njemps behoren ook tot de Maassprekende stammen.

Tot op heden is de geschiedenis van de Masai nog weinig onderzocht. Slechts één ding is zeker: tot de 15de

eeuw woonden ze in de omgeving van het Turkanameer. Slechts langzaam trokken ze daarvandaan in kleine groepen naar het zuiden. Lange tijd waren ze de onbetwiste heersers van de weidse savannen van Midden-Kenia en het zuiden van het land, een gebied dat zich uitstrekte tot ver in het huidige Tanzania.

In de 19de eeuw kwam het tussen de verschillende Masaistammen tot onenigheden over veediefstal en graasrechten. De conflicten kwamen vooral voort uit het feit dat de ene Masaigroep zich ergens permanent vestigde, terwijl de andere zijn nomadische bestaan voortzette. De geschillen leidden tot een uiterst dramatische veldslag bij Nakuru, waar leden van de Laikipiastam door hun tegenstanders in de diepten van de krater van de Menegai te pletter werden gegooid. De weinige overlevenden van de Laikipia werden in alle richtingen gejaagd en opgenomen door andere etnische groepen.

In tegenstelling tot vele andere stammen werkten de Masai in het begin van de koloniale tijd samen met de Britten. Ze boden nauwelijks enige tegenstand, zelfs niet toen steeds meer immigranten het land binnenkwamen en de Masai het recht op hun weidegronden betwistten. Ook deden ze weinig om de aanleg van de spoorweg tegen te houden, die toch dwars door hun land sneed. Een van de oorzaken hiervoor was dat een verwoestende runderpestepidemie negentig procent van hun vee had gedood en zo de kracht had gebroken van de trotse Masaikrijgers. Tegen hun wil werden de Masai overgebracht naar de onvruchtbare savannen in het zuiden van het land, een gebied dat later het Masai Mara Reserve zou worden. In de daaropvolgende decennia werd het weidegebied van de Masai zelfs nog kleiner.

De oprichting van het Masai Mara Reserve en het Amboseli National Park, alsmede het Serengeti National Park aan de Tanzaniaanse kant van de grens, heeft hen van vitale graasgebieden beroofd. Daar komt nog bij dat de Kikoejoe veel land hebben opgekocht om er landbouwgebied van te maken. Dit betekende een enorme inperking van land voor een nomadisch volk dat sinds on-

heuglijke tijden had geleefd zonder rekening te hoeven houden met staats- of eigendomsgrenzen.

Volgens de mondelinge overlevering van zowel de Masai als de Somali is Maa de oervader van beide stammen. De legendarische voorvaderen van de Masai worden de Parakwo genoemd. Ze waren het uitverkoren volk van hun godheid en kregen hun vee rechtstreeks uit de hemel. Tot op de dag van vandaag beweren de Masai dat andere volken slechts vee bezitten omdat ze dat in de verre prehistorie van de Masai hebben gestolen. De huidige wet die hun verbiedt hun 'gestolen' bezit weer op te eisen van hun buren, moet hun onbegrijpelijk toeschijnen.

Er is waarschijnlijk geen ander volk dat zo sterk aan zijn traditionele gebruiken en gewoonten vasthoudt als de Masai. Hun belangrijkste bezit is vee, terwijl landbezit voor dit nomadische volk totaal onbelangrijk is. Het aantal runde-

Boven: Een Masaikrijger besteedt veel aandacht aan zijn uiterlijk. Rechts: De lemen hutten zijn niet bijzonder ruim.

ren dat hij bezit, is waar het om gaat voor een Masai, niet hoeveel melk of vlees ze leveren.

Het voedsel van de Masai bestaat voornamelijk uit melk, gierst, maïs en bloed, dat ze van hun vee aftappen. Ze wonen in vrijstaande hutten, zogenaamde *bomas*. Deze laten ze achter als ze verder trekken naar nieuwe streken. Op een volgende plek bouwen ze nieuwe hutten van takken met een laag modder die wordt versterkt met koeienmest. Een hek van doornen biedt bescherming tegen wilde dieren. Ze gebruiken ezels als lastdieren voor hun huishoudelijke spullen.

Het gevoel van saamhorigheid van een Masaiman met zijn eigen leeftijdsgroep is net zo belangrijk als de saamhorigheid binnen zijn clan. Alle mannelijke Masai doorlopen in hun leven drie belangrijke stadia. Na hun kinderjaren worden ze tussen hun veertiende en achttiende jaar besneden, waardoor de jonge mannen overgaan tot de leeftijdsgroep der krijgers, in de Masaitaal *moran* genoemd. Voor deze leeftijdsgroep geldt een aantal taboes, waaronder een verbod om alcohol te drinken. De moran wonen samen in hutten met de andere krijgers van hun leeftijdsgroep en met meisjes van dezelfde leeftijd. Onder de dapperheidstesten die vooral in vroeger tijden voor alle krijgers gebruikelijk waren, behoort het doden van een leeuw met geen ander wapen dan een speer. Binnen de gemeenschap heeft de krijger alleen de taak om het vee te bewaken en de clan tegen vijanden te verdedigen. De moran zijn te herkennen aan hun lange, kunstig gevlochten haren. Het lijkt erop dat voor de jonge Masai het uiterlijk net zo belangrijk is als voor jonge mensen in Europa of Amerika. Alleen is het hier niet modieuze kleding, maar vooral de haardracht en sieraden waaraan men waarde hecht. Met het huwelijk en het afknippen van de lange haren begint na een jaar of zeven een nieuwe levensfase. Nu behoren de jonge mannen tot de gemeenschap der ouderen, die nu en dan samenkomen om beslissingen voor de clan te nemen en verder een betrekkelijk rustig familieleven leiden.

De Mijikenda

De Mijikenda beweren dat ze afkomstig zijn uit Shungwaya, een mythische stad die ergens ten noorden van het eiland Pate zou hebben gelegen. Tegenwoordig bewonen zij de Kwale- en Kilifidistricten. De Mijikenda noemen zichzelf *Makaya Chenda*. Zij zijn het volk dat herhaaldelijk voorkomt in kronieken van 18de-eeuwse Europeanen onder de namen *Wanyika* of *Monika*, 'mensen van de wildernis'. In die tijd stonden de Mijikenda in nauw contact met de stad Mombasa, waarvoor ze als tussenhandelaars ivoor en hout van de volken in het binnenland opkochten.

De Mijikenda worden onderverdeeld in negen etnische groepen: de Digo, Rabai, Giriama, Kauma, Ribe, Kamba, Jibana, Chonyi en Duruma. De bekendste van deze stammen is tegenwoordig zonder meer die van de Giriama, die zich

kan beroemen op een oude en interessante cultuur, vooral op het gebied van muziek en dans. Toeristen die de kust bezoeken, zullen spoedig kennismaken met hun dansvoorstellingen. Hun belangrijkste muziekinstrumenten (en geliefde souvenirs) zijn de *kayamba*, gemaakt van met graan gevulde rietstengels, en de *chivoli*, een soort fluit.

De Turkana

In etnisch opzicht zijn de Turkana van Noordwest-Kenia nomadische Nilo-Hamiten. Ze zwerven nog altijd door het enorme gebied tussen het Turkanameer en de Rift Valley langs de grens met Oeganda. De stad Lodwar is het bestuurscentrum van deze regio. Het Turkanavolk bestaat uit de Nimonia, een in de bosgebieden levende stam, en de Nocuro, die de savanne bewonen. Deze stammen zijn op hun beurt verdeeld in zo'n twintig clans, de *ategerin*. Deze clans zijn losjes met elkaar verbonden in een overkoepelende organisatie, de *adakar*. Iedere Turkanaman behoort tot een van twee volgende

generatiegroepen: de Stenen (*nimur*) of de Luipaarden (*neisai*).

Het Britse koloniale bestuur was nauwelijks geïnteresseerd in het stammenleven van de Turkana en wist slechts dat deze mensen 'reusachtig lang en uiterst wild' waren. Het is historisch vastgesteld dat de Turkana de Masai in de jaren vijftig van de 19de eeuw hebben verdreven en dat ze zelf regelmatig werden overvallen en onderworpen door de Ethiopiërs. Duitse onderzoekers merkten onder meer het volgende op over de Turkana: ze zijn 'slungelig, slank en indrukwekkend, met hoge jukbeenderen en zeer onnegroïde lippen. Ze dragen hoofdtooien van struisvogelveren, kralen en metalen armbanden om hun biceps, en, uitsluitend bij ceremonies, capes van luipaardvel.'

De Turkana voeden zich voornamelijk met vlees en bloed van hun runderen. Kamelen zijn een belangrijk status-symbool; ezels dienen uitsluitend als lastdier. Schapen en geiten worden gebruikt als maaltijd voor gasten, als offer bij rituelen of om het vlees ervan te drogen. Grote hoeveelheden melk worden eerst gekookt en dan gedroogd op leren huiden om later in poedervorm te worden gebruikt. De vetarme en lichtverteerbare kamelenmelk wordt gebruikt om zuigelingen te voeden. Bessen worden gedroogd en verpulverd of met bloed vermengd tot koeken. In het regenseizoen wordt bij waterlopen gierst verbouwd. Ondanks de enorme visvoorraden in het naar hen vernoemde Turkanameer vissen de Turkana slechts in perioden van droogte of hongersnood. De traditionele woning van de polygame Turkana wordt bewoond door het hoofd van de familie, zijn lievelingsvrouw en hun kinderen, terwijl zijn verschillende bijvrouwen samen met hun kinderen en getrouwde zonen in hun eigen afgebakende ruimten wonen. De hoofdingang van een woonhuis ligt altijd op het oosten. Net als andere etnische groepen in Kenia hebben de Turkana van hun alledaagse gebruiks-

Boven: Een Turkanavrouw uit Noord-Kenia. Rechts: Dansende Samburu. Uiterst rechts: Een El Molomeisje.

voorwerpen ware kunstobjecten gemaakt. Zo verfraaien ze hun houten wa-
tertroggen met brandschilderingen en
hun olie- en melkhouders van kamelen-
huid met kralen en kaurischelpen.

De Turkanaman, traditioneel een
herder en jager, wordt buitenshuis zelden aangetroffen zonder zijn speer, zijn
mes en zijn schild van buffel-, giraffe-
of nijlpaardvel. De vrouwen maken
zich mooi met armbanden en halsket-
tingen van koper of aluminium en met
onwaarschijnlijke hoeveelheden kra-
lensnoeren.

Inmiddels heeft de moderne beschaving echter haar intrede gedaan in het
leven van de Turkana. Transistorradio's
hebben de tamtam overbodig gemaakt
en de verbeterde communicatie leidt
niet alleen tot betere contacten met de
buren, maar ook tot invloed van de westerse samenleving.

Door kunstmatige bevloeiing langs
de rivieren de Turkwell en de Kerio en
door het opzetten van visserijcoöpe-
raties op de westelijke oevers van het
Turkanameer probeert de overheid van
de Turkana een op één plaats blijvende
stam te maken. Het zogenaamde Turkwell Gorge Plan moet zorgen voor de
stroomvoorziening van duizenden hec-
taren nieuwe agrarische nederzettingen.

De Samburu

De Samburustam woont in het noorden van Kenia in een gebied van circa
28.490 km^2 dat ook het Lerogi Plateau
met zijn cederbossen omvat, en de droge, ruige streken van het noorden. De
stad Maralal is het bestuurscentrum van
het Samburugebied.

Wat cultuur en taal betreft zijn de
Samburu nauw verwant aan de Masai.
In de 16de eeuw, tijdens een periode
van migratie langs de Nijl, hebben ze
zich van de hoofdgroep afgesplitst en
zijn naar het zuiden gegaan. De levens-
stijl van de Samburu is in de loop der jaren maar weinig veranderd. Dit herdersvolk woont nog steeds in lage hutten
van in elkaar gevlochten takken, die
met modder en koeienmest zijn bedekt
ter verbetering van de isolatie. Dakmat-
ten van sisal geven nog extra beschut-
ting. Iedere hut is ingericht met twee

voor de krijgers de essentie van verlei-delijke schoonheid – en vast niet alleen voor hen.

De Rendille

Aan de zuidoostelijke oevers van het Turkanameer wonen de aan de Somali verwante Rendille. Een van hun legen-den verhaalt over hun afkomst.

Honderden jaren geleden verdwaal-den negen Somalikrijgers samen met hun kudden kamelen. Na vele dagen door onbekend gebied te hebben ge-dwaald, belandden ze op het grondge-bied van de Samburu. Voordat de Sam-buru hun toestonden om vrouwen uit hun stam te trouwen, moesten de Soma-li eerst hun oude tradities en hun islami-tische geloof opgeven. Ze stemden toe en uit de verbintenissen van deze Soma-li met Samburuvrouwen ontstond een nieuwe stam, de Rendille.

Tegenwoordig leven de Rendille met een paar kamelen die ze houden vanwe-ge de melk in semi-permanente neder-zettingen. De jongens en jonge mannen zijn met hun mobiele kampen doorlo-pend onderweg, op zoek naar vruchtba-re weidegronden voor hun enorme ka-melenkudden, terwijl de meisjes zorgen voor de kudden schapen en geiten.

Tot op de dag van vandaag drijven de nomadische Rendille hun kudden over het doornige struikgewas van de woes-tijn. De laatste jaren zijn er scholen ge-bouwd om de toekomstige generaties voor te bereiden op het leven in de mo-derne wereld.

De Boran

In het Turkanagebied leeft nog een andere herdersstam, de Boran. De Bo-ran zijn verwant met de Koesjieten van Zuid-Ethiopië. Ze geloven in een hoge-re godheid, met wie ze via sjamanen en door offers en gebeden kunnen commu-niceren.

Zoals bij de meeste Afrikaanse stam-men worden de kinderen van de Boran

bedden van gevlochten takken bedekt met een geiten- of koeienhuid. De moe-der slaapt in het grote bed, de kinderen in het kleine. Ook de Samburu leven po-lygaam en de mannen bezoeken hun vrouwen om de beurt. Een hoofdbe-standdeel van hun voedsel bestaat uit een yoghurtachtige gestremde melk die af en toe met bloed wordt gemengd. Vlees wordt alleen bij speciale gelegen-heden gegeten. De rijkdom van een Samburufamilie wordt afgemeten aan het aantal kamelen, runderen en geiten dat deze bezit.

De Samburu versieren zichzelf met kralen en metalen hals- en armbanden. Het gezicht en lichaam van de krijgers worden gewoonlijk met okerkleurige klei beschilderd en ook hun haar wordt uitvoerig met klei bewerkt. De met oker beschilderde meisjes met hun ontblote borsten en sensuele bewegingen zijn

Boven: De sieraden van de Samburuher-ders bieden tevens bescherming tegen het boze oog. Rechts: Een veemarkt in West-Kenia.

streng volgens de stamtradities opge-
voed. Hun geboorte en naamgeving
worden begeleid door rituelen en fees-
ten. De initiatieriten vinden uitsluitend
binnen de kring van verwanten en naas-
te vrienden plaats, maar het aanroepen
van de oppergod geschiedt tijdens een
viering in het openbaar.

De vader scheert het haar van ieder
zoontje af voordat hij het na verdere ceremonies een naam geeft. De volgende
ochtend wordt dan een eerder gewijde
stier geofferd. Uit zijn huid worden
dunne armbanden gesneden voor het
kind en diens verwanten. Een priester
voorspelt de lotsbestemming van de
jongen en het vlees van de geofferde
stier wordt gezamenlijk opgegeten.
Meisjes worden voor de stam van veel
minder belang geacht en hun naamge-
vingsceremonies zijn veel eenvoudiger.

Voordat een jongen zijn haar weer
mag laten groeien, moet hij eerst zijn
mannelijkheid bewijzen. Hij kan daartoe een leeuw, een olifant of een man
van een andere stam doden. Maar hij
kan ook gewoon trouwen en een kind
verwekken.

Iedere Boranstam is verdeeld in vijf
generatiegroepen. Om de acht jaar
schuift een Boran via een nieuwe initia-
tierite op naar de volgende groep. Na
veertig jaar bereikt hij dan de laatste
groep, die der stamoudsten.

De cultuur van de Boran is in de loop
der tijden weinig veranderd, ondanks
dat er in hun gebied scholen zijn gevestigd en er een landbouwproject is opgezet bij de rivier Uaso Nyiro.

De Swahili

Als eerste niet-Afrikaanse groep vestigden Arabieren zich vanaf het begin
van de 7de eeuw op de kust van Kenia.
Uit de vermenging van de islamitische
Arabieren met de inheemse Bantoebe-
volking kwam de Swahilicultuur voort,
die, georganiseerd in stadstaten, bloeide
langs de gehele kust van Oost-Afrika.

De Swahili – de naam betekent gewoon 'kustbewoners' – maken nog
steeds een aanzienlijk deel uit van de
kustbevolking. Net als vroeger is het
voor hen van doorslaggevend belang of
ze uit een oude autochtone familie

tugezen en die ook nu nog een belangrijke rol spelen. De meerderheid van de meer dan 4 miljoen islamieten in Kenia is soennitisch. Tegenwoordig wonen ze niet meer uitsluitend aan de kust maar ook in steden in het binnenland.

Aziaten en Europeanen

Slechts 4 procent van de Keniase bevolking (ca. 80 000) is van Aziatische komaf en de nazaten van de Europese immigranten maken niet meer dan 0,3 procent uit van de bevolking. Deze in economisch opzicht belangrijke bevolkingsgroepen zijn hoofdzakelijk werkzaam in handel en industrie (de Europeanen spelen in de landbouwsector geen rol van betekenis meer) en men treft hen dan ook voornamelijk in de grote steden aan, zoals in Mombasa, Nairobi, Kisumu en Nakuru.

De kust van Kenia was altijd al de toegangspoort voor immigranten van allerlei nationaliteiten, maar tijdens de Britse koloniale overheersing nam de stroom Europeanen en Aziaten zeer sterk toe. Inmiddels zijn velen van hen Keniaas staatsburger, door naturalisatie, huwelijk of door het simpele feit dat ze in Kenia zijn geboren. De Kenianen van Europese komaf zijn nazaten van Europese kolonisten en missionarissen, van wie de meesten in de late 19de eeuw het land binnenkwamen. Er waren veel Britten bij, maar ook Nederlanders.

De voorouders van de Kenianen met een Aziatische achtergrond kwamen voor het grootste deel aan het eind van de 19de eeuw uit India naar Kenia om te werken bij de aanleg van de spoorlijn Mombasa-Kisumu. Ze werden aanvankelijk door de Britten als koelies ingehuurd en toen hun werk aan de spoorbaan erop zat, keerden velen van hen terug naar India. Een aantal bleef echter in Kenia achter. Vooral kleine handelaren zagen toekomst in dit opkomende Afrikaanse land.

Ze waren overigens niet de eerste Indiase immigranten in Kenia; in lang

stammen, want politieke macht en zelfs de toestemming om zich in bepaalde delen van een stad te vestigen, worden traditioneel bepaald door verwantschap. De woonwijk, of *mtaa*, is het centrale punt in het sociale leven van de Swahili. Het leven binnen een *mtaa* is geheel op de gemeenschap gericht en wordt gekenmerkt door een sterk saamhorigheidsgevoel. Men viert gezamenlijk feest, werkt en handelt met elkaar, en gaat gezamenlijk naar de moskee.

De etnische groepen van Arabische komaf laten zich in Kenia onderscheiden naar herkomst en religieuze overtuiging. Een groot aantal van de immigranten die eens in hun *dhows* – de kenmerkende kleine zeilschepen die als vrachtschip worden gebruikt – van het Arabische schiereiland naar Oost-Afrika overstaken, is afkomstig uit het sultanaat Oman. Hiertoe behoren ook de leden van de Mazruiclans, die in Mombasa heersten na het vertrek van de Por-

Boven: Een man van de kust (Swahili).
Rechts: In Lamu worden pasgekapte mangrovebomen voor het transport bevochtigd.

vervlogen eeuwen hadden Indiase zee-vaarders en vooral handelaren zich al aan de Oost-Afrikaanse kust gevestigd. Ook nu nog is de groot- en detailhandel de belangrijkste economische activiteit van de Kenianen van Indiase afkomst.

Toen na de onafhankelijkheid in het kader van de 'afrikanisering' ook aan de Aziatische bevolkingsgroepen het Keniase staatsburgerschap werd aangeboden, wezen veel Indiërs dat af en emigreerden. De sociale positie van hen die bleven, is thans even moeilijk als voorheen. Dit is niet in de laatste plaats te wijten aan het feit dat de meerderheid van de Indiërs in de gesloten eenheden van hun kaste leven en ertoe neigen zich van het leven van andere etnische groepen af te sluiten. Naast de Indiërs zijn er ook nog kleine Japanse en Chinese bevolkingsgroepen.

Kennismaking met de volken

De meeste buitenlanders komen tegenwoordig als toerist naar Kenia, op zoek naar ontspanning en avontuur. Ze worden aangetrokken door het exotische, de vele wilde dieren, de betoverende landschappen en de schitterende stranden. Ze verblijven bijna allemaal in comfortabele hotels aan de kust of in jachthutten en kampen in de wildreservaten. Helaas blijft hun contact met de lokale bevolking daarbij vaak beperkt tot het bestellen van een maaltijd in een restaurant of korte gesprekjes met taxichauffeurs en safarigidsen.

Dit is des te betreurenswaardiger omdat zo de onbetaalbare ervaring wordt gemist om kennis te maken met de gebruiken en tradities, de gedragspatronen en levenswijze van een ander volk en daarbij *en passant* de vooroordelen en misverstanden van beide partijen uit de weg te ruimen.

Natuurlijk is het niet altijd eenvoudig om met mensen van een geheel andere cultuur in contact te komen. Tot de eerste vereisten daarvoor behoren in elk geval tolerantie en wederzijds respect.

Er zijn verschillende factoren die het contact tussen een bezoeker van een land en de bewoners ervan verhinderen. Ongetwijfeld is de taalbarrière een van de belangrijkste problemen. Maar met

een beetje goede wil van beide kanten is deze barrière vaak gemakkelijker te overwinnen dan men zou verwachten.

Zo spreekt een groot deel van de Keniase bevolking Engels. Meestal is het dan ook de manier van uitdrukken van de toeristen die de communicatie bemoeilijkt. Zo hoort men uit hun monden nog wel eens het woord *nigger*, dat sterk aan de discriminerende denkwijze van het kolonialisme herinnert of, nog erger, aan de slaventijd. De aandacht van een kelner kan men op decente wijze verkrijgen door het onopvallende woord 'Mtsee' te gebruiken.

Het koloniale verleden is in de huidige Afrikaanse landen nog immer merkbaar en racisme bestaat er helaas nog altijd, wat nogal eens wordt veroorzaakt door de toeristen, van wie sommigen maar al te zeer bereid zijn om gebrekkige service op het vliegveld of in winkels toe te schrijven aan de 'luiheid, incom-

Boven: Er zijn aparte zaken voor likeur, jene-ver en wijn. Rechts: Souvenirhandelaars wachten op hun klanten.

petentie en domheid van de Afrikanen'. Maar als men hierboven staat, komt men een heel andere werkelijkheid tegen. Zo spreekt in de regel vrijwel elke Keniaan die binnen het toerisme werkzaam is meer dan één taal. Ook een Afrikaanse hotelmanager doet in geen enkel opzicht onder voor zijn collega's elders in de wereld.

Soms weet hij de bezoeker te verbluffen met het feit dat hij naast Engels ook nog Frans, Duits of Italiaans spreekt – en een diploma op zak heeft van een Zwitserse hotelschool. Het grootste deel van het hotelpersoneel kan bogen op een uitstekende training in een van Kenia's eigen hotelscholen.

Openstaan voor het nieuwe, voor de ongewone en vreemde gebruiken en levenswijzen in een ander land moet behoren tot de basisuitrusting van elke reiziger. Enige informatie over de sociale en economische situatie is ook zeer nuttig voor een beter begrip van de reisbestemming.

Veel toeristen willen tijdens hun vakantie echter niet met de problemen van een ander land worden geconfronteerd;

armoede en ziekte dienen zich niet in hun omgeving voor te doen. Toch zou u de talrijke bedelaars die u tegenkomt met minder verachting behandelen als u eens zou stilstaan bij het feit dat een ontwikkelingsland als Kenia geen soepel functionerend sociaal stelsel kan financieren.

Ook zou u bepaalde gedragspatronen beter begrijpen als u zou beseffen dat het maandinkomen van een kelner of chauffeur ongeveer overeenkomt met het budget dat de gemiddelde toerist voor een enkele vakantiedag te spenderen heeft.

Een van de ergste voorbeelden van de onnadenkendheid onder de toeristen is het naakt zwemmen. Want ooit waren het de Europese missionarissen die de Afrikanen ervan wisten te overtuigen dat hun naaktloperij een gebrek aan cultuur weerspiegelde en niet overeenkwam met de gebruikelijke opvattingen over kleding. En nu zijn het diezelfde Europeanen die briesen van verontwaardiging over het feit dat de Afrikanen het naakt zwemmen aan hun stranden verbieden.

De talen

Kenia kent twee officiële talen, die evenveel rechtsgeldigheid hebben: het Engels en het Swahili, ook wel *Kiswahili* ('taal der Swahili') genoemd.

Het Swahili heeft zijn oorsprong in de tijd van Arabische immigratie aan de Oost-Afrikaanse kust die vermoedelijk al meer dan 1200 jaar geleden begon met de zeevarende handelaars uit Oman. Toen de Arabieren zich vermengden met de inheemse bevolking ontstond er een nieuwe, onafhankelijke taal, met het Bantoe als basis en talrijke Arabische leenwoorden en kenmerken.

Hoewel het Swahili de tweede nationale taal van Kenia is, vormt het maar voor een klein deel van de bevolking de moedertaal, want als eerste leert iedere Afrikaan de taal van zijn of haar etnische groep, dus een dialect van de Koesjitische of Nilotische taalgroep, dan wel een Bantoetaal. In heel Oost-Afrika spreken zo'n 50 miljoen mensen Swahili. Toch heeft het hier nog steeds niet de status van het Engels, de taal die elke Keniaan al op school moet leren.

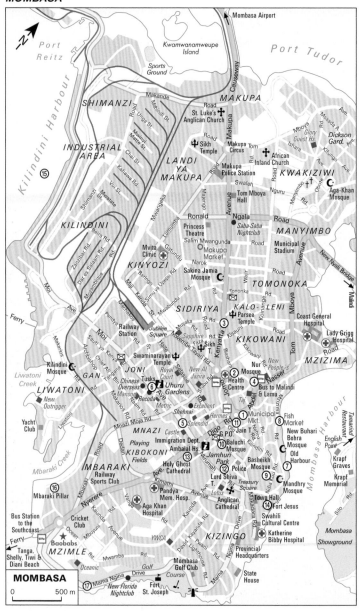

MOMBASA

0   500 m

MOMBASA
De poort naar Oost-Afrika

**MOMBASA
DE KUST**

MOMBASA

De op een koraaleiland gebouwde havenstad Mombasa is de belangrijkste handelsmetropool aan de Oostafrikaanse kust. De stad is lyrisch beschreven door dichters en reizigers, door zeevaarders hevig bevochten en was eeuwenlang een van de belangrijkste toegangspoorten naar Oost-Afrika. Tegenwoordig is Mombasa een populaire bestemming voor zonaanbidders uit de hele wereld. De toeristenstroom van de afgelopen tientallen jaren heeft bijna net zo'n grote invloed gehad als alle veroveraars van de laatste eeuwen bij elkaar. Desondanks kon de 'Schone', zoals Mombasa ook wel wordt genoemd, zijn eigen specifieke karakter bewaren.

Mombasa is de oudste stad van Kenia met een geschiedenis van meer dan 2000 jaar. Al in 150 n.C. gaf de Griekse geograaf Ptolemaeus de stad aan op zijn wereldkaart. Romeinse, Perzische, Indische en Arabische zeelieden deden de haven op hun handelsreizen aan. Sommigen van hen vestigden zich op het eiland Mombasa en genoten van zijn onvergelijkelijke schoonheid.

Mombasa dankt zijn ontstaan aan de gunstige ligging van het eiland, in een

Voorgaande pagina's: Met een heteluchtballon boven het Masai Mara. Een kudde giraffen in de schemering.

baai met doorgang naar open zee door het rif voor de kust. Deze veilige, natuurlijke haven bood zeilschepen de nodige bescherming en Mombasa de basis voor zijn economische ontwikkeling. Tegen de 16de eeuw had de stad zich ontwikkeld tot de machtigste stad aan de Oost-Afrikaanse kust met een bevolking van zo'n 10.000 zielen. En zijn rijkdom lokte steeds weer nieuwe, op buit beluste veroveraars aan.

De Portugezen - in 1498 ging Vasco da Gama hier als eerste voor anker - trachtten verscheidene malen de stad in te nemen, maar Mombasa wist zijn onafhankelijkheid tot de 16de eeuw te bewaren. Pas toen, verzwakt door een serie veldslagen met Zimbakrijgers en de aanvallen van grote rivaal Malindi, moest de stad buigen voor de Portugezen. Als bescherming bouwden de nieuwe heersers de vesting Fort Jesus, die hun tot de komst van Arabieren uit Oman, 100 jaar later, goede diensten bewees. Pas na een langdurig beleg namen de Omanieten in 1698 de macht over; ze behielden die tot ze op hun beurt in 1873 door de Britten werden verdreven.

De Britten maakten eindelijk een eind aan de bloeiende Arabische slavenhandel en installeerden een effectief bestuurlijk apparaat. In 1896 begonnen ze met de aanleg van de Uganda Railroad naar het Victoriameer en Momba-

sa werd de 'toegangspoort tot Brits Oost-Afrika'. Het bleef het centrum van het Britse protectoraat van 1895 tot 1907, waarna Nairobi, de huidige hoofdstad, de belangrijkste stad werd.

Tot 1896 kon Mombasa alleen per schip worden bereikt, maar de aanleg van de spoorlijn maakte een brug naar het vasteland noodzakelijk. Later werd de brug vervangen door een dam. Ook vandaag nog bestaat er met de zuidkust uitsluitend een bootverbinding, het Likoniveer, dat dag en nacht op en neer pendelt tussen de zuidwestelijke oever van het eiland en het vasteland. De brede **New Nyali Bridge** werd een aantal jaren geleden aangelegd als een directe verbinding met de noordkust (voor alle grotere bruggen wordt geen tol meer geheven). Hij verving de oude Nyali Bridge, die een van de langste pontonbruggen ter wereld was. Het Mombasa van de moderne tijd lijkt verleden en heden, traditie en vernieuwing, probleemloos in zich te verenigen. Naast de middeleeuwse Oude Stad met zijn *dhow*-haven rijst een moderne flatwijk op. Kerken uit de dagen van de Europese missie staan broederlijk in de rij met moskeeën en Indiase tempels.

Tot circa 1900 werd deze kuststad bijna uitsluitend bewoond door Arabieren, Indiërs en Swahili. Pas ver in de 20ste eeuw vestigden ook Afrikanen en Europeanen zich in Mombasa. Na de onafhankelijkheid van Kenia in 1963 kwamen er veel zakenlieden naar Mombasa en maakten de stad tot wat hij tegenwoordig is: een banken-, handels- en toeristencentrum dat dankzij de **Bamburi Cement Factory** ook een belangrijke industriële rol speelt.

Mombasa's levendige geschiedenis heeft van de stad een smeltkroes van verschillende culturen gemaakt. Tegenwoordig bepalen Afrikanen, Aziaten, Arabieren en Europeanen het straatbeeld van deze stad, die met zijn bijna 1 miljoen inwoners de tweede stad van Kenia is.

Boven: Mombasa werd gebouwd op een groot koraaleiland. Rechts: Aan de kust tussen Mombasa en Malindi zijn bussen een populair vervoermiddel.

De stad verkennen

Het beste uitgangspunt voor een wandeling door de binnenstad van Mombasa is de **Digo Road**, een van de hoofdstraten van de stad. Vanaf de zuidkust is deze een voortzetting van de **Nyerere Avenue**; vanaf de **New Nyali Bridge** bereikt men de straat het best via de **Tom Mboya Avenue** en de **Abdel Nasser Road**.

Langs de Digo Road vallen allereerst de grote **markthallen** ① op. Exotisch fruit, groenten en specerijen liggen uitgestald in de kraampjes. Winkelen in deze levendige drukte is echter alleen aan te raden voor hen die goed nee kunnen zeggen. Want de handelaars storten zich maar al te graag op hulpeloos kijkende toeristen om bij hen met zoveel geestdrift de kwaliteiten van hun meestal te hoog geprijsde mango's, citroenen en cashewnoten aan te bevelen dat de enige ontsnappingsmogelijkheid lijkt om maar iets te kopen. Hoe dan ook, afdingen is het eerste gebod! Een mand vol vers fruit is uiteindelijk zeker een woelig winkeluurtje waard, en bovendien een aardig souvenir voor degenen die alweer spoedig huiswaarts keren. Wie bij zijn inkopen wat meer rust verlangt, doet er beter aan de straatkraampjes in de buitenwijken of de winkels in het Nyalidistrict te bezoeken.

Rond de markt zijn talrijke winkels met een groot assortiment thee, koffie, specerijen en manden. Sommige ervan zijn echter zo op toeristen georiënteerd dat ze zelfs prijslijsten in verschillende talen hebben. Bovendien zijn de vele venters die hier werken door de wol geverfd en kunnen ze de nationaliteit van een potentiële koper al raden nog voor deze een woord heeft gesproken.

De markt aan de overkant in de **Biashara Street** ② bestaat uit de ene Indiase textielwinkel na de andere. Ze verkopen de kleurig bedrukte katoenen stoffen voor de traditionele wikkeldoeken, de *kikois* en *kanga's*. Voor de deur zitten kleermakers met hun oude naaimachines. Voor een habbekrats vervaardigen ze een nieuw kledingstuk of repareren gebruikte kleding. Het is niet altijd even gemakkelijk met hen te communiceren, omdat deze wat oudere

handwerkslieden, in tegenstelling tot de kosmopolitische winkeleigenaars, vaak uitsluitend Swahili spreken.

In de straat die parallel loopt aan Biashara Street, de **Jomo Kenyatta Avenue** ③, was vroeger de grootste markt van de stad, de **Mwembe Tayari**. Nu vindt u er het drukke **busstation** met bussen en groepstaxi's (*matatu's*) naar alle hoeken van het land en eettentjes. De bussen naar Lamu en Malindi vertrekken van de halte Abdel Nasser/Digo Road. Vlak naast die bushalte staat de grote vrijdagsmoskee van Mombasa, de in moderne Indiase stijl herbouwde **Nurmoskee** ④.

Iets verderop kruist de Digo Road de **Haile Selassie Road**, die naar het spoorstation loopt, en kort daarna bereikt hij de drukke rotonde tussen de **Nkrumah Road** en de **Moi Avenue** ⑤, een straat vol **souvenirwinkeltjes**.

Boven: Olifantenslagtanden zijn het herkenningsteken van Mombasa. Rechts: In de oude stad van Mombasa. Uiterst rechts: De Swaminarajantempel.

Kraampje na kraampje rijgt zich aaneen langs de Moi Avenue, tot aan de enorme **Tusks** ⑥, vier aluminium **olifantenslagtanden** die zich over de straat spannen en het symbool van Mombasa vormen. Alles wat een toeristenhart begeert, kunt u hier krijgen, van uit hout gesneden olifanten en leeuwen tot fraaie schaakspelen en asbakken van speksteen. Langs deze winkelstraat vindt u ook veel banken, reisbureaus, autoverhuurbedrijven en het **Tourist Information Office** (bij de Tusks en de Uhuru Garden).

Oude binnenstad

Zonder een wandeling door de nauwe steegjes en straten van de schilderachtige **oude binnenstad** heeft men Mombasa niet werkelijk leren kennen. Tussen de Digo Road en de Oude Haven is het originele stadsbeeld bewaard gebleven: huizen van koraalsteen, lieflijke kleine tuinen, fraai uitgesneden deuren en balkons. Weliswaar hier en daar wat vervallen, maar nog altijd met de uitstraling van de grandeur van wel-

eer. De prachtig bewerkte deuren vindt men langs de Oost-Afrikaanse kust niet alleen in Mombasa, maar ook in Lamu en Zanzibar. Ze zijn vervaardigd van kostbaar mahonie- en teakhout en waren eeuwenlang het belangrijkste statussymbool van de Swahili. De deuren zijn versierd met allerlei symbolen en tekens, afhankelijk van de afkomst van de bewoner. De versieringen in Indiase stijl bestaan vooral uit blad-, bloem-, vis- en vogelmotieven. De Arabische handwerkslieden daarentegen tonen een op hun religie gebaseerde voorkeur voor geometrische motieven en spreuken uit de koran. De meeste van deze huizen werden rond 1900 gebouwd op de funderingen van veel oudere gebouwen van klei. In de regel waren het Indiase handelaren of goud- en zilversmeden die zich in deze wijk vestigden. Achter hun betraliede vensters en deuren oefenen ze hun ambacht nog altijd uit.

Aan de oostrand van de Oude Stad ligt de **Oude Haven** ⑦, die eeuwenlang de aanloophaven van handelsvloten was. De haven heeft zijn voormalige

betekenis echter sinds lang verloren, niet in de laatste plaats door de aanleg van de nieuwe diepzeehaven Kilindini in het westen van de stad. Desondanks gaan de Arabische **dhows** nog steeds voor anker in de Oude Haven. Deze wendbare zeilschepen zien er nog altijd uit als in de dagen van duizend-en-eennacht. Alleen hoort een dieselmotor tegenwoordig meestal tot de standaarduitrusting. Eeuwenlang vervoerden de dhows tijdens de wintermoesson (van december tot april) specerijen en tapijten over de Indische Oceaan naar Kenia. En als de wind was gedraaid, werden de boten voor de terugreis volgeladen met slaven en ivoor. Ook tegenwoordig leggen deze grootse zeilschepen nog duizenden kilometers af op open zee, en dat vaak zonder navigatiemiddelen als radio of radar. In de winter, wanneer de dhows uit Iran, Arabië en India aankomen, kan men er met een gehuurde boot heen varen en ze bezichtigen.

Interessant is ook een ochtendwandeling over de **vismarkt** ⑧ naast de Oude Haven, waar het bij het veilen van de verschillende zeevissen en schelp-en schaaldieren altijd een drukte van belang is.

In de Oude Stad staan zowel moskee-ën, tempels als kerken, wat aantoont hoeveel verschillende religieuze gemeenschappen er in Mombasa samenleven. Moslims, hindoes en christenen hebben in deze wijk hun stekje gevonden. Mombasa's oudste nog in gebruik zijnde moskee is de uit 1570 daterende **Mandhrymoskee** pal aan de Oude Haven. Ook uit de 16de eeuw stamt de **Basheikhmoskee** ⑨. De nieuwbouw van de **Baluchimoskee** ⑩ aan de **Makadara Road** heeft de oude moskee uit 1875 vervangen.

Tot de mooiste bouwwerken van Mombasa behoren ook de Indiase tempels. Aan de **Langoni Road** rijst de witte marmeren **Jaintempel** ⑪ op als een gebouw uit een sprookje. De ingang van dit in 1963 gebouwde heiligdom wordt geflankeerd door twee olifanten en binnen zijn drie beelden van de *Tirthankaras* opgesteld, de mythische stichters van de Jainreligie, van wie er in totaal 24 zijn.

De **Lord Shivatempel** ⑫, het religieuze centrum van de hindoes, ligt aan de rand van de Oude Stad.

Daarvandaan komt u via de Nkrumah Road weer terug op de Digo Road. Op de kruising van deze twee straten staat de **Holy Ghost Cathedral** ⑬. De missionaris Le Roy verwierf dit stuk land in 1891 om er de kerk die hier oorspronkelijk stond te bouwen. De huidige kerk, opgetrokken in neo-Romaanse stijl en vervaardigd van koraal/kalk- en zandsteen, stamt uit 1918.

Fort Jesus

Fort Jesus ⑭, aan het zuideinde van de Oude Stad, is zonder twijfel een van de interessantste bezienswaardigheden

Rechts: Mombasa wordt aan de zeezijde al 400 jaar beschermd door het Portugese Fort Jesus.

van Mombasa. Het is gelegen op een koraalrichel en torent majestueus boven de haven uit; het fort begroet zowel de bezoekers die over land komen als degenen die naderen over zee.

Het werd gesticht in 1593, toen de Portugezen vastbesloten waren om hun positie aan de Oost-Afrikaanse kust met sterke vestingen te ondersteunen. Ongeveer 100 jaar later, in 1696, werd het fort door de Omanieten belegerd. De strijd sleepte zich twee jaar voort en na wisselende successen aan beide kanten behaalden de Omanieten uiteindelijk de overwinning. Ze trokken in 1698 triomfantelijk zowel de stad als het fort binnen. Onder Britse overheersing werd het eens zo trotse fort gedegradeerd tot gevangenis. Deze vernederende periode in de glorieuze geschiedenis van het fort eindigde in 1958, toen de Gulbenkian Foundation £ 30.000 beschikbaar stelde voor de restauratie van het bouwwerk en de vestiging van een museum.

Een Brits en een Duits kanon bewaken tegenwoordig de hoofdpoort. Aan de voet van de 15 m hoge en 2,5 m dikke muren vraagt menigeen zich af hoe het mogelijk is dat dit imposante fort ooit kon worden ingenomen. Op de binnenplaats van het fort geven bordjes de belangrijkste bezienswaardigheden aan, waaronder Portuguese muurschilderingen en het bijzonder interessante **Omanihuis** uit de late 18de eeuw in de noordwesthoek van het plein, rechts naast de ingang. Het *uitzicht vanaf het dak over de oude binnenstad van Mombasa en de binnenplaats van de vesting is fantastisch.

Ook een bezoek aan het **museum** gelegen aan de zuidelijke vestingmuur is zeer de moeite waard. Hier geven tekeningen en kaarten van het oude Mombasa, kostbare juwelen en meubelstukken, vergeelde foto's en modellen van dhows een boeiend beeld van vroeger tijden en men kan er de diversiteit aan culturen in de kuststreek aan afzien. Een paar maal per week vindt er een

sound-and-light-show met aansluitend diner plaats op de binnenplaats van het fort die in een sfeervolle omgeving de bewogen geschiedenis van het fort toont (op do. en vr. in het Duits).

Kilindinihaven

Het zuiden en westen van deze eilandstad zijn het best met de auto te bereiken. De **haven** ⑮ aan de **Kilindini Creek** heeft zich in de laatste tientallen jaren ontwikkeld tot een van de belangrijkste aan de Oost-Afrikaanse kust. Hier worden zowel goederen uit Kenia als uit Oeganda, Zaïre en Soedan geladen en gelost.

Het was noodzakelijk dat er in Mombasa een moderne haven kwam vanwege de aanleg van de spoorlijnen, waardoor de handel met het binnenland sterk toenam. De nauwe, drukke Oude Stad kon het daardoor ontstane verkeer niet meer aan. Tegenwoordig verdienen tienduizenden hun brood in en om de haven, die daarmee een van de belangrijkste economische motoren van de stad en omgeving vormt.

Ten zuiden van de haven, in de buurt van het Likoniveer, staat midden tussen de industriële gebouwen de **Mbaraki Pillar** ⑯, een ongeveer 10 m hoge stenen toren uit de 17de of 18de eeuw. Wellicht markeerde hij het graf van een sjeik van een van de 'drie stammen'.

Nachtelijke ontmoetingspunten

Wanneer u over de Nyerere Avenue in de richting van het **Likoniveer** rijdt en bij de rotonde naar links afslaat, komt u op de **Mama Ngina Drive** ⑰, die om het zuidpuntje van het eiland naar de ruïnes van het **Fort St. Joseph** voert. De populaire promenade, een avondlijk ontmoetingspunt voor met name de Aziatische bevolking, is genoemd naar de vrouw van Jomo Kenyatta. Voor wie zijn vakantiebeurs wat lichter (of misschien voller) wil maken, zijn er aan de Mama Ngina Drive twee stijlvolle gokpaleizen: het **casino** in het luxe **Hotel Oceanic** en de **Florida Nightclub**, die behalve roulette en blackjack een swingende disco en prikkelende atmosfeer te bieden heeft.

In Mombasa zorgen talloze bars, nachtclubs, gokhuizen en bioscopen voor vermaak. Daarnaast is er ook een ruime keuze aan restaurants: u kunt hier Arabisch, Chinees, Indiaas, Pakistaans en Europees eten en natuurlijk ook de lokale Afrikaanse keuken proberen.

In de deftige buitenwijk **Nyali**, in het oosten van Mombasa Island, bevindt zich het beroemdste visrestaurant aan de kust: het **Tamarind**. Het is te bereiken via de New Nyali Bridge, waarna u bij de eerste kruising naar rechts gaat en de borden volgt.

Het restaurant is opgetrokken in Moorse stijl en vanaf het terras hebt u een romantisch uitzicht over de Oude Haven. De stijlvolle ambiance, inclusief een orkest dat nostalgische muziek ten gehore brengt, past goed bij de goede keuken van het restaurant. Aan boord van de **dhow** die bij het restaurant hoort vindt elke avond een *diner by candlelight* plaats onder de tropische

Boven: De kust van Kenia is een welig begroeide tropische tuin.

sterrenhemel (vertrek vanaf de aanlegsteiger bij het restaurant).

DE KUST

De meeste bezoekers van Mombasa verblijven niet in de stad zelf, maar in een van de vele strandhotels aan de noord- en zuidkust (zie volgende hoofdstuk). De totale lengte van de kustlijn van Kenia bedraagt 480 km, van Somalië in het noorden tot Tanzania in het zuiden. De prachtig witte, door palmen omzoomde stranden, die over vrijwel de gehele lengte door een enorm koraalrif worden beschermd, en het prachtige blauwe water van de Indische Oceaan trekken vakantiegangers van over de hele wereld.

Het koraalrif, dat ongeveer 1 km uit de kust ligt, heeft maar een paar doorgangen als die bij Mombasa. Dit natuurlijke bekken vormt een keten van blauwe lagunes langs de kust, waarin u volkomen veilig kunt duiken en zwemmen. Op veel plaatsen wordt het zwemplezier in het ondiepe water een beetje getemperd door de scherpe koraalbanken. Zwemschoenen zijn dan ook geen overbodige luxe.

De vegetatie aan de kust is weelderig. Palmen en oleander groeien hier net zo hard als frangipani-, casuarina-, cashewnoot- en mangobomen. Midden in die bloeiende paradijs liggen de meeste hotel- en bungalowcomplexen – doorgaans pal aan het strand.

Van daaruit is het niet ver naar Mombasa. U kunt de stad eens rustig gaan bekijken of er eens gezellig gaan winkelen.

De meeste hotels bieden complete tours of op zijn minst busvervoer naar de stad. Wie op eigen houtje een tochtje naar Mombasa wil maken, heeft de keuze tussen taxi's, lokale bussen of *matatu's*. Het openbaar vervoer is echter meestal, vooral in het hoogseizoen, hopeloos overvol. Bovendien is het een populair werkterrein van geraffineerde zakkenrollers.

MOMBASA (☎ 041)

ℹ️ **Mombasa & Coast Tourist Office**, Moi Ave., achter de 'tusks', tel. 31 12 31, 22 54 28, ma-vr 9.00-12.00 en 14.00-16.30 uur, za 9.00-12.00 uur.

🍴 *AFRIKAANS:* **Recoda**, Moi Ave. (bij de 'tusks') en Nyeri Str., erg populair, heerlijke Swahilikeuken, gegrilde vis, vleesspiesen, salades, beste *chapati*.

CHINEES: **Chinese Overseas**, Moi Ave., bij de slagtanden, groot aanbod aan zeevruchten, ook Koreaans.

INTERNATIONAAL: **Caffe Italia**, Machakos Rd., populaire eettent of alleen maar voor een cappuccino. **Pistaccio Ice Cream & Coffee Bar**, Meru Rd. dicht bij Hotel Splendid, middagbuffet, lekker ijs.

INDISCH: **Splendid View**, Maungano Rd, tegenover Hotel Splendid, tandoorispecialiteiten, vruchtensappen, *lassi's*. **Shehnai**, Maungano Rd., Haile Selassie Rd., luxerestaurant met prima Mughalkeuken, ma. gesl.

VIS: **Tamarind**, aan de oever tegenover de oude dhowhaven in Nyali, tel. 474 600, www.tamarinddhow, een van de beste restaurants van Kenia, terras met uitzicht op de oude haven, fantastische visgerechten, kreeft in alle variaties, Candlelight Dinner op de dhow van de Tamarind, beslist reserveren.

🍸 **Royal Casino**, hoek Moi Ave en Digo Rd. **New Florida Casino & Nightclub**, Mama Ngina Drive. **Mamba Village**, Nyali.

➕ *GENEESKUNDIGE HULP:* **The Aga Khan Hospital**, Vanga Road, tel. 31 29 53. **Pandya Memorial Hospital**, Dedan Kimathi Ave, tel. 22 29 252. **Africa Air Rescue (AAR)**, Moi Ave, Harbour House, alarmnummer tel. 31 24 05 (24-uursdienst).

APOTHEKEN: **Diamond Arcade Pharmacy**, Diamond Arcade, Moi Ave, ma-vr 8.00-18.00 uur, za 9.00-16.00 uur.

✉️ **Hoofdpostkantoor**, Digo Rd., ma-vr 8.00-18.00 uur, za 9.00-12.00 uur.

💳 *BANKEN:* **Barclays Bank**, verscheidene filialen, bijv. Nkrumah Rd., ma-vr 9.00-15.00 uur, za 9.00-11.00 uur. **Standard Chartered Bank**, Treasury Square, dezelfde openingstijden. **Pwani Forex**, Digo Rd., ma-vr 8.30-17.00 uur, za 8.30-13.00 uur, goede wisselkoersen voor reischeques.

🚓 *POLITIE:* Police Headquarter, Makadara Rd, in de buurt van de Lotus Cinema, tel. 31 14 01, alarmnummer: 22 21 21.

🏛️ **Fort Jesus**, Nkrumah Rd, tel. 31 28 39, dgl. 8.30-18.00 uur. *TIP: Jahazi Marine*, tel. 47 22 13, jahazi@africaonline.co.ke, biedt voor $ 75 de tocht '*Fort Jesus Exclusive*': Dhowvaart bij zonsondergang naar de oude haven, wandeling naar het fort, sound-and-light-show en aansluitend op de binnenplaats een diner bij fakkellicht.

🛒 Ontelbare winkels in het centrum verkopen houtsnijwerk, curiositeiten en geschenken, T-shirts, manden, en proberen met het aanbod van de straatventers te concurreren. De Biashara Street is de beste plaats om plaatselijk textiel te kopen zoals *kanga's, kikois, kitenge* en stoffen met knopenkleuring. Na het oversteken van de Digo Road komt u bij de **Mackinnon Markt** (Municipal Market), en vlak daarnaast ligt **Ebrahim Stores**, een zaak gespecialiseerd in weefwaren en mandenvlechterij. Achter de markt bieden winkels kruiden, thee, koffie, sieraden en edelstenen, batik en houtsnijwerk aan. De zaak van **Bhagwanji Hansraj & Sons** met zijn aanbod van heerlijke Indische snacks en zoetigheid is een aanrader. In de Old Town, bij Fort Jesus, bevinden zich een paar interessante antiek-, curiosa- en parfumzaken. Ook de straten rond Mbarak Hinaway Road en Ndia Kuu zijn interessant. De meeste zaken zijn geopend van 8.00-18.00 uur, de middagpauze is van 12.00/12.30-14.00 uur.

✈️ *VLUCHTEN:* Het **Moi International Airport** ligt op het vasteland, ca. 10 km ten westen van de stad. **Kenya Airways**, Nkrumah Rd., tel. 22 12 51, vliegt meerdere keren per dag Nairobi-Mombasa. **Air Kenya**, Nkrumah Rd., tel. 22 97 77, bij de luchthaven tel. 43 39 82, 2-3 x dgl. Nairobi-Mombasa, dgl. Lamu via Malindi. Momenteel is er geen openbaar vervoer naar de luchthaven, een taxi huren is aan te bevelen (ca. 1500 tot 2000 KSh vanaf Mombasa). *TREIN:* dgl. nachttrein Mombasa-Nairobi 19 uur, aankomst 8 tot 10 uur 's morgens (zie p. 229). *BUS:* Kantoren van de busmaatschappijen in Jomo Kenyatta Ave (busstation) en Abdel Nasser Rd. Vertrek richting noordkust: Abdel Nasser Rd. Richting zuidkust: Likoni Ferry Terminal.

2 Mombasa

DE ZUIDKUST
Kokospalmen en zilveren stranden

**DE ZUIDKUST
SHIMBA HILLS
MWALUGANJE ELEPHANT
SANCTUARY**

DE ZUIDKUST

De 60 km lange zuidkust van Kenia bestaat uit een vrijwel ononderbroken reeks van brede **zandstranden**, afgewisseld met palmbossen, fraaie dorpjes en talloze hotels in verschillende prijsklassen, die alle pal aan het strand liggen. Ze behoren tot de belangrijkste reisdoelen van vakantiegangers die rust zoeken. Zij baden er in het warme, heldere water en de beschermde lagunes, zonnen op het schone, fijne zandstrand of verkennen de onderwaterwereld van de koraalriffen. Bij **eb** trekt het water zich echter ver terug en de **koraalbanken**, die bij het zwemmen vervelende obstakels vormen, liggen dan bloot. Parallel aan de zuidkust loopt enkele kilometers landinwaarts een asfaltweg in de richting van de Tanzaniaanse grens.

Uitgangspunt voor een rit langs de zuidkust is het **Likoniveer**, dat Mombasa met **Likoni ❶** verbindt. Hier vonden voor de verkiezingen in 1997 onlusten plaats met politieke en etnische achtergronden. Tientallen Kenianen werden vermoord en vele anderen verdreven. Dit had een negatieve uitwerking op de ontwikkeling van het toerisme.

Voorgaande pagina's: Tiwi Beach – het witte strand met palmen ontbreekt meestal op het programma van groepsreizen. Links: Hotel aan de zuidkust.

Vlak na het verlaten van het veer buigt een kleinere weg van de hoofdweg af naar het oosten, richting het ongeveer 3 km verderop gelegen **Shelly Beach ❷**, een prachtig strand met veel schelpen en maar een paar hotels. Af en toe ligt hier echter nogal wat zeewier op het strand waardoor het minder aantrekkelijk is.

Ten zuiden van Shelly Beach strekt zich tot aan de monding van de rivier de **Mwachema** het verblindend witte **★Tiwi Beach ❸** uit. Deze schone en oorspronkelijke kuststrook biedt onderkomens in twee hotels, bungalows en een kampeerterrein bij de Twiga lodge vlak onder de palmen aan het witte strand en geldt als een paradijs voor individuele reizigers. Ongeveer 18 km ten zuiden van Likoni lopen vanuit het dorp Tiwi (met nieuwe supermarkt en een grote groente- en fruitmarkt) twee wegafsplitsingen als stoffige wegen verder richting Tiwi Beach. Ga deze twee kilometer beslist niet te voet, want er vinden geregeld overvallen plaats.

Op de zuidoever van de Mwachemarivier staat op een uitstekende rots de **Kongomoskee ❹**. Dit bouwwerk uit de 18de eeuw is nu een nationaal monument en wordt nog steeds door gelovigen gebruikt. De moskee, pittoresk omgeven door baobabs (apebroodbomen), ligt op slechts enkele minuten wandelen van strand en riviermonding.

Boven: De Indische Oceaan voor de kust van Kenia is een paradijs voor windsurfers.

Diani Beach ❺ bij Ukunda (circa 40 km van Mombasa) is het langste strand van Kenia en beslist een van de belangrijkste toeristentrekpleisters aan de kust. Hier rijgen de hotels zich aaneen, pal aan het witte zandstrand met palmen en de blauwe Indische Oceaan. Het **rif voor de kust is onder de naam **Diani-Chale-Marine-Park** tot beschermd natuurgebied uitgeroepen.

Hier draait alles om de wensen van de vakantiegangers. De meeste hotels bieden een ruime keuze aan sport- en recreatiefaciliteiten. In de plaatsjes Diani en **Ukunda ❻** bevinden zich winkelcentra met banken, supermarkten, drogisterijen, apotheken en boetieks. Ook bezit Ukunda een landingsbaan voor kleine vliegtuigen, het vertrekpunt van vliegsafari's boven de wildreservaten.

Voor de zeldzame **franjeapen** is er bij Diani Beach, naast de Africana Sea lodge een klein **reservaat**, dat door Keniaanse rangers en internationale vrijwilligers beheerd wordt (toegang vanaf de hoofdweg of vanaf het strand). U kunt de franjeapen met hun langharige zwart-witte vel van nabij bekijken. De grote baobab midden in het reservaat is de plaats waar de apen graag ravotten (en een ideale fotospot). Voor 500 KSh kunt u de fascinerende wereld van deze unieke apensoort ontdekken.

Diani Beach loopt naar het zuiden door via **Gazi**, waar het een kleine baai omsluit, en eindigt bij **Chale Island ❼**, een **natuurreservaat** met een rijke dieren- en vogelwereld. Dit kleine eiland met een goed hotel (accommodatie in verschillende prijsklassen, modderbaden) en restaurant (heerlijke kreeft!) is een geliefde bestemming voor bootexcursies uit Diani, die 's morgens beginnen met zwemmen en snorkelen en 's avonds eindigen met een barbecuefeest op Chale Island.

Gazi ❽ was eens het bestuurscentrum van dit district. Thans ontleent het zijn betekenis vooral aan zijn enorme kokosnootplantages. Iets van de hoofdweg af herinnert het slecht onderhouden **Huis van Sjeik Mbaruk bin Rashid** aan de tijd in het begin van de

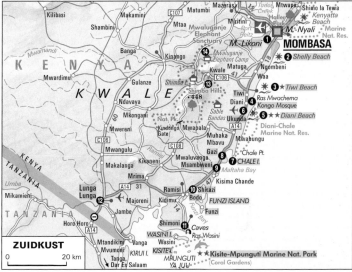

19de eeuw, toen de Omanitische Mazruiclan hier woonde. De kunstig bewerkte houten deur van het huis is nu te zien in Fort Jesus in Mombasa.

Wanneer men over de hoofdweg verder zuidwaarts rijdt, komt men bij het dorp **Msambweni ❾** dat bekend is om zijn goed uitgeruste ziekenhuis, het beste aan de zuidkust. Het **strand** hier werd pas in de jaren tachtig van de vorige eeuw voor toeristen ontsloten, maar inmiddels treft u er al veel bungalows en vakantiehuisjes aan. De schamele ruïnes in het noorden van dit gebied getuigen van een oude slavengevangenis.

Ten zuiden van Msambweni voert de weg door schier eindeloze suikerrietvelden. In het dorp **Ramisi** buigt de weg af naar twee naburige Swahiligehuchten, **Shirazi ❿** en **Bodo**. Van hier vertrekken boottochten naar **Funzi Island**, een mangrove-eiland voor de kust. De **mangrovenbossen** voor Funzi zijn interessant net als een **boottocht** naar de ongetemd romantische Ramisidelta. Wie langer van de eenzaamheid op het eiland wil genieten, kan in het luxehotel van een Zwitser overnachten.

Aan het eind van het kleine schiereiland ten zuiden van de Ramisirivier ligt **Shimoni ⓫** (76 km ten zuiden van Likoni). De belangrijkste attracties hier zijn de **koraalriffen** van het ★★**Kisite-Mpunguti Marine National Park**, die tot de mooiste duik- en snorkelgebieden van Kenia gerekend moeten worden, en de visrijke zee rond **Wasini Island**.

In het dorpje zijn twee chique **hotels** voor sportvissers aan het Wasinikanaal met mooi uitzicht op het Wasini Island. Een bezoek aan de **vismarkt** in de ochtend, waar u niet zelden haaien en andere grote vissoorten kunt aantreffen, is een belevenis.

Dit verder nogal slaperige vissersdorpje dankt in het Kiswahili zijn naam 'Plaats van de grotten' aan een wijdvertakt **grottenstelsel** aan de westkant van het dorp. Daar – zo beweert men – hield men eens de slaven gevangen tot ze naar overzeese markten werden verscheept.

Wie graag snorkelt, kan tochtjes naar de koraalriffen van het **eiland Kisite** boeken bij de administratie van het Nationale Park in Shimoni of via de hotels op Diani Beach. Heel populair zijn de

dhowexcursies, die 's ochtends beginnen met snorkelen en zwemmen. Vanaf de dhow heeft u een goede kans om **dolfijnen** te zien. 's Middags legt de dhow dan aan op **Wasini Island**, waar in een visrestaurant heerlijke zeevruchten worden geserveerd.

Als u een dhow (met bemanning) gehuurd heeft, kunt u genieten van een origineel zeebanket met uitzicht op de Indische oceaan. Een kleine wandeling voert onder de schaduw van baobabs naar het dorpje **Wasini**. De vrouwen van dit dorp, eens een Arabische nederzetting, verkopen zelfvervaardigde handwerkproducten.

Als u bij Shimoni weer bent teruggekeerd naar de geasfalteerde hoofdweg op het vasteland komt u na **Mrima** gepasseerd te zijn, ca. 100 km ten zuiden van Mombasa bij het niet al te opwindende plaatsje **Lunga Lunga** ⑫ met eenvoudige hotels en vlak voor grensovergang naar Tanzania een tankstation.

Boven: De Shimba Hills – een vredig, ongerept berglandschap met veel wild en woud.

SHIMBA HILLS NATIONAL RESERVE

Het 192 km^2 grote **Shimba Hills National Reserve** ⑬ behoort tot de kleinste wildreservaten van het land. Vanuit Mombasa vaart u met het Likoniveer naar de zuidkust, volgt een paar kilometer de hoofdweg tot **Ngombeni** en slaat dan rechtsaf het binnenland in richting **Kwale** (16 km). Vandaar wordt de route met borden aangegeven; deze voert over gedeeltelijk beboste heuvels het park in. Een tocht door dit kleine wildreservaat kost ongeveer een halve dag. Het park is bekend door het oerlandschap van de Shimba Hills en de unieke populatie **paardantilopen**, maar er leven ook buffels, bosbokken, giraffen en olifanten. In het **Mwele Mdogo Forest** wacht u dichte jungle met armdikke lianen en enorme takken waartussen kleurige vlinders rondfladderen. Naast zeldzame planten en vlinders vindt u er ook vele vogelsoorten, zoals de toerako. De hier inheemse pareldwergfazant heet in het Swahili *kwale* en tooit hetwapenschild van het gelijknamige district.

In het zuidoosten van het park ligt de **Sheldrickwaterval**. Vanaf de ranger post kunt u 's middags met een bewapende ranger meegaan voor een **wandeltocht** naar de waterval. Voor de 4 km lange mars zijn goede conditie, stevige schoenen en een waterfles nodig. De tocht brengt u via een wankele "brug" over een riviertje en de terugtocht is in de middaghitte bergop.

Het park ligt hier en daar wel 400 m boven de zeespiegel, zodat u op bepaalde punten een uitzicht hebt over de hele lengte van Tiwi en Diani Beach.

De **Shimba Hills Lodge** met drie verdiepingen is gebouwd naar het voorbeeld van de beroemde Treetops Lounge in de Aberdare Mountains. De pas enige jaren geleden geopende lodge is een meesterwerk van houtbouw en typerend voor het Keniase boomhotel. De verbindingsgangen hoog in de boomtoppen maken het mogelijk de dieren van dichtbij te bekijken, vooral de fascinerende vogelwereld en met wat geluk ook franjeapen. De **waterplaats** bij de lodge lokt vaak **olifanten**, die u dan tijdens de lunch vanaf het terras kunt bekijken.

Wie op de terugweg een andere route wil nemen, kan het park ook aan de zuidzijde verlaten, bij de **Kidongo Gate**, en via de kustweg terugrijden naar Mombasa.

MWALUGANJE ELEPHANT SANCTUARY

Het noorden van het Shimba Hillspark grenst aan het in 1995 opgerichte **Mwaluganje-olifantenreservaat** ❶. Op weg naar het reservaat komt u door het plaatsje **Kwale** met een kleurrijke **markt**.

De olifantenkuddes trekken, afhankelijk van de voedselsituatie, veel heen en weer tussen de uiteenlopende landschappen van beide parken. In het Elephant Sanctuary treft men ten dele een droge, rotsachtige wildernis aan met reusachtige baobabbomen.

DIANI BEACH (☎ 0127)

Ali Barbour's, tel. 3202033, visrestaurant, pittoresk in een koraalgrot, bij Diani Sea Lodge. **African Pot**, tel. 3564, Keniase en Swahiligerechten, faire prijs, bij Coral Beach Cottages. **Boko Boko**, tel. 320 2344, lekkere Creoolse keuken, mooie tuin, goedkoop, bij Club Neptune Village. **Nomads Beach Bar**, tel. 2155, aan het strand, Italiaanse keuken, desserts, pizza's, cocktails, heerlijke bouillabaisse! **Nomads Restaurant**, dgl. wisselende themabuffets. **Maharani**, tel. 2439, oriëntaalse sfeer, bij de Trade Winds. **Shan-e-Punjab**, tel. 3202116, 3202601, Indisch, prima keuken (Punjab- en tandoorigerechten, voordelig. **Chinese Restaurant**, een goede Chinees. Beide restaurants liggen aan de Diani Beach Road naast het winkelcentrum, tegenover het Diani Reef hotel en halen u gratis bij uw hotel op.

Forty Thieves Beach Bar, tel. 3003, gezellige bar met uitzicht op strand en zee, goedkoop eten, biljart, wo, vr, za disco, naast Ali Barbour's. **Disco's en shows** in de grotere hotels. Neem 's nachts voor uw veiligheid een taxi!

SHIMBA HILLS (☎ 0127)

Kenya Wildlife Service, tel. 4159, 2 uur wandelen met gids vanaf Sheldrick Falls Ranger Post, do-di ca. 11 uur.

SHIMONI (☎ 0127)

DHOWTOCHTEN: **Dolphin Dhow**, in Diani Beach tel./fax: 2094, www.dolphindhow.com, dolfijnen kijken en snorkelen bij Wasini Island, incl. lunchpakket, drinken, toegang tot het park, snorkeluitrusting. **Pilli Pipa Dhow**, Diani Beach, tel. 2401, dagtocht naar het Marine National Park, 's middags zeevruchtenmenu in het Pilli-Pipa Restaurant op Wasini Island.

SHIRAZI / BODO (☎ 0127)

DHOWTOCHTEN: **Funzi Dhow**, Diani Beach, tel. 3182, uitstapje van Shirazi naar Funzi Island met dorpsbezichtiging.

TIWI BEACH (☎ 0127)

Restaurants in de **Twiga Lodge** (eenvoudig), luxer in het **Shebhe Beach Hotel**, en **Tiwi Beach Resort**.

DUIKEN: **Tiwi Beach Resort**, duiktochten en -cursussen, snorkeltochten naar het buitenste rif.

**NOORDKUST
Een vleugje Arabië**

**NOORDKUST VAN MOMBASA
KILIFI
GEDI
MALINDI
LAMU EN OMGEVING**

4

Noordkust

DE NOORDKUST VAN MOMBASA

De noordkust van Kenia strekt zich van Mombasa uit langs de kuststeden Kilifi en Malindi tot aan de eilanden van de Lamu-archipel en eindigt bij het dorp Shakani aan de grens met Somalië. Het noordelijke district Lamu is nog nauwelijks voor het toerisme ontsloten. De smalle kuststrook ten noorden van Mombasa en die rondom Malindi behoren daarentegen tot de dichtstbevolkte gebieden van Kenia.

Tussen **Mombasa** en **Mtwapa** aan de monding van de Mtwapa Creek rijgen de stranden zich aaneen, zoals Nyali Beach, Kenyatta- en Bamburi Beach en Shanzu Beach, dat door exclusieve vakantieclubs gedomineerd wordt.

Pal achter de **New Nyali Bridge**, die Mombasa met het vasteland verbindt, ligt de villawijk **Nyali**, waar de hogere kringen van Mombasa in elegante huizen met goed onderhouden tuinen wonen.

De als **English Point** ① bekend staande kaap dankt zijn naam aan de eerste door de Britten bevrijde slaven die zich hier vestigden. Een **monument** herinnert hier ook aan de beroemde Duitse missionaris **Johann Ludwig Krapf** (1810-1881), die de eerste missiepost stichtte aan Kenia's oostkust en spoedig na zijn landing hier (1844) zijn vrouw en kind verloor. Vanaf het herdenkingsteken heeft u een mooi uitzicht over de oude stad van Mombasa.

Achter Nyali Beach bevindt zich de **Nyali Golf Club** ② met tevens squash- en tennisbanen.

Vlak ernaast staan een paar van de beste hotels van de omgeving. Het oudste daarvan is het **Nyali Beach Hotel**, dat in 1946 werd gebouwd.

De **Mamba Village** ③ tegenover de golfclub is de grootste **krokodillenfarm** van Afrika. Meer dan 10.000 krokodillen, van enorme 'menseneters' tot piepkleine jongen, leven hier in poelen die haast natuurlijk lijken. Verder treft men hier een **botanische tuin** aan met een **aquarium**, een **slangenpark** en de **Mamba International Night Club**.

Als u voorbij de New Nyali Bridge de hoofdweg volgt in de richting van Malindi, komt u in **Freretown**. Sir Bartle Frere stichtte hier in 1874 een missiepost voor bevrijde en ontsnapte slaven, die nog steeds worden herdacht in de **Emanuelkerk** ④. De kerkklok, de **Freretown Bell**, hing vroeger bij de Nyali Road kruising vlak achter de Nyali Bridge, om de bewoners van Freretown te waarschuwen voor overvallen

Voorgaande pagina's: In de kusthotels kan men zich goed vermaken. Links: Er is altijd tijd voor een kleine flirt.

kaart van de omgeving p. 77, info p. 89

van Arabische slavenhandelaren (tegenwoordig hangt op die plek een replica van plastic).

De weg door de chaotische, zeer arme wijk **Kisauni** met verkoopkraampjes en eenvoudige guesthouses, gaat richting Malindi.

Bordjes wijzen u de weg naar de **Bomboluluwerkplaatsen ⑤** (ca. 3 km na de Nyali Bridge). In 1969 werd hier een **handwerkcentrum** voor lichamelijk gehandicapten opgezet. De gehandicapten werken en leven hier en maken Afrikaans kunsthandwerk, vooral sieraden, dat ze te koop aanbieden. In 1994 werd hier bovendien een **cultureel centrum** geopend. Hier werden traditionele hoeven van zes Keniase volken nagebouwd, er worden landbouwmethodes, handwerk en dansen getoond, en het **Ziga-Restaurant** serveert authentieke Keniase Swahilikeuken.

Vijf kilometer ten noorden van Bombolulu voorbij aan Kenyatta Beach passeert de hoofdweg het particuliere bos

Boven: Vissers hebben een goede vangst in de Keniase wateren.

en wildreservaat van de *Bamburi Cement Company.* Hier zijn met een opmerkelijk herbebossingsprogramma onder leiding van de Zwitserse landbouwkundige René Haller de lelijke littekens verwijderd die decennia van kalksteenwinning in het landschap hadden achtergelaten. Het ***Haller Park (Bamburi Nature Trail) ⑥** is dagelijks van 9.00 tot 17.00 geopend voor bezoekers. Het voederen van de dieren vindt plaats rond 16.00 uur. Op dit 75 ha grote gebied leven diverse vogel- en zoogdiersoorten, waaronder nijlpaarden, en ook krokodillen. Een grote viskwekerij levert vis aan restaurants en hotels in de omgeving en draagt bij aan de financiering van dit opmerkelijke milieuproject.

Aan de andere kant van de weg, in de buurt van de **German Biergarten**, ligt de **Kipepeo Aquatic Zoo** met zeventien grote aquaria die 150 tropische vissoorten herbergen.

Kenyatta Beach ⑦ is het enige openbare strand van Mombasa, waar u grote groepen Keniase dagjesmensen zult tegenkomen. In **Pirates** kunt u weliswaar goed, maar nogal duur eten en

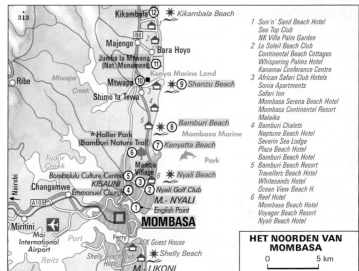

Kikambala ⑫ ✳ Kikambala Beach

1 Sun'n' Sand Beach Hotel
   Sea Top Club
   NK Villa Palm Garden
2 Le Soleil Beach Club
   Continental Beach Cottages
   Whispering Palms Hotel
   Kanamai Conference Centre
3 African Safari Club Hotels
   Sonia Apartments
   Safari Inn
   Mombasa Serena Beach Hotel
   Mombasa Continental Resort
   Malaika
4 Bamburi Chalets
   Neptune Beach Hotel
   Severin Sea Lodge
   Plaza Beach Hotel
   Bamburi Beach Hotel
5 Bamburi Beach Resort
   Travellers Beach Hotel
   Whitesands Hotel
   Ocean View Beach H.
6 Reef Hotel
   Mombasa Beach Hotel
   Voyager Beach Resort
   Nyali Beach Hotel

Majengo Bara Hoyo
Jumba la Mtwana
(Nat. Monument) ⑪
Kenya Marine Land
Ribe Mtwapa ⑩ ✳⑨ Shanzu Beach
Mtwapa Creek
Shimo la Tewa

✳⑧ Bamburi Beach
Mombasa Marine
★ Haller Park
(Bamburi Nature Trail)
⑥ ⑦ Kenyatta Beach
Park
Bombolulu Culture Centre Mamba Village
KISAUNI ⑤③ ✳ Nyali Beach
Changamwe ④ ② Nyali Golf Club
Emmanuel Church M.- NYALI
A109 ① English Point
MOMBASA

Miritini
Moi International Airport
Reitz Port Ferry ACK Guest House
Shelly Beach Club Hotel ✳ Shelly Beach
M.- LIKONI

HET NOORDEN VAN MOMBASA
0   5 km

Noordkust 4

kinderen kunnen zich hier vermaken met waterglijbanen. Voor de kust bevindt zich het **Mombasa Marine Park**. De indrukwekkende onderwaterwereld daar kunt u het best bekijken vanuit boten met glazen bodems.

Verder naar het noorden rijgen zich de hotels aaneen langs de stranden van **Bamburi** ⑧ en **Shanzu** ⑨. Het lange, door rotsen omzoomde strand, strekt zich uit tot aan de monding van Mtwapa Creek. De toeristenhausse heeft ertoe geleid dat er de laatste jaren veel nieuwe restaurants zijn bijgekomen, en discotheken en casino's zijn er net zo gewoon als autoverhuurbedrijven, winkelcentra en sportcomplexen. Beroemd is de **Discotheque Bora-Bora** (aan Mamburi Beach) met zijn speciale middernachtshows.

Gelukkig verschillen de meeste hotels hier totaal van de reusachtige, steriele, volgepakte hoogbouw die men in veel andere landen aantreft. De met fraaie *makuti*-daken bedekte gebouwen bestaan hoogstens uit drie verdiepingen en liggen meestal fraai verborgen tussen palmen en bloeiende tuinen.

VAN MTWAPA CREEK NAAR KILIFI

De **Mtwapa Creek**, eigenlijk een baai die diep het vasteland binnendringt, scheidt de noordkust van Mombasa van de volgende kuststrook, die zich uitstrekt tot Kilifi. Jaren geleden moest de baai met een oude veerpont met handketting worden overgestoken, waarbij de zwarte zeelieden de passagiers vergastten op geïmproviseerde matrozenliedjes. Ook hier is echter de moderne tijd doorgedrongen en een moderne **brug** overspant nu de kreek.

Ten noorden van de brug komt u bij een armelijk lijkend, nogal lawaaiig oord, **Mtwapa** ⑩. Bij de ingang van het dorp voert een weg naar rechts naar het **Kenya Marine Land**, een onderwaterpark met enorme **aquaria** waarin haaien, schildpadden, barracuda's, stekelroggen en andere zeebewoners rondzwemmen. Ze worden eenmaal per dag door een duiker gevoerd, waarbij de bezoekers mogen toekijken. Ook kan men hier fantastisch waterskiën of diepzee-

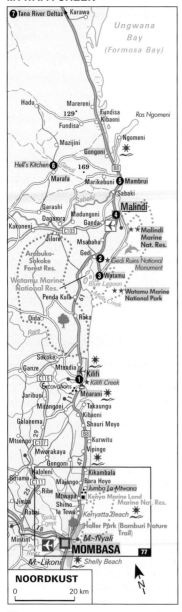

NOORDKUST

0   20 km

N

vissen. Een tochtje per dhow van de aanlegsteiger van het park naar de kreek is de moeite waard. Eén tot drie dhows varen gelijktijdig langs de met mangrovebossen begroeide oevers door de zijtakken van de baai. Giriamadansen, drumconcerten en acrobatische voorstellingen zorgen voor het nodige vertier aan boord. Tot de andere attracties van het Kenya Marine Land behoren een slangenpark met mamba's, cobra's en andere slangen, en een nagebouwd Masaidorp, waar sieraden en snijwerk worden vervaardigd en traditionele dansen worden opgevoerd. Ook vindt u hier het aan het water gelegen, uitstekende restaurant **Aquamarin**.

Bij de toegang tot het dorp voert weg linksaf naar de **Moorings**, een drijvend restaurant aan de noordelijke oever van de Creek met erg goede visgerechten.

Aan de noordkant uitgang van het dorp Mtwapa buigt een 3 km lange weg af naar een nationaal monument: **Jumba la Mtwana** ⑪, het 'huis van de slavenhouder'. De ruïne van deze 400 jaar oude buitenpost van de slavenhandel is nu een bezienswaardig **openluchtmuseum**. Ook is de **Mosque by the sea** hier erg interessant. Deze heeft een aparte ruimte voor vrouwen en een nog bewaarde cisterne. Op het fraaie **Jumba Beach** kunt even bijkomen.

Iets verder naar het noorden ligt **Kikambala** ⑫, een wat het toerisme betreft nauwelijks ontwikkeld oord met een 10 km lang, erg mooi **zandstrand** waarvoor u dan wel eerst 2 km over slechte wegen moet rijden. U kunt hier logeren in een van de drie grote hotels of in een eenvoudig guesthouse. Zwemmen is alleen bij vloed mogelijk.

Voorbij Kikambala, tot aan het 40 km verder gelegen **Kilifi**, wordt de hoofdweg omzoomd door de ene **sisalplantage** na de andere. De sisalhennep wordt gemaakt van de vezelachtige bladeren van de sisalagave. De lokale bevolking vervaardigt vele fraaie voorwerpen uit dit materiaal, vooral matten en *kiondo's*, de typisch Afrikaanse manden.

KILIFI / GEDI

Noordkust 4

Na de plantages slingert de weg omhoog naar de **★Kilifi Creek**, een van de prachtigste baaien langs de kust. Aan de andere kant van de baai, die zich 8 km landinwaarts heeft gevreten, ligt de plaats **Kilifi ❶**, ongeveer halverwege Mombasa en Malindi. De weg splitst vlak voor de kreek. De rechtertak voert naar het **Mnarani Hotel**, een van de oudste hotels van Kenia en tevens een centrum voor diepzeevissers en duikers. De nieuwe brug van Kilifi vervangt het oude veer. In de buurt van de aanlegsteiger staan op een rots hoog boven de zuidelijke oever van de Creek de Arabische ruïnes van **Mnarani** (15de eeuw) tussen reusachtige baobabbomen.

De Kilifi Creek is dankzij zijn beschutte ligging ideaal voor windsurfers en waterskiërs. Verder biedt hij een uitzonderlijk schilderachtig natuurschoon, vooral als men 's avonds bij zonsondergang met een boot door de baai vaart. Op deze tijd van de dag verzamelen

Boven: Sisalplantage in de buurt van Kilifi.

zich hele wolken karmijnrode bijeneters, zodat de lucht trilt van hun vleugelgeklapper terwijl de laatste zonnestralen oplichten in hun rode verentooi.

★RUÏNESTAD GEDI

Ten noorden van Kilifi, voor de afslag naar Watamu, strekt zich het **Arabuko Sokoke Forest** uit, een ernstig bedreigd bosgebied dat onder ornithologen beroemd is vanwege zijn zeldzame vogelsoorten. Er zijn besprekingen gaande om nieuwe grenzen voor dit reservaat vast te leggen om dit kostbare ecologische gebied te redden van de hout- en houtskoolindustrie. Zoals zo vaak is het ook hier moeilijk een compromis te bereiken tussen industrie en natuurbescherming. Het gebied is toegankelijk voor bezoekers (informatie bij het Visitor Centre in Gedi).

Verder naar het noorden in de richting van Watamu is er een afslag naar de **★ruïnes van Gedi ❷**, een van de belangrijkste plaatsen van Kenia voor archeologische opgravingen. Op een vlakte van 18 ha lag hier in het oerwoud

eens een bloeiende islamitische stad met meer dan 2500 inwoners, die in het begin van de 17de eeuw werd verlaten. De ruïnestad werd herontdekt in 1884 en in 1948 tot nationaal monument verklaard; er werden wetenschappelijke opgravingen gedaan. Tegenwoordig kan de bezoeker over goed onderhouden, bewegwijzerde paden door de fraai bewaard gebleven ruïnes wandelen. Men zal zich soms nauwelijks kunnen onttrekken aan de raadselachtige sfeer van broeierige stilte, des te meer wanneer de hete middagzon de jungle doet oplichten en een vogel onverwacht opvliegt, of ergens vlakbij de alarmerende kreet van een aap opklinkt. Het is er dan een beetje griezelig en sommigen zijn blij wanneer ze het gebied weer voor zonsondergang hebben verlaten.

Gedi werd gebouwd aan het eind van de 13de of het begin van de 14de eeuw. De goed geconserveerde gebouwen van koraalsteen, de talrijke fonteinen, een

Boven: Bij de badplaats Watamu ligt de ruïnestad Gedi. Rechts: Voor toeristen worden vaak dansvoorstellingen georganiseerd.

waterleidingstelsel, verschillende moskeeën waaronder de Grote Moskee met zijn zeventien zuilen, een aantal enorme zuilgraven en een gevangenisgebouw vormen de stille getuigen van de eens zo hoog ontwikkelde cultuur van Gedi. Indrukwekkend is ook het grote paleis van de sultan. In het voorhof zijn in de bodem verzonken putten te zien, die dienden voor het opvangen van regenwater. Een vondst van bijzonder archeologisch belang is het 'Graf met Jaartal', waarin het islamitische jaartal 802 is gegraveerd, wat overeenkomt met het jaar 1399 n.C.

Tot op de dag van vandaag is het onduidelijk wie de stichters waren van deze stad en waarom ze die hier bouwden en niet aan de kust, wat beter was geweest voor de handel en scheepvaart. Men kan zich echter een goed beeld van hun rijkdom vormen aan de hand van zulke kostbare vondsten als Chinees porselein uit de Mingdynastie, geglazuurd aardewerk uit Perzië en roze kralen uit Indië. Tot op heden heeft men geen idee waarom de stad na zo'n 300 jaar plotseling werd verlaten. Misschien vanwege overvallen van naburige volken?

Het kleine **museum** bij de ingang toont de interessantste vondsten. Maar wie meer details over Gedi wil weten, moet de brochure *Gedi* kopen van james Kirkman. In de buurt van de ingang bevindt zich de **Kipepeo Butterfly Farm**, de succesvolle vlinderfarm. Het **Visitor Centre** geeft informatie over het project en over het Arabuko-Sokokewoud. Ook laat men plaatselijk handwerk zien.

Van Gedi is het niet ver naar de badplaats **Watamu ❸** met het fraaiste ****kustlandschap** van Kenia. In de prachtige, halvemaanvormige baaien **Watamu Bay**, **Turtle Bay** en **Blue Lagoon** ziet u overal rotsen en kleine eilandjes in zee liggen, gevormd door de resten van fossiele koraalriffen. Het is een waar paradijs voor snorkelaars en duikers. Sinds 1968 zijn de koraalriffen,

die tot de mooiste aan de Oost-Afrikaanse kust behoren, als ****Watamu Marine National Park** beschermd gebied. De in bepaalde periodes voorbijtrekkende, 12 m lange walvishaaien zijn een droom voor elke duiker. De beste tijd om te snorkelen en duiken, of de zeebodem te ontdekken met een boot met glazen bodem, is tussen oktober en maart, als het water helder en de zee rustig is.

De uitgestrekte mangrovebossen om **Mida Creek** zijn bij vogelliefhebbers bekend om hun soortenrijkdom.

MALINDI

Verder noordwaarts ligt **Malindi ❹**, na Mombasa zonder meer het belangrijkste toeristencentrum aan de kust. In tegenstelling tot Mombasa zijn de hotels hier rond de stadskern gegroepeerd, zodat de hele gemeenschap volkomen op het toerisme is ingesteld.

Er wordt beweerd dat Malindi 1000 jaar oud is, maar de bewijzen daarvoor ontbreken. Arabische verslagen en vondsten van aardewerk tonen aan dat de stad in de 13de eeuw in ieder geval al bestond. In 1498 voer Vasco da Gama op weg naar Indië de haven van Malindi binnen en maakte de stad een krachtig bondgenoot van Portugal. Het **Vasco-da-Gama-Kruis** op een landtong ten zuiden van de stad herinnert nog aan deze historische gebeurtenis. Eeuwenlang bleef Malindi een geliefde pleisterplaats voor alle schepen die via Kaap de Goede Hoop naar Indië voeren. Vanaf het midden van de 17de eeuw verloor Malindi als gevolg van talloze overvallen veel van zijn macht en belang. Een opleving in het midden van de 19de eeuw, als gevolg van de slavenhandel, bleek van korte duur. Pas in de jaren dertig van de vorige eeuw werd het ingeslapen stadje door het toerisme weer tot leven gewekt. De eerste hotels, **Blue Marlin** en **Lawfords**, werden gebouwd en herbergden prominente gasten als Ernest Hemingway, die hier zijn passie voor diepzeevissen naar hartelust kon uitleven en daarin veel navolgers vond. Veel hotels staan pal aan het strand, dat in een mekka voor surfers verandert wanneer de moesson in juli en augustus

reusachtige golven door de openingen in het rif perst.

Casino's en **nachtclubs**, een fleurige **markt** en de fantastische onderwaterwereld van het ★★**Malindi Marine National Park**, dat in het zuiden overgaat in het Watamu Marine National Park, maken de stad tot een aantrekkelijk vakantieoord. Verdere attracties zijn onder meer de **vismarkt** en de **zeilclub**, waarvandaan al vele enthousiaste sportvissers zijn uitgevaren om de grootste vis aller tijden te vangen. Inderdaad bezit Kenia vele wereldrecords op het gebied van het sportvissen. Aangezien vissen en het verzamelen van schelpen en koraal in het Malindi-Watamu Marine Park verboden is, moet men een flink eind de zee opvaren.

Vooral tijdens en na de regentijd maakt de slijk meevoerende Galana River (die aan de benedenloop Sabaki River heet) de Malinidi Bay troebel. Dat wordt steeds erger door de ontbossing

Boven: Overdadige tropische vegetatie in het oosten van Kenia.

van de rivieroever en de daardoor versterkt optredende erosie.

In het onherbergzame noorden

Van Malindi voert de weg noordwaarts langs Lamu naar de grens met Somalië. Afhankelijk van het wegdek en het weer duurt deze reis per auto sinds de brug over de **Tana** klaar is nog maar een halve tot een hele dag. Ook bussen uit Mombasa en Malindi leggen deze route af. Ze doen er zo'n zes tot acht uur over, als tenminste alles goed gaat. Maar de meeste reizigers besparen zich deze gevaarlijke rit over land (informeert u, als u het toch wil doen, absoluut naar de veiligheidssituatie), omdat er ook vluchten zijn naar Lamu en Kiwaihu.

10 km ten noorden van Malindi steekt u via een nieuwe brug de **Sabaki River**. 5 km verder naar het noorden ligt **Mambrui ❺**, een vissersdorpje dat de Portugezen al in de 15de eeuw ontdekten. Een **zuilgraf** versierd met porseleinen bollen uit de Mingdynastie herinnert aan die tijd, evenals een **moskee**

met een koepeldak, opgesierd met spreuken uit de koran.

Ongeveer 30 km ten noordwesten van Mambrui (en via een paadje te bereiken) ligt in de buurt van het dorp **Marafa** een interessante geologische formatie, die bekend staat als **Hell's Kitchen ❻**. Met zijn door erosie afgesleten heuvels en bergen en zijn steile, tot 30 m hoge wanden van verschillend gekleurd gesteente lijkt het gebied op een bizar maanlandschap of misschien ook wel op de keuken van de hel. De reis gaat verder door **Gongoni**, langs het Italiaanse ruimtevaartcentrum *San Marco*. Een paar kilometer verder, midden in de **Formosa Bay**, ligt het lanceerplatform, dat er, zo pal naast de aan het strand badende olifanten, bepaald exotisch uitziet. Ten noorden van de Formosa Bay voert de weg landinwaarts door droge wildernis, dat bewoond wordt door het herdersvolk de Orma. Rechts van de weg strekt zich een reusachtig moerasgebied uit rond de **delta** van de **Tana River ❼**. Hier kunt u talrijke vogelsoorten, veel wild en hier en daar een vissersdorp aantreffen.

111 km ten noorden van Malindi komt u aan het uiterste punt van de delta bij de stad **Garsen ❽** (tot hier is de weg geasfalteerd). Hier kunt u inkopen doen en brandstof tanken. Er is hier een brug over de Tana River. Deze is met zijn 700 km de langste rivier van Kenia. Hij ontspringt op de met sneeuw bedekte toppen van Mt. Kenya en in de bergstreken van de Aberdare Mountains en stroomt grotendeels door het droge noordoosten van het land, omzoomd door stroken bos en bewoond door nijlpaarden en krokodillen. Over een stoffige, in de regentijd vaak moeilijk begaanbare weg richting Garissa komt u 40 km ten noorden van Garsen bij het **Tana River Primate Reserve ❾**, een wildreservaat dat vooral werd aangelegd voor de rode stompapen en de mangabeyapen.

Voor de rit naar het Tana River Primate Reserve en naar Lamu of Garissa kunt u zich het beste aansluiten bij een buskonvooi dat door gewapende soldaten begeleid wordt. De veiligheidssituatie is weliswaar sinds de vele overvallen van de jaren negentig van de vorige eeuw verbeterd door de aanwezigheid van de soldaten, maar ongevaarlijk is het nog steeds niet.

DE **LAMU-ARCHIPEL EN ZIJN OMGEVING

De weg van Garsen naar Lamu loopt de eerste paar kilometers over een dam, die de rivierdelta van de Tana River doorkruist. Het plaatsje **Witu ❿** met zijn paar winkels was eind 19de eeuw de residentie van de sultan van Swahililand, dat 1885-1890 onder Duits protectoraat stond tot het met de Engelsen tegen Helgoland geruild werd. Alleen nog een kanon op het marktplein en een grafmonument herinneren aan die tijd. 20 km ten zuidoosten van Witu staan in de buurt van **Kipini ⓫** de ruïnes van een vergeten stad, met onder andere de resten van een moskee uit de 16de eeuw. De kust met zijn stranden en zandduinen is grotendeels onaangetast.

Vanuit Witu rijdt u via de dorpen **Mkunumbi** en **Hindi** naar het 65 km verderop gelegen **Mokowe ⓬**, waar u uw vervoermiddel moet achterlaten om met een boot naar het eiland Lamu te kunnen worden vervoerd.

De eilandengroep, bestaande uit Lamu, Pate, Manda en enkele kleinere eilanden, is door zijn afgelegenheid vooralsnog voor de grote toeristenstroom gevrijwaard. De archipel kan terugblikken op een bewogen geschiedenis van meer dan 1000 jaar, met oorlogen maar ook lange perioden van culturele bloei en florerende handel.

Arabieren, Portugezen en Perzen vestigden zich in de bedrijvige havens van de archipel. Net als uit de andere havensteden aan de Oost-Afrikaanse kust zeilden zware batige dhows met ivoor en slaven hiervandaan naar Arabië, Indië en China en ze kwamen terug met de winden van de wintermoesson,

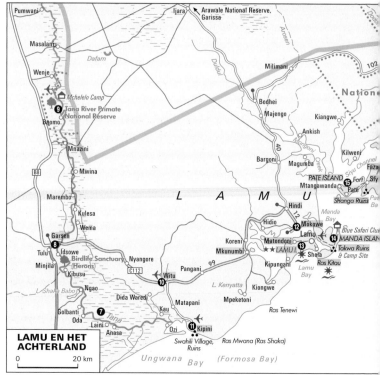

LAMU EN HET ACHTERLAND

0   20 km

beladen met specerijen, tapijten en andere kostbare oosterse waren. Rivaliteit tussen de twee kuststeden Lamu en Pate, die regelmatig van bondgenoten wisselden, was aan de orde van de dag. Maar pas toen de Omanitische Arabieren hun invloedssfeer verder uitbreidden, raakten de tot dan toe onafhankelijke stadstaten hun autonomie kwijt. De onstuitbare economische terugval van de archipel begon met het afschaffen van de slavenhandel in de 19de eeuw, maar zette pas echt door toen Mombasa door de aanleg van de spoorlijn en de nieuwe diepzeehaven, die ook geschikt was voor grote schepen, hun functie van 'toegangspoort naar Oost-Afrika' had overgenomen. Wel raken de laatste tijd steeds meer toeristen

overtuigd van de aantrekkingskracht van de Lamu-archipel.

De goede handelsbetrekkingen uit het verleden hadden de eilanden niet alleen welvaart en vooruitgang gebracht, maar ook de leer der koran. Er wordt zelfs beweerd dat de Arabisch-islamitisch getinte Swahilicultuur, die zich in de loop der tijden langs de gehele kust van Oost-Afrika verspreidde, afkomstig is van deze archipel.

**Lamu

Tot op de dag van vandaag is het **eiland Lamu ⓭ een levend stukje Oud-Arabië midden in Afrika. Zowel het eiland als de gelijknamige stad zijn alleen vanuit zee te bereiken, maar de

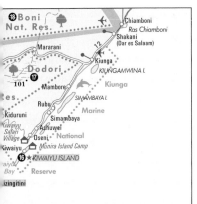

LAMU ISLAND

0   5   10 km

overtocht van het eiland Manda duurt slechts een paar minuten. Bezoekers die regelrecht uit Mombasa, Malindi en Nairobi komen, landen op de landingsbaan van zand bij het kleine vliegveld van Manda.

De meeste bezoekers blijven maar een dagje in Lamu en kunnen in die paar uur niet meer dan een vaag idee krijgen van de schoonheid van het eiland. Een wandeling door de **binnenstad van Lamu**, die door de UNESCO tot werelderfgoed verklaard is, geeft de indruk in een andere tijd beland te zijn. In het web van nauwe straten en steegjes rijden geen auto's, want autorijden is verboden. De enige die van dit verbod is uitgezonderd, is het hoofd van politie. Daarom leven er naast de 15.000 inwo-

ners zo'n 6500 ezels op het eiland, want het vervoersprobleem moet toch worden opgelost. De ezels voldoen uitstekend. Er is zelfs een kliniek voor deze dieren, waar ze, vanzelfsprekend, gratis worden behandeld.

De verbindingen met de andere eilanden worden met zeilboten onderhouden. Vanuit de schilderachtige **haven**, waarvandaan in vroeger dagen grote zeilboten het ruime sop kozen voor hun reizen naar verre landen, vertrekt nog steeds menige volgeladen dhow. Maar tegenwoordig varen ze niet verder dan naar Malindi of Mombasa, soms ook met passagiers aan boord.

Het aan zee gelegen deel van de stad Lamu bestaat hoofdzakelijk uit stenen huizen die in de 18de en 19de eeuw werden gebouwd. Hun dikke muren bieden een welkome bescherming tegen de hitte en op de stenen banken naast de deuren met houtsnijwerk verzamelen zich 's avonds de buren om wat te kletsen. Het voorrecht deze huizen ook vanbinnen te leren kennen, krijgt u wanneer u overnacht in een van de talrijke logementen. De stijl en sfeer compenseren ruimschoots de eenvoudige inrichting van de kamers. Deze logementen hebben pittoreske binnenplaatsjes, die worden overwoekerd door bloeiende bougainvillea's, oude fraai gesneden Lamumeubelen en terrassen met een grandioos uitzicht over de stad. Het westelijke, armelijke deel van de stad bestaat uit simpele lemen hutten met *makuti*-daken en grenst direct aan de om de stad gelegen velden.

Om de weg te vinden in Lamu zijn de beste oriëntatiepunten de **Harambee Avenue**, de hoofdstraat, die naar het **fort** en de **marktplaats** voert, en de straat die langs de haven loopt. Hier vindt men behalve het **Tourist Office** en de Bank het traditierijke **Hotel Petley's Inn**. Dit stijlvolle herenhuis uit de 19de eeuw heeft gastenkamers die ook de meest veeleisende toerist tevreden zullen stellen. Zelfs een zwembad staat de gasten ter beschikking. Het terras

van het hotel is 's avonds overvol. Dorstige vakantiegangers en een enkele autochtoon doen zich hier tegoed aan een Sundowner drink, want in de meeste restaurants wordt, in overeenstemming met de leer van Mohammed, geen alcohol geschonken. Die hebben echter wel wat anders te bieden: Arabisch-Afrikaanse lekkernijen zoals pittige gehaktballen met aromatische kruiden of gebakken tijgervis in kokossaus en heerlijke vruchtensappen van versgeperste limoen, mango en tamarinde.

Op een steenworp afstand van Petley's Inn wacht het **Museum van Lamu**, een britse residentie uit 1891, op bezoekers. Huishoudelijke apparatuur, meubilair, sieraden en – de grote attractie van het museum – twee enorme Siwahoorns waarop alleen bij speciale gelegenheden wordt geblazen, geven een indruk van het vakmanschap van de Swahili. De bezichtiging van de bruidssuite geeft de bezoeker een indruk van

de schitterende wereld van duizend-en-een-nacht. Op het dak van het museum heeft u een prachtig **uitzicht** over de stad. Vanaf de zeekant lopen steegjes naar Harambee Avenue en verder de stad in. Veel winkels in de witgeverfde, twee verdiepingen tellende huizen roepen het beeld van een oosterse markt op. Buiten aan de zware houten deuren hangen de veelkleurige *kanga's*. Op straat komt men mannen tegen die zijn gekleed in de tot de grond reikende witte *khanzu's* of in *kikois* (een soort wikkeldoek) en met de traditionele *kofia* op het hoofd. De vrouwen gaan van top tot teen gehuld in hun zwarte *buibuis*. Alleen hun ogen worden door hun sluiers vrijgegeven.

Tot laat in de avond is de stad een en al bedrijvigheid. Het is voor toeristen volkomen veilig zich in de drukte te mengen, al dient een buitenlander wel rekening te houden met zijn kleding. Er wordt verwacht dat men zich op zijn minst een beetje aanpast aan de islamitische opvattingen daarover.

In het puur islamitische Lamu bevinden zich zo'n twintig moskeeën, die

Boven: De oude stad van Lamu. Rechts: Na korte, hevige regenbuien drogen de straten van Lamu weer snel op in de warme zon.

men slechts met toestemming mag betreden. Interessant is de **Vrijdagsmoskee** uit de 16de eeuw in het noorden van de stad. De beroemdste moskee van Lamu is de **Riyadhamoskee** ten zuidwesten van de markt. Hier vindt jaarlijks het festival *Maulidi-al-Nabi* plaats, waarbij de moslims de geboorte van de profeet vieren. Wel 10.000 pelgrims uit heel Oost-Afrika, van de Comoro-eilanden, van het Arabische schiereiland en zelfs uit India komen voor dit festival naar het eiland. Tijdens de feestweek wordt Lamu overspoeld met bezoekers, die achter de Riyadhamoskee met zijn groene koepel gratis maaltijden krijgen uit een soort gaarkeuken. Het hoogtepunt van het feest is de *ziyara*, een processie naar het **graf van Habib Swaleh**, een heilige die rond 1900 het religieuze leven van de moslims nieuwe impulsen gaf.

Uitstapjes op Lamu: *Shela, **strand en Matondoni

In het noordoosten van het eiland Lamu ligt het dorpje *Shela met zijn witte minaret uit 1829. Er zijn twee mogelijkheden om vanuit Lamu naar Shela te komen: ofwel met de boot, ofwel door de 3 km langs het strand te voet af te leggen. De belangrijkste attractie van het ingedutte dorp, dat in het begin van de 19de eeuw het toneel vormde van een bloedige strijd tussen Pate en Lamu, is het kleine maar exclusieve **Hotel Peponi** met zijn Sundowner-terras en sprookjesachtige **zandstrand**. De door hoge duinen begrensde stranden strekken zich 12 km uit, tot aan **Kipungani**. Aan de westkust van Lamu ligt **Matondoni**, waar *dhows* nog steeds op de traditionele wijze worden gebouwd. Zeilboten brengen de bezoekers erheen.

De eilanden Manda, Pate en *Kiwayu

Voor het **eiland Manda** ⓮ is het tegenover Lamu gelegen kleine vliegveldje de belangrijkste verbinding met de buitenwereld. Verder kan men er alleen per schip komen. In de buurt van het dorpje **Manda** herinneren schamele ruïnes aan de oudste nederzetting van de Oost-Afrikaanse kust met vesting (ca. 9de eeuw). Veel bezienswaardiger zijn de **ruïnes van Takwa**, die aan het eind van een baai in de mangrovemoerassen liggen. Ze vormen de overblijfselen van een stad uit de 16de of 17de eeuw. De ruïnes zijn te vergelijken met die in Gedi, wat hun archeologisch belang betreft.

Het zuidelijke schiereiland **Ras Kitau** heeft paradijselijke stranden. Op het **Ras Kitau Beach** kan de toerist genieten van zijn totale afzondering van de buitenwereld.

Het door dichte mangrovebossen omringde eiland **Pate** ⓯ ligt 32 km ten noordoosten van Lamu. Gevaarlijke riffen en ondiepe plekken maken de tocht per boot moeilijk en op het kleine vliegveld landt slechts onregelmatig een vliegtuig.

Het aantal bezoekers aan Pate is dan ook minimaal, hoewel het eiland beslist

het een en ander heeft te bieden aan de nieuwsgierige toerist.

Zo zijn er de **opgravingen** van **Nabahani** en **Shanga** en het fort van het kleine oosterse dorp **Siyu**. Het grootste plaatsje op het eiland is **Faza**, met 1500 inwoners. Het vissersdorp **Kizingitini** staat bekend om zijn heerlijke stranden en om de schelp- en schaaldieren die er worden gevangen. Men kan het eiland te voet of per ezel verkennen. De enige accommodatie bestaat uit kamers bij particulieren.

Het noordelijk gelegen eiland ***Kiwayu 16** is met zijn schitterende stranden en prachtige koraalriffen een eldorado voor mensen die ver van de drukte van de toeristische gebieden willen zwemmen en vissen. Het kleine eiland ligt in het **Kiunga Marine National Reserve** dat zich haast tot aan de Somalische grens uitstrekt. Vooral schildpadden en enkele zeldzame koraalsoorten genieten er extra bescherming.

Boven: Net als vroeger varen er nog talloze dhows voor de kust van Lamu.

De reservaten Boni, Dodori en Arawale

Het achterland van de noordkust van Kenia is nog nauwelijks ontsloten voor het toerisme en sinds de burgeroorlog in Somalië onveilig. De parken **Dodori 17** en **Boni National Reserve 18**, vlak bij de Somalische grens, werden pas in 1976 opgezet. Ze zijn vooral bedoeld om bescherming te bieden aan de talrijke olifantenkudden en aan de topi's (een antilopesoort). Het observeren van de dieren wordt hier bemoeilijkt door de dichte vegetatie van het oerwoud en de weinige paden zijn zo goed als onbegaanbaar.

Het **Arawale National Reserve** ligt aan de slechte verbindingsweg tussen Mokowe en Garissa langs de oostelijke oever van de Tana. Uniek voor dit reservaat is de Hunter- of lierantilope, die men in dit ongerepte landschap echter maar zelden te zien krijgt.

Vanwege de onzekere situatie en de deels onbegaanbare wegen is het momenteel niet verstandig hier rond te gaan rijden.

NOORDKUST

BAMBURI-, KENYATTA- EN SHANZU-BEACH (☎ 041)

✂ **Pirates**, Kenyatta Beach, goed, maar niet goedkoop. **Maharaja**, tel. 548 58 95, Bamburi Beach, Noord-Indiase keuken.

🍸 **Bora Bora International Night Club**, tel. 548 60 30, vlak bij Bamburi Beach Hotel, een na grootste disco aan de noordkust, dansshows, cabaret, tuinrestaurant.

👉 **BEZIENSWAARDIGHEDEN:** Bamburi Quarry Nature Park (Haller Park), herbebossing van steengroeve tot een veelsoortige jungle met beschermd wildpark, een viskwekerij, krokodillenfarm, restaurant. dgl. 9.00-17.00 uur, voedertijd 16.00 uur.

MTWAPA (☎ 041)

✂ **Moorings Restaurant**, tel. 548 50 45, drijvend restaurant in Mtwapa Creek, uitstekende viskeuken.

👉 **Kenya Marineland**, tel. 48 52 48, www.kenyamarineland.com, zeepark met enorme aquariums, slangenpark, vissen op volle zee, waterskiën, georganiseerde dhowtochten op de Mtwapa Creek incl. middageten in het **Aquamarine Restaurant**.

NYALI (☎ 041)

✂ **Ziga-Restaurant**, in Bombolulu Cultureel Centrum, authentieke Keniase Swahilikeuken. **Whistling Pines**, tel. 548 74 64, in Haller Park, barbecue o.a. met struisvogel-, oryx- en krokodillenvlees, vis uit eigen kweek; sundowner, uitzicht op vijver.

🍸 **Mamba International Nightclub**, tel. 47 51 86, in Mamba Village, erg populair, enorme, moderne nachtclub, verschillende attracties zoals lasershows, shuttleservice vanuit de binnenstad.

👉 **BEZIENSWAARDIGHEDEN:** Mamba Village, krokodillenfarm, botanische tuin met aquarium, slangenpark, geopend dgl. 8.30-18.30 uur, 17 uur worden de krokodillen gevoerd. **Bombolulu Handwerk- en Cultuurcentrum**, tel. 47 35 71, fax: 47 53 25, www.africaonline.co.ke/bombolulu, verkoop van kunsthandwerk, vooral sieraden, nagebouwde traditionele hoeven, dans- en ambachtspresentaties, restaurant, verkoopten-

toonstellingen ma-za 8.00-18.00 uur, werkplaatsen ma-vr 8.00-12.45 en 14.00-17.00 uur, cultureel centrum ma-za 8.00-17.00 uur.

MALINDI (☎ 042)

✂ **The Old Man and the Sea**, tel. 31 106, beste eten, grote porties, vooral vis en zeevruchten, romantische atmosfeer. **I love Pizza**, tel. 20 672, populaire Italiaan, excellente pizza, smakelijke visgerechten. **Baobab**, tel. 20 489, Afrikaanse en internationale keuken, aan het water met fraai strandzicht.

👉 **Malindi Marine National Park**, tel. 20 845, toegang tot het park bij Casuarina Point ten zuiden van de stad (dgl. 7.00-19.00 uur), snorkeltochten, boten met glazen bodem. Duikbases in Lawford's Hotel en Driftwood Club.

LAMU-ARCHIPEL

🔼 **VLIEGEN:** regelmatige vluchten tussen het eiland Manda en Nairobi, Mombasa en Malindi. Dgl. vliegverbinding tussen Kiwaiyu en Lamu of Nairobi. **BOOT:** Dagelijks postboot naar Pate. Vanaf de luchthaven op Manda verboten naar Lamu. Meerdere keren dgl. boten van Lamu naar Shela en op afspraak naar Ras Kitau Beach Hotel. **AUTO / BUS:** De weg eindigt in Mokowe op het vasteland, dan veerboot naar Lamu (zonder auto).

👉 Veel excursiebureaus in Nairobi, Mombasa en Malindi organiseren één- of meerdaagse tochten naar Lamu.

LAMU (☎ 0121)

𝑖 **Tourist Information Centre**, tel. 633 449, bij het German Post Office Museum, ma-vr 8.30-12.00 uur en 14.00-16.30 uur, za 8.30-13.00 uur. Kamerreservering, dhowtochten, excursies, plattegronden.

✂ **Stone House Hotel**, een van de beste van Lamu, dakterras met fantastisch uitzicht. **Bush Garden** en **Hapa hapa** zijn twee populaire goedkope visrestaurants aan de haven. In de straten van de oude binnenstad zij talrijke kleine restaurants met verbazingwekkend goed en goedkoop eten.

🏛 **Lamu-Museum**, bij Petley's Inn, tentoonstelling over cultuur en geschiedenis van Lamu, dgl. 9.00-18.00 uur.

NAIROBI

**NAIROBI
EXCURSIES IN DE OMGEVING
GIKOMBA
NAIROBI NATIONAL PARK**

NAIROBI

In minder dan een eeuw is **Nairobi** uitgegroeid van een eenzaam tussenstation van de spoorwegen in de wildernis van Oost-Afrika tot een moderne miljoenenstad met meer dan 2 miljoen inwoners.

De naam Nairobi is overigens ontleend aan de Masaiwoorden *enkare nyarobe*, die 'zoet water' betekenen.

Sinds de stichting van de stad in 1896 heeft Nairobi met zijn gematigde, aangename klimaat (de kans op malaria is hier in het hoogland aanmerkelijk kleiner als aan de kust) zich met een ongelooflijke snelheid ontwikkeld. Van een klein pioniersstadje is het geworden tot een metropool met alle voor- en nadelen van dien. Moderne hotels en wolkenkrabbers drukken hun stempel net zo op het stadsbeeld als de elegante, dure buitenwijken en armoedige sloppenwijken aan de rand van de stad.

Nairobi is in één opzicht uniek: slechts een paar kilometer buiten de stad trekken, net als eeuwen geleden, kudden giraffen over de savanne, loeren leeuwen op hun prooi en grazen zebra's in de ongerepte wildernis.

Voorgaande pagina's: Nairobi, binnen een eeuw uitgegroeid van gehucht tot metropool. Links: In de straten van Nairobi.

Nairobi, de grootste stad van Oost-Afrika, is niet alleen het belangrijkste industriële centrum tussen Kaapstad en Caïro, maar is als congresstad en als zetel van verschillende VN-organisaties ook van internationaal belang. De demografische ontwikkeling van Nairobi houdt gelijke tred met zijn stedenbouwkundige dynamiek. Het snel stijgende inwonersaantal (ca. 3,7 milj.) leidt tot grote sociale problemen zoals extreme armoede, een stijgend criminaliteitscijfer en enorm uitdijende sloppenwijken. Alleen al in Kibera ten zuidwesten van het stadscentrum, de grootste sloppenwijk van Afrika, leven 0,5 - 1 miljoen inwoners. Diefstal en gewapende roofovervallen zijn aan de orde van de dag en men doet er beter aan niet in het openbaar sieraden (bijv. oorbellen) of andere waardevolle zaken zichtbaar bij zich te hebben.

Honderd jaar geschiedenis

De vorming van de staat Kenia werd drastisch versneld door de aanleg van de Kenya-Uganda-Railway. De Britse spoorlijn die Mombasa aan de Indische Oceaan zou verbinden met het Victoriameer en Oeganda bereikte in 1896 de plaats waar nu de stad Nairobi ligt. Ondanks de omliggende moerassen werd deze plaats toch als permanent kamp uitgekozen, omdat een klein eind-

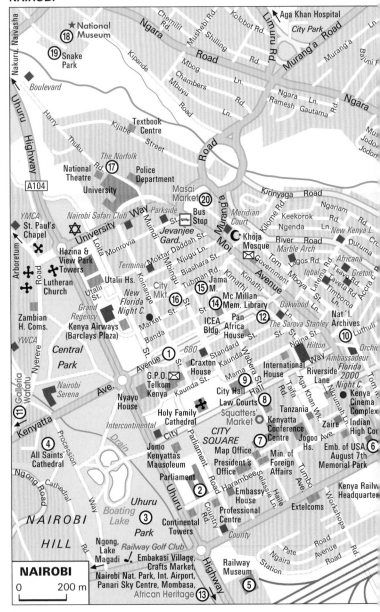

NAIROBI

0   200 m

je verderop de moeilijke taak wachtte om rails te leggen op de steile hellingen van de Rift Valley. In een paar jaar ontwikkelde zich uit enkele houten loodsen het energieke stadje Nairobi.

Blanke kolonisten, onroerendgoedspeculanten en avonturiers stroomden in die tijd het land binnen en vestigden zich in Nairobi; een groot aantal jagers op groot wild maakte de stad tot uitgangspunt voor hun safari's.

In rap tempo ontwikkelde zich een druk sociaal leven, dat de boeren en jagers, die vaak maandenlang in volstrekte eenzaamheid doorbrachten, vele mogelijkheden tot vertier bood.

In 1907, niet meer dan een paar jaar na zijn ontstaan, werd Nairobi de zetel van het Brits bestuur van Oost-Afrika en dientengevolge de hoofdstad van Kenia. In 1910 was de bevolking al tot 12.000 zielen toegenomen. De adembenemende snelheid waarmee de stad zich ontwikkelde, zette zich ook in de volgende decennia voort, tot op de dag van vandaag. Steeds meer omliggende plaatsen werden door de stad opgeslorpt en dorpelingen uit het hele land trokken naar de stad in de hoop op betere lonen en een hogere levensstandaard. Deze hoop bleek voor de meesten al gauw ijdel, want er was noch genoeg woonruimte, noch genoeg werk. Zo ontstonden aan de rand van de stad grote wijken zonder enige structuur die voor het stadsbestuur en de politici een groot planningsprobleem zijn gaan vormen.

Door de welhaast onoplosbare verkeersproblemen en de criminelen, die inmiddels niet meer alleen 's nachts actief zijn, trekken steeds meer winkels, kantoren en restaurants naar de buitenwijken, vooral naar Westlands. De bomaanslag van de islamitische terreurgroep Al-Quaida op de Amerikaanse ambassade (1998) in het centrum, in Moi Ave., waarbij meer dan tweehonderd mensen hun leven verloren, zorgde voor een schok die deze ontwikkeling versnelde.

De stad verkennen

Voor de nieuwkomers in Nairobi is een georganiseerde excursie door de stad een relatief veilige gelegenheid om een eerste indruk te krijgen en te ontdekken wat later wellicht een bezoekje waard is. Talrijke betrouwbare reisbureaus verzorgen dergelijke excursies en hebben kantoortjes en/of vertegenwoordigers in de grotere hotels en winkelcentra. Men moet echter uitkijken voor oplichters die de argeloze toerist lokken met ogenschijnlijk goedkope aanbiedingen, maar die slechts uit zijn op illegale valuta- en drugstransacties.

Zodra men in de stad een beetje de weg weet, zal men al wandelend nog veel kunnen ontdekken. De meeste bezienswaardigheden zijn namelijk eenvoudig te voet te bereiken en in Nairobi's schaakbordachtige stratenplan vindt iedereen gemakkelijk de weg.

Overdag is Nairobi overigens ook niet bepaald veilig – vandaar de bij-

Boven: Markt in Nairobi. Rechts: Straattafereel in de binnenstad van Nairobi.

naam 'Nairobbery' – en waardevolle spullen, of dat nu een gouden polshorloge is of een attachékoffertje met belangrijke papieren, moet u niet meenemen. (Laat ook niets in een onbewaakte auto achter, ook niet in de afgesloten kofferbak!) Na het invallen van de duisternis is het voor toeristen onverstandig nog door de stad te gaan wandelen!

Ten zuiden van Kenyatta Avenue

Een prima plek om met de bezichtiging van het stadscentrum te beginnen is de door palmen omzoomde **Kenyatta Avenue** ①. Hier treft u talrijke winkels aan, de stoep staat vol met straathandelaren, bedelaars en zakenlieden. Op iedere straathoek worden u allerlei diensten aangeboden en tussen de moderne gebouwen en wolkenkrabbers ziet u verdwaalde gebouwen staan uit de koloniale tijd.

Het hoge gebouw van het **hoofdpostkantoor** (GPO), op de hoek met **Koinange Street** is een echte blikvanger en helpt bij de oriëntatie.

Als u zuidwaarts deze straat ingaat, doorloopt tot aan **Kaunda Street**, daar rechtsaf gaat en meteen weer links de **Parliament Road** op, passeert u de katholieke **Holy Family Cathedral** en het Hotel Intercontinental, en komt u uiteindelijk uit bij het **City Square** en het **parlementsgebouw** ②. Hier trekt vooral de twaalf verdiepingen hoge pilaar van de **klokkentoren** de aandacht.

In de **Long Gallery** van het parlement hangt een verzameling van 49 linnen en wollen kleden die door leden van de East African Women's League gemaakt zijn. Zij vertellen Kenia's koloniale geschiedenis.

Aan de noordkant voor het Parlementsgebouw staat het **Mausoleum van Jomo Kenyatta**. Aan de westkant van de **Uhuru Highway** ligt het **Uhuru Park** ③, dat ten noorden van Kenyatta Avenue overgaat in het Central Park en waar u zich een beetje ontspannen kunt. Om veiligheidsredenen is het overigens

niet aan te bevelen na het invallen van de duisternis hier te vertoeven. Imposant is de aan de westzijde van het park, aan de voet van Nairobi Hill gelegen neogotische **All Saints' Cathedral** ④.

Wie zich interesseert voor de jongste geschiedenis van Kenia moet beslist een bezoek brengen aan het **Spoorwegmuseum** ⑤ (ten zuiden van het Parlement naast het station). Hier vindt u historische foto's, elegante salonwagens en oude locomotieven uit de pioniersdagen van de *East African Railway* van Mombasa naar Kampala, die het hart van iedere spoorwegliefhebber sneller zullen doen kloppen. Ook wordt hier het verhaal van 'de menseneter van Tsavo' verteld. Het gaat over een troep leeuwen die de aanleg van de *Lunatic Express* (de waanzinsexpres) aanzienlijk vertraagde doordat ze de spoorarbeiders opvraten. De opzichters namen daarop een moedige jager in dienst, die echter in slaap viel en zo zelf ook ten prooi viel aan de leeuwen. In het museum kan men de treinwagon bezichtigen van waaruit de arme jager door een van de roofdieren naar buiten werd gesleurd.

Loopt u over de **Haile Selassie Avenue** in noordoostelijke richting, dan komt u op de hoek van Moi Avenue op de plaats waar in 1998 de islamistische bomaanslag op de Amerikaanse ambassade plaatsvond. Hierbij werd ook een naburig kantoorgebouw verwoest. Een **monument** ⑥ (Memorial Park) op de plaats van de explosie herinnert aan de 200 dodelijke slachtoffers en 5000 gewonden die hierbij vielen.

Op de zuidoosthoek van **City Square** staat het herkenningsteken van het moderne Nairobi, het in 1972 gebouwde **Kenyatta International Conference Center** ⑦ met een reusachtige congreshal en de ronde **KANU-toren**. Vanaf de bovenste verdiepingen van het gebouw heeft u een fantastisch uitzicht over de stad en het land er omheen. Met helder weer kunt u zelfs Mount Kenya en de Kilimanjaro zien.

Daarnaast staat een van de oudste regeringsgebouwen van de stad, het neoklassieke **gerechtsgebouw** ⑧ met zijn strenge, door zuilen ondersteunde façade en ertegenover de **City Hall** ⑨, het stadhuis van Nairobi.

De **National Archives** ⑩, aan Moi Avenue tegenover het Hilton, herbergen een aantal documenten uit de geschiedenis van Kenia, alsmede een belangrijke verzameling voorwerpen en geschriften die met Afrika te maken hebben. Joseph Murumbi, een van de vroegere vice-presidenten van het land, heeft die collectie bijeengebracht.

Kunstliefhebbers vinden de **Watatu Gallery** ⑪ niet meer in de Standard Street. De galerie heeft het stadscentrum verlaten en vindt u nu in Upper Hill. Hier worden regelmatig tentoonstellingen georganiseerd met werk van inheemse kunstenaars.

Het traditierijke **Thorn Tree Café** in het oude **The Sarova Stanley Hotel** ⑫ op de kruising van Kenyatta Avenue en Kimathi Street heeft sinds de verbouwing veel van zijn charme verloren. Toch is het nog altijd iets voor mensen die van drukte en gezelschap houden. Middelpunt van het café is een prikbord, bevestigd aan de inmiddels nieuw geplante *Thorn Tree*, een acacia, waarop bezoekers aan Nairobi hun boodschappen voor vrienden en andere reizigers kunnen achterlaten. Het riante ontbijtbuffet is een aanrader.

Ten noorden van Kenyatta Avenue

Als u souvenirs wilt kopen, is het **African Heritage Gallery** ⑬ aan de Mombasa Road een goed adres. Het beste aan Afrikaanse kunstnijverheid en Afrikaanse kunstwerken uit alle hoeken van het continent is hier bijeengebracht. U vindt er uitzonderlijk houtsnijwerk, maskers, textiel, manden en sieraden.

Het **tuincafé** dat bij de galerie hoort is een ideale plek om even uit te blazen. Het is gespecialiseerd in Keniaans-Afrikaanse gerechten.

Rechts: Op de binnenplaats van het Nationaal Museum staat een beeld van de beroemde olifantenstier Ahmed.

Nairobi heeft een groot aantal winkels in antiek en curiosa, maar de prijzen zijn er vaak exorbitant. Nu en dan vindt men er wel eens een fraai voorwerp uit de nalatenschap van een of andere koloniale lord, maar het is een publiek geheim dat de meeste antiekhandelaars hun waren voornamelijk uit Europa betrekken. Bij het kopen van **houtsnijwerk** is voorzichtigheid geboden! Veel galeries hebben prachtige stukken, maar het plezier wordt vaak al snel bedorven door barsten in het hout. De oorzaak van dit probleem is dat de houtsnijders meestal van vochtig hout werken. Bij het bewerken liggen deze stukken hout vaak onbeschermd onder de tropenzon, waardoor het hout veel te snel uitdroogt, wat de genoemde barsten veroorzaakt. Aan de andere kant is het ook mogelijk dat het hout niet goed bestand is tegen het klimaat in centraal verwarmde Europese kamers, wat vooral voor grote figuren geldt.

In een straat parallel aan Kenyatta Avenue, even ten noorden daarvan, bevindt zich een prachtige verzameling in het neoklassieke gebouw van de **McMillan Memorial Library** ⑭. Naast een uitgebreid kranten- en parlementsarchief bezit de bibliotheek op de bovenverdieping tevens een buitengewone collectie boeken.

Meteen ernaast staat de in Indiase stijl gebouwde **Jamiamoskee** ⑮ uit 1925, de grootste vrijdagmoskee en veruit het mooiste sacrale gebouw van de stad. Met zijn twee minaretten en zilver glanzende koepel lijkt de moskee op een perfecte achtergrond voor een sprookje uit duizend-en-een-nacht. Men vindt overigens in de hele stad vele moskeeën en zowel hindoe- als sikhtempels, die de culturele verscheidenheid van Nairobi weerspiegelen.

Vlak bij de Banda Street, waar de moskee staat, vindt u aan de Mbingu Street de pittoreske **City Market** ⑯, een grote verzameling fruit- en bloemenkraampjes. Buiten de hallen vindt u kunsthandwerk zoals sieraden,

kleding, trommels en hout- en spek-steensnijwerk. Ook hier geldt: afdingen en oppassen voor zakkenrollers!

Verder noordwaarts, richting Museum Hill, komt u in de Harry Thuku Road langs het oude, traditionele **Norfolk Hotel** ⑰. Het werd kerst 1904 geopend en hoort net zo bij de geschiedenis van Nairobi als de spoorbaan. Na de beschadiging van het hotel bij een bombardement op 31.12.1980 werd het in de oorspronkelijke Engelse landhuis-stijl gerestaureerd en het behoort weer net als vroeger tot de beste hotels van het land. Vroeger herbergde het hotel beroemdheden als Ernest Hemingway en Winston Churchill, die waarschijnlijk net als iedereen in de **Lord Delamere Bar** hun borreltjes dronken. Deze beroemde bar, nog steeds een geliefd trefpunt voor *tout* Nairobi, werd genoemd naar de beruchte Lord Delamere. Als woordvoerder van de blanke kolonisten hield de strijdbare Lord regelmatig drankgelagen met zijn 'Kenya cowboys'. Af en toe vielen ze dan het Norfolk binnen, waarbij de Lord zijn pistolen placht leeg te schieten.

Het beste overzicht van de geschiedenis, cultuur en natuur van Kenia vindt men ongetwijfeld in het ★**Kenya National Museum** ⑱ op de **Museum Hill**. De collectie voorwerpen is van historisch, etnologisch en natuurkundig belang en geniet wereldwijd bekendheid als de uitvoerigste documentatie van Oost-Afrika.

De afdeling **Prehistorie en Vroege Geschiedenis der Mensheid** is interessant vanwege de belangrijke verzameling archeologische vondsten, vooral uit Kenia, van de familie Leakey, die in Kenia en Tanzania spectaculaire voetsporen en skeletresten van vroege mensen ontdekt had. Een juweeltje in de **natuurhistorische afdeling** is de uitgebreide verzameling Afrikaanse vogel- en vlindersoorten. Ook zijn hier de skeletten te zien van een walvis en van de beroemde olifantenstier Ahmed uit Marsabit, wiens linkerslagtand bijna 3 m lang was. Er staat een beeld van hem op de binnenplaats van het museum.

Museumbezoekers met belangstelling voor volkenkunde moeten beslist de prachtige **etnologische verzameling**

van de schrijfster en dierenbescherm-ster Joy Adamson bekijken met daarin onder meer stammenportretten. De recentere geschiedenis van Kenia wordt indrukwekkend weergegeven door foto's, manuscripten en talloze andere voorwerpen.

Wie in de aardrijkskunde van het gebied geïnteresseerd is, in vulkanen en in het ontstaan van de Rift Valley, kan zijn hart ophalen op de **afdeling voor geologie**. Daar is ook een mineralen- en stenenverzameling te zien.

In de **Gallery of Contemporary East African Art** vindt u Oost-Afrikaans kunsthandwerk om te zien en te kopen. Een expositie over de geschiedenis van de Keniase kust van de 9de tot in de 19de eeuw is te zien in de **Lamu Gallery**. De *Kenia Museum Society* biedt informatieve rondleidingen door de tentoonstellingen aan (door de week).

Naast het National Museum ligt het **Snake Park** (slangentuin) ⑲, waar slangen en reptielen uit heel Kenia te

bewonderen zijn. Een niet mis te verstaan bord maant tot voorzichtigheid: 'Attentie, indringers worden opgegeten!'

Wie na een stadswandeling wat wil uitrusten in een natuurlijke omgeving, kan in het noorden van het centrum op twee plekken terecht. Ten westen van Museum Hill ligt het **arboretum** (aan de Arboretum Drive meteen achter State House Road). Het jungle-achtige bos met zijn meer dan 200 boomsoorten is aanlokkelijk voor een picknick of wandeling. Middels twee uitgezette routes kunt u met behulp van een bij de ingang af te halen boekje het een en ander leren over de planten en vogels die er leven. Wat betreft de veiligheid heeft het park een goede reputatie. Er lopen veel politieagenten rond vanwege het nabijgelegen State House. Desondanks geldt ook hier: neem geen kostbaarheden mee!

Een half uur te voet vanaf het National Museum brengt u bij het **City Park** aan de Limuru Road, bij het Aga Khan Hospital in de Parklands. Het is het mooiste en grootste park van Nairobi en gaat over in een oud woud met jacaranda's en andere inheemse bomen. Het

Boven: Het slangenpark naast het Nationaal Museum fascineert elke bezoeker.

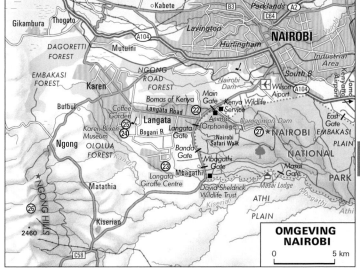

OMGEVING NAIROBI

0   5 km

Nairobi 5

trekt veel apen aan, die voor een paar pinda's of koekjes graag een showtje opvoeren. Door de week is het hier rustiger wandelen, al is dat misschien minder veilig.

Ook interessant is een bezoek aan de **Boscawen Memorial Collection** van zeldzame planten, bij de parkingang aan de Limuru Road, of een wandeling door het **labyrint** aan de andere kant van het park.

Wie zich nog eens in de drukte van een Afrikaanse markt wil storten, moet eens een kijkje nemen op de **Masai Market** ⑳ (bij de rotonde tussen Kijabe Street en Murang'a Road, elke dinsdag en vrijdag tussen 9 en 15 uur). Wie voldoende doorzettingsvermogen en geduld heeft bij het afdingen, kan hier voor weinig geld typische Masaiproducten kopen.

Zeer aan te bevelen is ook de ten noordoosten van het stadscentrum plaatshebbende **Kariokor Market** ㉑ tussen Ring Road en Racecourse Road. In deze oriëntaals aandoende bazar, waar ook veel stadsrondritten even stoppen, is het aanbod van kunsthand-

werk en handwerk enorm. Ook kunt u bij de talrijke eettentjes gegrild rund- of geitenvlees uitproberen of pens van de houtskoolgrill.

Een tamelijk nieuwe en goed georganiseerde grote kunsthandwerkmarkt is de **Embakasi Village Crafts Market** aan de Mombasa Road, richting vliegveld. In een relatief ontspannen sfeer kunt u hier voor veelal lagere prijzen inkopen als op andere markten in Nairobi.

EXCURSIES IN DE OMGEVING

Naar de Ngong Hills

Ten westen van Nairobi bevinden zich de **Ngong Hills** die met hun fantastische uitzichten op de Rift Valley een uitgelezen doel zijn voor een excursie. Aan de voet van de bergen bevinden zich in de dorpen Karen en Langata een aantal interessante bezienswaardigheden zoals het **Karen Blixen Museum**, het **Langata Giraffe Centre** en de **Bomas of Kenya** die u gecombineerd kunt gaan bekijken. De rondrit wordt welis-

Centre ㉓. Een natuurpad loopt over het terrein waar de met uitsterven bedreigde Rothschild giraffen gekoesterd worden. Vooral voor kinderen is dit bezoek een fantastische belevenis.

Ten westen van het giraffecentrum (en te bereiken via de Bogani Road) vindt u het **Karen Blixen-museum** ㉔ dat veel bezocht wordt door de fans van de film 'Out of Africa'. De Deense schrijfster Karen Blixen wier roman door de Hollywoordverfilming wereldberoemd werd, leefde in de jaren 1914 tot 1931 op deze mooie boerderij.

Vanwege de slechte opbrengsten moest zij haar koffieplantage in 1930 verkopen en kort daarop verongelukte haar grote geliefde Dennis Finch Hatton bij een vliegtuigongeluk in het Tsavo Park. Ze verliet Kenia en liet haar huis, gelegen midden in een parkachtige tuin, achter. Binnen zijn overigens alleen de rekwisieten van de populaire film te zien, maar paar persoonlijke bezittingen en enkele oude foto's.

Op weg naar het noorden richting het Karen Shopping Centre komt u langs het voormalige opzichtershuis van de koffieplantage, de **Karen Blixen Coffee Garden** ㉕. Wie even pauzeren wil, kan hier lekker eten en onderwijl in de fraaie tuin de prachtige vogels en vlinders gadeslaan.

De tocht naar de groene, vruchtbare ***Ngong Hills** ㉖ (circa 20 km van Nairobi verwijderd) is de moeite absoluut waard. Vanuit de stad zien de bergen er weliswaar niet erg spectaculair uit, maar als u op de 2460 m hoge bergrug staat heeft u een adembenemend uitzicht op de omgeving. Naar het oosten kijkt u uit over het oneindige Athiplateau en aan de noordkant ziet u heel in de verte de piepkleine wolkenkrabbers van Nairobi. Kijkt u naar het westen richting de Rift Valley, dan ontvouwt zich een overweldigend panorama over een afgelegen en wild stuk Afrika in heel zijn oorspronkelijke glorie. Bij helder weer kunt u in het zuidoosten zelfs de 300 km ver weg gelegen Kilimanjaro

waar door touroperators aangeboden, maar u kunt de tocht ook makkelijk op eigen houtje maken met een huurauto of met de bus.

U rijdt over de Uhuru Highway naar het zuiden, slaat bij het Nyayo National Stadium op de rotonde de weg af naar rechts, de Langata Road. U passeert de Main Gate van het Nairobi National Park en bereikt na 8 km na de Nyayorotonde een kruising. Rechtdoor gaat het naar Langata, links gaat u de Magadi Road op naar het zuiden en rechtsaf komt u bij de **Bomas of Kenya** ㉒. In dit **openluchtmuseum** zijn de woonvormen van 11 verschillende Keniase volken nagebouwd. Ook worden er elke middag – in een helaas wat steriele, toeristische sfeer – traditionele Afrikaanse dansvoorstellingen gehouden.

Verder over de Langata Road en via de naar links afbuigende Langata South Road komt u bij het **Langata Giraffe**

Boven: Bussen zijn in Kenia het meest gebruikte vervoermiddel. Rechts: Akambasnijder voor zijn zaak – het plaatsje ervoor dient als werkplaats.

zien en in het noordoosten Mt. Kenya en de Aberdare Mountains. Op zijn laatst dan realiseert u zich wat voor fascinerende indruk de ongelooflijke verten van Afrika altijd weer maken.

Op de bergrug kunt u heerlijk wandelen, maar vanwege het gevaar voor overvallen kunt u dat het beste onder bewapende begeleiding doen (vanuit het Ngong Police Station) of u aansluiten bij een georganiseerde wandeling. In de buurt van de top is het graf van Dennis Finch Hatton. Een legende vertelt dat van tijd tot tijd een leeuw en leeuwin het graf komen bewaken.

GIKOMBA

Een paar kilometer ten oosten van Nairobi ligt de reusachtige **markt** van **Gikomba**, waar onder andere de houtsnijders van de **Akambastam** hun ambacht uitoefenen. De meeste bezoekers zullen hier reeds op hun stadsexcursie zijn geweest. Zo niet, dan loont het de moeite om voor dit uitstapje een taxi te huren. Over de prijs van de rit (inclusief bezichtigingstijd) moet u van tevoren

een prijs afspreken. Het is natuurlijk ook mogelijk om Gikomba per openbaar vervoer te bereiken, maar let op: er zijn veel zakkenrollers op deze buslijn!

Het aantal houtsnijders in Gikomba varieert nogal, maar gewoonlijk zijn er zeker 500 aan het werk, samengedrongen in kleine werkplaatsen. Velen van hen zijn afkomstig uit het stadje Wamunyu in het Machakosdistrict.

De opleiding tot houtsnijder vindt plaats tijdens het werk, zonder verdere theoretische instructies. De leerlingen beginnen hun training door eerst de figuren met schuurpapier te polijsten en leren dan stap voor stap hoe ze de gereedschappen van een Akambasnijder moeten gebruiken. Veelal onder luid gezang zitten de houtsnijders in hun typische snijderzit waarbij ze hun knieën of voeten als bankschroef gebruiken.

De meeste snijders zijn lid van een coöperatie die het materiaal groot inkoopt en de verkoop van de producten voor zijn rekening neemt.

Niet ver van Gikomba, aan de Landhies Road, ligt de **Workshop for Applied Arts**. Deze werkplaats staat

onder leiding van de *Undugu Society*, die zich speciaal ontfermt over straatkinderen uit de sloppenwijken.

Een soortgelijke werkplaats wordt beheerd door de *National Christian Council* in **Pumwani**. Deze vervaardigt speelgoed, lederwaren en textiel. U hoeft echter niet helemaal naar Pumwani te reizen om hun werk te bewonderen, want de organisatie heeft ook een tentoonstellingsruimte in de Standard Street in het centrum van Nairobi.

★NAIROBI NATIONAL PARK

Het 120 km² grote **★Nairobi National Park** ㉗ ligt in zuidelijke richting op een steenworp afstand van Nairobi en is met de auto gemakkelijk in 15 minuten te bereiken. Naast allerlei ander wild kan men vertegenwoordigers van de zogenaamde *Big Five* aantreffen, in eerste instantie neushoorns en buffels; leeuwen en luipaarden zijn in het Nairobi National Park zelden geworden. Alleen de olifant ontbreekt hier, want het park is te klein om de nogal verwoestende levenswijze van de olifant aan te kunnen.

De noord-, oost-, en westkant van het park zijn met een 36 km lang hek afgesloten. De open zuidzijde gaat over in de **Kitengela Conservation Area**, waar grote troepen zebra's, witbaardgnoes en antilopen rondzwerven op hun jaarlijkse kuddemigraties.

Het in 1946 ondanks aanzienlijk lokaal protest geopende park, moest – in de woorden van de eerste parkbeheerder – een nalatenschap voor toekomstige generaties zijn, een plaats waar de mens in contact met de natuur zou kunnen treden en zielenrust vinden.

Voordat het gebied door de overheid tot National Park werd bestempeld, diende het als legerplaats en als weidegrond voor herders van de Somali. Nadat de Somali elders waren ondergebracht, ontstond geleidelijk de huidige infrastructuur van wegen, stuwmeren, gebouwen en hekken. Voor gewone auto's met tweewielaandrijving is het ruwweg 150 km lange wegennet van het park bijna het hele jaar begaanbaar.

De **hoofdingang** bevindt zich in Langata Road, die de bij de Nyayorotonde van de Uhuru Highway (richting luchthaven en Mombasa) afbuigt en in zuidwestelijke richting gaat.

Veel interessante paden doorkruisen het park in alle richtingen, zodat de bezoeker geheel naar eigen smaak een individuele route kan samenstellen. Als u met eigen vervoer komt, moet u beslist een plattegrond van het park kopen (normaal gesproken is die bij de hoofdingang van het park verkrijgbaar), niet van de gemarkeerde paden afwijken en nauwkeurig op de snelheidslimieten letten.

In het afwisselende landschap van het betrekkelijk kleine reservaat is een verbazingwekkende hoeveelheid diersoorten bijeengebracht. Aan de westrand van het park, dicht bij de hoofdingang, strekt zich een bebost plateau uit met prachtige Keniase hooglandbomen als de croton en de Kaapkastanje.

Iets verder naar het oosten, voorbij het beboste gebied, hebt u een schitterend uitzicht over de savanne met een voornamelijk uit acacia's (de *acacia drepanolobium*) en wilde dadelpalmen (*phoenix reclinata*) bestaande vegetatie. Nu en dan, afhankelijk van het jaargetijde, stromen smalle riviertjes door dit dal die omzoomd worden door oeverbegroeiing.

Aan de oevers groeit de *acacia xanthophloea*, een typische rivierboom. Deze acacia werd door de eerste Britse reizigers in Afrika ook wel 'koortsboom' (*yellow fever tree*) genoemd. De reden hiervoor was dat de boom in vochtige gebieden groeit en een geliefde broedplaats is voor de malariamug.

De nooit droogstaande rivier **Mbagathi Athi** doorsnijdt het hele zuidelijke deel van het reservaat, stort zich

Links: De struisvogel komt in vrijwel ieder nationaal park in Kenia voor.

5

Nairobi

soms in diepe kloven met steile rotswanden en slingert dan weer traag door laagland met moerasachtige vegetatie.

Het leefgebied van de dieren in het park werd aanzienlijk vergroot door de aanleg van diverse stuwdammen van verschillende grootte. Zo ontstond door de **Narogomondam** in de buurt van de hoofdingang een stuwmeer van ruim 1 km lengte.

Andere waterpartijen zijn niet groter dan een vijver, maar trekken toch veel watervogels aan en wild dat hier komt drinken of poedelen.

De vredige oase van Nairobi

Het Nairobi National Park ligt op nog geen 10 km van het centrum van Nairobi. Aan de noordelijke horizon van het park tekent zich de skyline van Nairobi af, met zijn flats, zijn kasteelachtige Kenyatta Hospital, de schermen van de drive-inbioscopen en de industriële complexen. In het oosten, voorbij het Jomo Kenyatta International Airport, ontwaart men in de verte de Mua Hills, terwijl in het westen de Ngong Hills zijn te zien.

Het Nairobi National Park geeft niet alleen de leek een uitstekende introductie in de dierenwereld van Kenia, ook ervaren dierenonderzoekers komen keer op keer terug naar dit kleine stukje wild Afrika.

Van de vertegenwoordigers van de Big Five is vooral de **zwarte neushoorn** (*black rhino*) een bijzonderheid. Dit zeldzame dier, dat men in andere Keniase reservaten bijna nooit te zien krijgt, werd in het wild gevangen en hier weer uitgezet. Hier kunnen die neushoorns vredig leven en zich voortplanten onder het wakende oog van de wildverzorgers, beschermd tegen hun grootste vijanden: de stropers. Bezoekers hebben een goede kans om een van de meer dan vijftig zwarte neushoorns

Rechts: Begerig storten gieren in het Nairobi National Park zich op de kadaverresten.

te ontdekken, die gewoonlijk de mens ontwijken door grote omwegen over de savanne te maken.

De **kafferbuffels** leven vooral aan de rand van het westelijk bosgebied. Een deel van de Oost-Afrikaanse Slenk loopt dwars door dit gebied en het park daalt er steil af naar de lager gelegen vlakte.

De eveneens in het woud levende **luipaard** kan men af en toe ook tussen de bomen en de kliffen van de rivierravijnen zien.

De open savanne is het jachtterrein van de inmiddels nauwelijks nog in het park aan te treffen **leeuwen**, voor wie de daar grazende kudden – onder meer **zebra's**, **gnoes** en **elanden** – een rijke prooi vormen. Bij erg warm weer rusten de leeuwen, bijna onzichtbaar door hun zandkleurige vachten, onder alleenstaande acacia's of op de rotsen van een droge rivierbedding.

De savanne is ook het lievelingsterrein van een ander katachtig roofdier, de **cheeta**, die met zijn fenomenale sprintsnelheid zelfs de snelle **Thomson's gazelle** te vlug af is.

Met veel geluk kan men op safari ook een glimp opvangen van de schuwe serval, de caracal of de Nubische kat. Alsof hij uitgehongerd is, knabbelt de opmerkelijke **Masaigiraffe** aan de bladeren van bomen en struiken. Van de drie soorten giraffen die er in Kenia zijn aan te treffen, komt de Masaigiraffe het meest voor.

De merkwaardige bladvorm van veel dadelpalmen is terug te voeren op de zorgvuldige 'styling' door ontelbare giraffebekken.

In de droge seizoenen, in januari, februari en maart en in de maanden augustus en september, steken grote kudden savannebewoners, omcirkeld door op buit beluste roofdieren, de rivier over en trekken over de **Kitengela Plains** om zich daar onder het vee van de Masai te mengen. Voor de teleurgestelde parkbezoeker lijkt het er dan op alsof alle dieren in rook zijn opgegaan. Voor-

al omdat het lange gras bijna elk dier dat meer dan een paar meter van de weg af is, met succes aan het zicht weet te onttrekken.

Een opmerkzame bezoeker kan echter ook in de tijden van de wildmigraties nog veel interessante dieren ontdekken. De gracieuze **impala**, een antilopesoort met liervormige hoorns, behoort tot de dieren die niet wegtrekken.

Ze houden zich graag op onder verspreide bomen, terwijl de **bosbok**, met zijn prachtige tekening, alleen in de vroege ochtend of late avond het dichte woud uitkomt.

Naast de **waterbok**, met zijn voorliefde voor lang moerasgras, kan men met een beetje geluk en volharding ook een glimp opvangen van de dikdik, de rietbok, de steenbok en kleine antilopesoorten.

Tegen alle verwachtingen in houdt de kleine groep **nijlpaarden** zich zelden bij de stuwmeertjes op, maar veel vaker aan de zuidzijde van het reservaat.

Na twee derde deel van de rivier de **Athi** te hebben gevolgd, komt men bij de **Hippo Pool**, waar nijlpaarden, kro-

kodillen en waterschildpadden vreedzaam samenleven.

Het 5 km lange **natuurpad** dat helemaal rond de Hippo Pool loopt, biedt een welkome afwisseling van het lawaai en stof van de auto's. Ook hier kunnen gepassioneerde ornithologen de vele **vogelsoorten** van dichtbij bekijken die anders slechts langs het autoraam fladderen.

Om een indruk te geven van het grote aantal verschillende vogelsoorten in dit wildpark: in het Nairobi National Park zijn zo'n 550 vogelsoorten geteld, dat zijn er meer dan in bijvoorbeeld heel Duitsland. En zelfs als men zich slechts terloops voor deze vogels interesseert, loont het toch beslist de moeite een aantal van de hier levende soorten te leren kennen, waarvan sommige uitzonderlijk groot en tegelijk adembenemend mooi zijn.

De grootste vogel in het park, de **struisvogel**, komt u bij bijna elk bezoek wel tegen. Ook de slanke, grauwe **secretarisvogel** met de lange, soms uitstekende, donkere veren achter op zijn kop stapt regelmatig over de savanne

heen en weer, op zoek naar een maaltje van slangen en grote insecten, zoals sprinkhanen.

De stuwmeren zijn een geliefde verblijfplaats voor watervogels, waaronder verschillende ooievaar- en reigersoorten. Soms krijgt men hier zelfs een kroonkraanvogel te zien, het wapendier van Oeganda.

Wellicht de indrukwekkendste vogels zijn de roofvogels. Voor veel bezoekers vertegenwoordigen zij het essentiële element in het klassieke beeld van Afrika: de wijde blik over de steppe, waarboven hoog in de lucht de **gieren** cirkelen.

Alle zes giersoorten die in Kenia voorkomen, komen in het park voor. Doordat gezichtsvermogen van deze vogels verreweg superieur is aan dat van de mens, zijn ze in staat om een kadaver al van meer dan 1000 m hoogte te ontdekken.

Boven: In een snelheidstest heeft een terreinwagen geen enkele kans tegen een jachtluipaard. Rechts: De neushoorn, één van de Big Five.

Een groep rondcirkelende gieren wijst er meestal op dat ergens beneden op de savanne een roofdier zijn prooi heeft gedood. Wanneer de leeuw of cheeta genoeg heeft gegeten, duiken de gieren naar beneden om de beenderen van het kadaver schoon te kluiven. Deze voor de buitenlandse bezoeker zowel macabere als fascinerende gang van zaken speelt een belangrijke rol bij het in stand houden van het ecosysteem van de savanne. Van een afstand vertoont de gier met zijn karakteristieke kale kop grote gelijkenis met verschillende soorten adelaars en de wat kleinere buizerd wanneer ook die hoog in de lucht rondcirkelen.

In het park worden de bruine vechtarend en de zwart-witte visarend het vaakst waargenomen. De Afrikaanse **roodstaartbuizerd** komt in het hele park voor.

Van oktober tot april kan men grote zwermen augurbuizerds, dwergvalken en andere roofvogels naar het zuiden van Afrika zien trekken, waar dan meer voedsel te vinden is en waar het ook wat warmer is.

In de dichte vegetatie aan de oevers van de rivieren leven verschillende soorten **wevervogels**. Opvallend is ook de honingzuiger, die door elke bloeiende plant op magische wijze wordt aangetrokken. Het is voor de leek echter moeilijk om onderscheid te maken tussen de kleine bruine leeuweriken, de talloze zangvogels, de bijeneters en andere savannebewoners.

De vele soorten **slangen** die in het park voorkomen, onttrekken zich maar al te graag aan het oog van de bezoeker. Wel kan men op warme dagen een groot aantal hagedissen op de rotsen zien zonnebaden.

Hoe langzamer u door het park rijdt, hoe groter de kans is dat u iets bijzonders of opwindends ontdekt. Voor een rondrit met de auto dient u zeker een paar uur uit te trekken. Het is aan te raden om van tevoren een route op de kaart uit te stippelen die door zoveel mogelijk verschillende soorten landschap met de daarin levende dieren voert.

Wanneer u ergens auto's op een kluitje ziet staan, kunt u er zeker van zijn dat daar iets te zien is. Maar het heeft natuurlijk zijn charme om alleen op ontdekkingstocht te gaan en de dieren in alle rust in hun natuurlijke omgeving te observeren. Bovendien zijn veel wilde dieren bang voor groepen met verscheidene auto's.

Rechts naast het parkeerterrein bij de **hoofdingang** bevindt zich het **Animal Orphanage** (dierenweeshuis) waar u beslist eens een kijkje moet gaan nemen. Hier worden jonge dieren die hun ouders hebben verloren, maar ook zieke of gewonde dieren, verzorgd en grootgebracht, zoals olifanten, zebra's en neushoorns. Tijdens een **Safari Walk** kunnen kinderen hier de dierenwereld van Kenia leren kennen. Bovendien wordt er een beter begrip gekweekt voor de noodzaak van natuurbescherming.

In de zuidwestelijke hoek van het park, aan de Magadi Road, bevindt zich het **David Sheldrick Wildlife Trust olifanten- en neushoornweeshuis**. Het wordt gerund door Daphne Sheldrick ter herinnering aan haar man, die door stropers om het leven werd gebracht.

NAIROBI (☎ 020)

In Nairobi is er geen staatstoeristeninformatie! *REISBUREAUS:* **Let's Go Travel**, Standard Str., Caxton House, tel. 340 331, fax: 214 713, www.letsgosafari.com., filialen in het Karen Shopping Centre en in Westlands, ABC Place. Een van de beste reisagenten, publiceert een complete prijslijst voor alle hotels, lodges, camps etc., bestellen huurauto's, safari's, vliegtickets. **Bunson Travel Service**, Standard Str., Pan Africa House, tel. 22 19 92, fax: 21 41 20, www.bunson.co.ke., gerenommeerd reisagent, vluchten, treinreservering, huurauto's, safari's etc.

INTERNATIONAAL: **Carnivore**, Langata Rd., voorstadje Karen, tel. 605 933, luxe restaurant met specialiteiten als giraffe, gazelle, krokodil, buffel en struisvogel, een culinaire belevenis voor elke vleeseter. **The Horseman**, Langata Rd., voorstadje Karen, Karen Shopping Centre, tel. 88 45 60, fantastische vleesgerechten, vooral wild. **Ibis Grill** in het Norfolk Hotel, Harry Thuku Road, tel. 25 09 00, *nouvelle cuisine*, geldt als een van de beste restaurants van het land. **Thorn Tree Cafe**, hoek Kenyatta Ave & Kimathi Str., in het oude The Stanley Hotel, ooit een legendarisch ontmoetingspunt van reizigers met een mededelingenbord aan de stam van de inmiddels nieuw geplante *Thorn Tree*, heeft sinds de renovatie veel van zijn charme verloren, goed ontbijtbuffet.

AFRIKAANS: **African Heritage**, aan de Mombasa Road, tuincafé in de kunstgalerie. **Addis Ababa**, Westlands, Woodvale Grove, tel. 44 73 21, de betere, Ethiopische keuken, erg vriendelijke service.

INDISCH: **Minar**, Banda Str. en in ABC Place, Waiyaki Way, tel. 4444 656, all-you-can-eat buffetten rond de middag. **Mayur**, River Rd., tel. 33 15 86, uitstekende vegetarische keuken. **Haandi**, The Mall, Ring Rd., Westlands, tel. 444 82 94, een van de beste Indiase restaurants in Kenia, veel vegetarische curries.

FRANS: **Alan Bobbe's Bistro**, Cianda House, Koinange Str., tel. 444 63 25, zeer aan te bevelen restaurant voor fijnproevers, fantastisch eten, beslist reserveren.

ITALIAANS: **Trattoria**, hoek Kaunda Str. / Wabera Str., tel. 34 08 55, aangename atmosfeer vooral op de veranda op de 1ste etage, uitstekende keuken, lekker ijs. **Marino's**, op de 1ste etage, Aga Khan Walk, bij de Haile Selassie Ave., tel. 22 71 50. **Stop Italia**, Westlands, Woodvale Grove, tel. 44 52 34, redelijk geprijsd en goed. **Mediterraneo**, Westlands, Woodvale Grove, tel. 444 74 94, erg goed eten, iets chiquer dan Stop Italia, maar ook overeenkomstig geprijsd.

CHINEES: **Rickshaw**, in de Fedha Towers, Standard Str., tel. 22 36 04, de beste Chinees van de stad. **Hong Kong**, in het College House, Koinange Str., tel. 22 86 12, erg populair, goedkoop. **Dragon Pearl**, Bruce House, Standard Str., tel. 251 483, riante porties.

VIS: **Tamarind**, National Bank Building, Harambee Ave., tel. 251 811, beste en duurste seafoodrestaurant, zelfgekweekte forel.

BARS: **Gipsy Bar**, Woodvale Grove, Westlands, populair ontmoetingspunt voor liefhebbers van het nachtleven.

DISCO: **Florida 2000**, Moi Ave, en **New Florida**, Koinange Str., de bekendste disco in het centrum. **Simba Saloon**, in Langata, bij Carnivore Restaurant, goede stemming, openluchtbar, live bands.

LIVE MUZIEK: **Simmers**, hoek Kenyatta Ave en Muindi Mbingu Str., openluchtbar, Afrikaanse bands in alle stijlen, met dansvloer en geweldige sfeer.

Kenya National Museum, Museum Road, tel. , www.museums.or.ke, dgl. 9.30-18 uur (is in 2008 heropend na een grootschalige renovatie), café op het terrein en **slangenpark**, dgl. 9.30-18 uur.

Spoorwegmuseum, Station Road, dgl. 8.15-16.45 uur, gratis rondleidingen.

Nationale Archief, Moi Ave, in het gebouw van de Bank of India, ma-vr 8.30-16.30 uur, za 8.30-13 uur.

Gallery Watatu, Upper Hill, tel. 228 737.

McMillan Memorial Library, Banda Str., tel. 22 18 44, ma-vr 9-18 uur, za 9.30-16 uur.

African Heritage Gallery, Mombasa Road, het beste Afrikaanse kunsthandwerk, ruime keus, maar duur. **Undugu Handicrafts Shop**, Woodvale Grove, Westlands, goedkoop kunsthandwerk van zeer goede kwaliteit, de opbrengst komt ten goede aan gemeentelijke projecten. **Mzizi Arts Centre**, Mumias South Rd., Buru Buru Centre, eigentijdse Keniase kunst, tentoonstelling en verkoop.

Zanzibar Curio Shop, Moi Avenue, zeer goede prijzen, ruim aanbod. Er is ook een groot aanbod van souvenirs op de markten: **City Market**, Muindi Mbingu Str., het is lastig onderhandelen met de verkopers, **Masai Market**, **Kariokor Market** en **Embakasi Village Crafts Market** zie p. 100. Traditionele Masaiproducten vindt u ook elke do (7-18 uur) op een kleine markt tegenover het Norfolk Hotel (Harry Thuku Road) in een wat meer ontspannen sfeer.

POST: Hoofdpostkantoor **(GPO)**, Kenyatta Avenue, ma-vr 8-18 uur, za 9-12 uur, met poste-restanteloket. Kleinere postkantoren: Moi Ave, Tom Mboya Str., Haile Selassie Ave en Mpaka Rd in Westlands.

KOERIERSDIENST: DHL, Mama Ngina Str., International House, tel. 53 49 88.

TELEFOON: Extelcoms, Haile Selassie Av., 69258001-1 dgl. 7-24 uur.

Nairobi Hospital, Arwings-Kodhek Rd., tel. 272 21 60. Omdat veel artsen hun praktijk en het gebouwencomplex van het ziekenhuis hebben, kunt u voor de meeste ziektes hier onmiddellijk terecht. De eerstehulpdienst werkt 24 uur per dag, bovendien is er een goed uitgeruste, moderne intensive-care-afdeling, laboratorium dgl. geopend. **Aga Khan Hospital**, Third Parklands Ave, tel. 374 00 00, goed particulier ziekenhuis.

GELD: **Barclays Bank**, met filialen overal in de stad, geldautomaten en goede service, ma-vr 9-15 uur, eerste en laatste za in de maand 9-11 uur (filiaal op de luchthaven doorlopend open). **Standard Chartered Bank**, ook met talrijke filialen en dezelfde openingstijden, filiaal in de Kenyatta Ave. De beste wisselkoersen krijgt u bij de talrijke **wisselkantoortjes**. **American Express**, in het Hilton Hotel, ma-vr 8.30-16.30 uur. Zorg bij opname van grote bedragen dat er een taxi op u wacht!

POLITIE: **Central Police Station**, University Way / hoek Thuku Rd., tel. 222 222 of 240 000. **Alarmnummer:** 999!

ACTIVITEITEN: **schaatsen** in de tropen, de grootste ijsbaan van Afrika in het Pnari Sky Center (2de verdieping), Mombasa Road, wintersportsfeer, schaatsen te huur.

OMGEVING VAN NAIROBI (☎ 020)

UITSTAPJES VANUIT NAIROBI: **Bomas of Kenya**, Langata Road, 2 km van de hoofdingang van het Nairobi National Park, tel. 891801, dgl. 13-17 uur en za/zo 13-18 uur; opvoeringen ma-vr 14.30 uur, za/zo 15.30 uur, openluchtmuseum met dansvoorstellingen en souvenirverkoop. **Langata Giraffe Centre**, Koitobos Rd., aan de zuidelijke rand van het voorstadje Langata, te bereiken via de Langata South Rd., tel. 891 658, dgl. 10-17.30 uur. **Karen Blixen Museum**, Karen Rd., tel. 882 130, dgl. 9.30-18 uur, een kleine km richting het noorden en het Karen Shopping Centre is de **Karen Blixen Coffee Garden**, fraai café, heerlijk eten in prachtige tuin.

NAIROBI NATIONAL PARK (☎ 020)

Ranger's Restaurant, bij de hoofdingang, Afrikaanse en westerse keuken, mooie veranda met uitzicht op een drinkplaats, duur.

HOOFDINGANG: 7 km ten zuiden van het stadscentrum, dgl. geopend 6-19 uur, max. snelheid 30 km/u, kaart van de KWS doorgaans verkrijgbaar bij de hoofdingang. Het is aan te bevelen het park op eigen houtje met een huurauto (terreinwagen niet nodig) te verkennen. Er zijn ook georganiseerde rondritten (meestal 3 à 4 uur), die u kunt boeken in de Safari Shops in de binnenstad. **Kenya Wildlife Service**, bij de hoofdingang, tel. 602 345, www.kws.org. **Nairobi Safari Walk**, hoofdingang, dgl. 8.30-17.30 uur. **Animal Orphanage**, hoofdingang, dgl. 8-18.30 uur. **David Sheldrick Wildlife Trust Olifanten- en Neushoornweeshuis**, in de omgeving van Magadi Rd. aan de zuidwesthoek van het Nationale Park, tel. 891 996, fax: 890 053, www.sheldrickwildlifetrust.org, telef. aanmelden, entree op basis van giften. **Nairobi Park Services Campsite**, Magadi Rd, Langata Gate, aan de zuidelijke parkrand, rustig gelegen, bar, restaurant. **Masai Lodge**, tel. 224 853, aan de zuidrand van het park, via Magadi Road bereikbaar, uitzicht op de kloof van de Athi River, intieme sfeer, goedkoop.

Nairobi **5**

EEN PARADIJS AAN DE VOET VAN DE KILIMANJARO

**OLORGASAILIE
MAGADIMEER / SHOMPOLE
AMBOSELI NATIONAL PARK
TSAVO PARK
TAITA HILLS
JIPEMEER / CHALAMEER**

In het zuidoosten van Kenia liggen twee van de bekendste en interessantste wildreservaten van het land: het **Amboseli National Park** en het **Tsavo National Park**. Tussen beide rijst de Kilimanjaro op, die weliswaar over de grens in Tanzania ligt, maar als majesteitelijk bergdecor ook het landschap van Kenia beheerst. De parken zijn zowel vanuit Nairobi als Mombasa te bereiken en trekken ieder jaar meer bezoekers, met gevolgen voor de flora en fauna die niet perse positief zijn. Behalve deze twee grote parken heeft het gebied langs de grens met Tanzania de dierenliefhebber nog een paar bijzonderheden te bieden: de vogelparadijzen aan het Magadimeer en het Jipemeer en ook het Shompole Conservancy in Rift Valley en het privéwildpark Taita Hills.

OLORGASAILIE, MAGADIMEER, SHOMPOLE CONSERVANCY

Het vogelreservaat aan het Magadimeer kan men gemakkelijk op een dagtochtje vanuit Nairobi bezoeken (grotendeels goede asfaltweg). Wie belangstelling heeft voor archeologie, kan dan

Voorgaande pagina's: Amboseli – een kudde giraffen tegen het decor van de Kilimanjaro bij de grens met Tanzania. Links: Ook een gerenoek weet waar het lekkers groeit.

ook nog een bezoekje brengen aan de prehistorische opgravingsplaats **Olorgasailie ❶**. Als u langer wilt blijven kunt u voor overnachtingen eenvoudige hutten huren, maar u moet dan wel zelf voor eten en drinken zorgen. Drinkwater is een kostbaar goed en wordt met een tankwagen aangevoerd. Als u onafhankelijk wilt zijn, moet u zelf een voorraad meenemen.

De rit voert vanuit Nairobi over de Magadi Road door de **Ngong Hills** naar de Rift Valley. Na 66 km bereikt u de afslag naar Olorgasailie. Archeologisch onderzoek heeft uitgewezen dat hier in de oude steentijd een groot meer moet hebben gelegen. Aan de oevers sloegen nomaden en jagers hun tenten op. In de jaren veertig van de 20ste eeuw ontdekte het beroemde Keniase archeologenechtpaar Leakey op het 4 km² grote terrein honderden stenen werktuigen van een half tot een miljoen jaar oud. Ook vonden ze beenderen van uitgestorven diersoorten. Olorgasailie ontpopte zich tot een van de rijkste archeologische vindplaatsen van de oude steentijd. Met behulp van moderne archeologische methoden kon zelfs de plattegrond van de oude kampplaatsen worden gereconstrueerd. Enkele voorbeelden van de vondsten worden in het **Olorgasailie Museum** tentoongesteld.

Weer terug op de hoofdweg moet u zo'n 30 km rijden naar het **Magadi-**

6

Ten zuiden van Nairobi

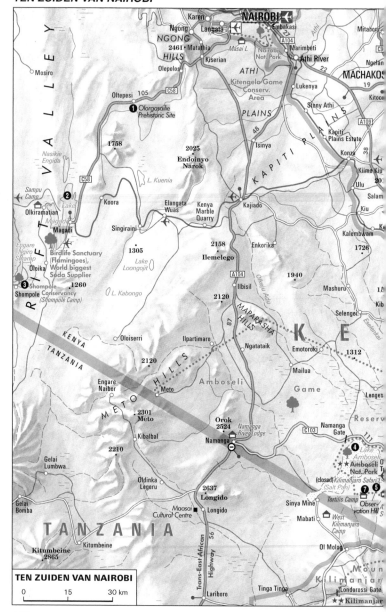

TEN ZUIDEN VAN NAIROBI

0   15   30 km

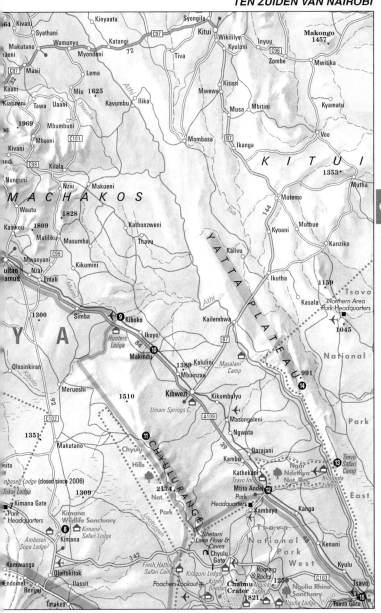

117

meer ❷, dat men gewoonlijk al kan ruiken voor men het ziet. Van een afstand glinstert het sodahoudende water in tinten die variëren van roze tot wit, maar van dichtbij bekeken blijkt het gewoon met zout verzadigd water te zijn. Vanwege het grote economische belang van soda, een van de belangrijkste exportproducten van Kenia, heeft men het stadje **Magadi** gebouwd voor de ongeveer 500 werknemers en hun families van de *Magadi Soda Company*. Deze nederzetting is voor toeristen niet zo interessant. Een slagboom markeert de grens van het terrein van de Magadi Soda Company. Na registratie passeert u de slagboom en rijdt u langs de oeverdam naar de zuidkant van het meer. Hier borrelt **bronwater** omhoog dat zo'n 40 °C warm kan worden en dat goed schijnt te werken bij reumatiek en gewrichtsklachten. De meeste bezoekers komen hier echter voor de **vogels**: maraboes, pelikanen, plevieren, ganzen en eenden dartelen in het water en vele prachtige roze flamingo's bevolken de oever als ze in het Nakurumeer onvoldoende voedsel vinden.

Ten zuidwesten van het Magadimeer werd in 2002 het **Shomplo Conservancy ❸** geopend, een ongerept natuurgebied aan de rand van het Nguruman Escarpment met uitzicht over de wijde vlaktes en de vulkanen van de Great Rift Valley. In het bijzondere **Shomple Camp** is water een dominerend verschijnsel. Het stroomt overal in kleine kanaaltjes. U kunt er kanotochten op de Ewaso Ng'iro, mountainbiketochten en excursies onder begeleiding van een gids naar het nabijgelegen roodachtig glinsterende **Lake Natron** met zijn flamingo's en inheemse woestijnrozen aan de oever.

Het in 2006 op een heuvel van het Nguruman Escarpment gebouwde **Sampu Camp** biedt eenvoudige accommodatie en een schitterend uitzicht.

Rechts: Zo wordt een babybaviaan vervoerd.

★★AMBOSELI NATIONAL PARK

Wellicht de grootste attractie van een bezoek aan **★★Amboseli National Park** is het adembenemende **uitzicht** op de met eeuwige sneeuw bedekte top van de **★★Kilimanjaro** (Tanzania). Velen zijn al gezwicht voor de magische aantrekkingskracht van deze berg, onder wie koningin Victoria, die hem aan haar neef, de Duitse keizer Wilhelm II, ten geschenke gaf, en de schrijver Ernest Hemingway, wiens reis naar de berg hem inspireerde tot het schrijven van het ook verfilmde verhaal *The Snows of Kilimanjaro*.

Het Amboseli bezit zo'n overweldigende rijkdom aan vogel- en diersoorten dat men zich er in de hof van Eden waant. Als de talrijke dieren zich in het droge seizoen bij de drie moerassen ophouden, is het mogelijk in een uur tijd op de neushoorn na vrijwel elk lid van de zogenaamde Big Five te zien.

Vanuit Nairobi legt men de ongeveer 240 km naar Amboseli af door de rivier de **Athi** over te steken en de uitstekende weg in de richting van **Namanga** aan de Tanzaniaanse grens te volgen. Een wat langere route voert van Nairobi via de Nairobi-Mombasa National Highway tot aan **Sultan Hamud** of **Emali**, waar men afslaat richting **Oloitokitok**. Vanuit Mombasa is het aan te bevelen om ofwel de route via Emali te nemen of anders van het dorp **Tsavo** de directe verbinding door het park van Tsavo West te nemen. Zowel vanuit Nairobi als Mombasa kunt u ook met het vliegtuig naar het Amboseli Park gaan.

In zijn huidige vorm is het park het schamele overblijfsel van het in 1906 aangelegde, 27.700 km² grote Southern Game Reserve. In 1948 werd het ingekrompen tot 3200 km² en omgedoopt tot Amboseli Game Reserve. Het Amboseli ligt in Masaigebied en betekent in de Masai-taal 'zoute aarde'. In 1973 werd het reservaat nogmaals ingekrompen; het huidige Amboseli National Park telt nog slechts 392 km².

Ten zuiden van Nairobi 6

De zuidoosthoek van het park reikt tot op 10 km van de voet van de **Kilimanjaro**, waarvan de machtige, met sneeuw bedekte top maar liefst 5894 m boven het landschap uittorent. U moet echter wel een beetje geluk hebben om de Kilimanjaro in zijn volle schoonheid te kunnen aanschouwen, want deze hoogste berg van Afrika gaat vaak gehuld in nevel en wolken. In de vroege morgen heeft u de beste kans om de twee Kilimanjarotoppen, **Kibo** en **Mawensi**, duidelijk te zien. Beslist indrukwekkend zijn de enorme kuddes olifanten die vaak van zeer dichtbij uw pad kruisen. Ze tellen soms wel honderden dieren waaronder veel jongen. Het schouwspel van deze kuddes temidden van acacia's tegen de achtergrond van de Kilimanjaro is echt onvergetelijk!

De vegetatie van het park is, afhankelijk van de hoeveelheid beschikbaar water en het alkaligehalte van de bodem, uiterst divers. In de omgeving van het meestal droogliggende, slechts periodiek met water gevulde **Amboselimeer ❹** groeit slechts wat spaarzaam riet. Verder naar het oosten wordt de plantengroei rijker. Een gordel van acacia's strekt zich uit over de alkalische bodem van het grasland, terwijl in de open savanne, het hart van het park, naast wat schaarse acacia's voornamelijk struikgewas groeit.

In het zuiden en oosten treft men bij drinkplaatsen en in het moerasland uitgestrekte papyrusvelden aan. Smeltwater van de Kilimanjaro stroomt in talloze ondergrondse kanaaltjes naar de met papyrus en cypergras begroeide moerassen **Enkongo Narok**, **Ol Tukai** en **Longinye**. Deze zijn van groot belang voor het ecologisch evenwicht in het reservaat, omdat in de droge tijd 95 procent van het wild hier leeft, dat slechts in de regentijd het park verlaat en de omliggende ranches opzoekt. Afgezien van grote kudden **gnoes**, **Grant's gazellen** en **Thomson's gazellen** kunt u er **olifanten**, **giraffen**, **leeuwen**, **cheeta's**, **bavianen**, **buffels**, **impala's**, **zebra's**, **klipdassen** en **struisvogels** zien.

Een bijzondere belevenis wacht de bezoeker rond het middaguur op het uitzichtspunt **Observation Hill ❺**: wanneer het Amboselimeer droog ligt – en

dat is meestal het geval – tovert de gloed van de middagzon bizarre, zilveren vormen op de uitgedroogde bodem, de savanne begint te glinsteren in de zinderende hitte en u meent een uitgestrekte watervlakte te zien, maar het is een fata morgana. Midden in het reservaat werd Amboseli's eerste lodge, **Ol Tukai ❻**, ingericht voor de filmcrew die hier in 1952 de film *The Snows of Kilimanjaro* opnam. U verblijft er in goed ingerichte natuurstenen bungalows met terras en een adembenemend uitzicht op de Kilimanjaro. Olifanten trekken dicht langs het terras voorbij. Voortreffelijk eten, goede service en een kampvuur bij avond vormen de kroon op een zeer comfortabel verblijf in deze lodge. Een vergelijkbaar comfort en een even mooie ligging biedt de **Amboseli Serena Lodge**.

Het **Tortilis Camp ❼** aan de zuidwestrand van het park verdient een speciale vermelding. U overnacht prachtig in een van de 15 luxe tenten met zwembad en een fantastisch uitzicht op de Kilimanjaro. In het kader van het concept van ecotoerisme probeert het kamp milieuvriendelijk toerisme aan te bieden (zonne-energie voor warm water etc.) en wordt de plaatselijke Masaistam ondersteund. Voor individuele reizigers is er in de nabijheid van het kamp een eenvoudige camping met een omheining.

Behalve de overvloed aan wild en de charme van het landschap, heeft vooral de geringe afstand tot Nairobi ertoe geleid dat veel, wellicht té veel, mensen het reservaat bezoeken. Doordat toeristen met eigen vervoer van de paden afwijken, wat niet is toegestaan, of chauffeurs ertoe dwingen dat toe doen, is op veel plaatsen ernstige schade toegebracht aan het toch al schrale grasland. Als gevolg daarvan zijn de diersoorten waarvoor dit gras de voornaamste voedselbron vormt, de laatste jaren in aantal afgenomen.

Een andere bedreiging voor de vegetatie van het park vormen de reusachtige olifantenkuddes. Vanwege de bevolkingsgroei kunnen de dieren niet meer hun oude routes door het Tsavopark

Boven: Lijnrecht loopt deze weg naar de Taita Hills.

volgen die liepen tot aan de kust en de Shimba Hills en dus blijven ze nu permanent in het park. De vegetatie heeft daardoor geen tijd om te herstellen.

In vroeger tijden lieten de Masai hier hun vee grazen. Tegenwoordig is het hen bij wet verboden om met hun dieren het park in te trekken. De Masai werden daarom aangemoedigd naar gebieden buiten het reservaat te trekken die alleen voor hen bestemd waren. Hier werden ook betere tentenkampen ingericht. De inkomsten uit het toerisme werden verdeeld en aangewend voor gemeenschappelijke projecten van de Masai.

Een goed voorbeeld daarvan het **Kimana Wildlife Sanctuary ❽**, ongeveer 30 km ten oosten van Amboseli aan de weg naar het Tsavo Park.

Tussen Amboseli en Tsavo zijn inmiddels een flink aantal particuliere reservaten opgericht met luxueuze tentenkampen met een prachtig uitzicht op de Kilimanjaro en de rijke dierenwereld. De sfeer is eigenlijk veel vrediger dan in veel delen van Amboseli. Wel is het gebied slechts bereikbaar over de slechte wegen van Sultan Hamud (op het traject Nairobi-Mombasa) ten zuiden van Oloitokitok en vanuit westelijk Tsavo richting Amboseli.

DOOR HET **TSAVO NATIONAL PARK

Van Nairobi naar Mombasa

De hoofdweg van Nairobi naar Mombasa is een van de belangrijkste verkeersaders van Kenia. De weg doorsnijdt het Tsavo Park, het grootste wildreservaat van Kenia, van Mtito Andei naar de Manyani Gate, ten zuidoosten van de stad Tsavo. Wie dus niet met het vliegtuig maar over land naar het reservaat wil reizen, zal – waarvandaan hij ook vertrekt – altijd een deel van zijn route over deze 490 km lange weg afleggen. Door de hoge verkeersdrukte en de voor dit land kenmerkende halsbrekende rijstijl gebeuren er telkens weer

ernstige ongelukken. Wie zelf rijdt, moet goed uitkijken voor overstekend wild en liever niet 's nachts rijden. Op snelheidsovertredingen staan hoge boetes! Momenteel wordt deze belangrijke verkeersader verbeterd. Reeds voltooide delen zijn aanmerkelijk beter berijdbaar maar de wegopbrekingen en omleidingen eisen veel van van uw geduld.

Vanuit de hooglanden rond Nairobi voert de weg eerst door een vlakte, daarna door de industriestad **Athi River** aan de gelijknamige rivier en vervolgens via **Sultan Hamud** naar **Kiboko ❾** (160 km van Nairobi). Hier bevindt zich de **Hunter's Lodge**, gelegen in een fraaie oase met een klein meertje, dat een oase vormt voor vogels. Dit is een populaire rustplaats.

15 km naar het zuidoosten komt u bij **Makindu ❿**. Het markantste punt van deze stad is de **Sikhtempel**. Midden in de Afrikaanse savanne is de gouden koepel van deze tempel bepaald een merkwaardig gezicht. De tempel is een van de belangrijkste monumenten uit de geschiedenis van Kenia, of liever gezegd: uit de geschiedenis van de aanleg van de spoorlijn aan het eind van de 19e eeuw. In die tijd kwamen duizenden Indiase arbeiders het land binnen en onder hen bevonden zich vele sikhs. De door hen gebouwde tempel diende na de voltooiing van de spoorlijn als een gastvrije plaats voor reizigers, ongeacht hun ras of geloof.

Als u verder rijdt ziet u in het zuiden de **Chyulu Range ⓫**, met het kortgeleden geopende **Chyulu Hills National Park** (voorheen Game Conservation Area) als uitbreiding van Tsavo West. De bergketen, die op zijn hoogste punt 2170 m bereikt, is een van de jongste vulkanische gebergten ter wereld en heeft talrijke grotten, soms van flinke afmetingen. Via **Kibwezi** komt u bij **Mtito Andei ⓬** bij de ingang van het Tsavo National Park. Het plaatsje is een populaire tussenstop halverwege Nairobi en Mombasa.

Vanuit Mtito Andei kunt u ook het ro-

6

Ten zuiden van Nairobi

mantische **Tsavo Safari Camp** ⑬ in Tsavo East Park bezoeken. Als u zich echter de vermoeiende rit over secundaire wegen wilt besparen, kunt u het kamp ook met een klein chartervliegtuig uit Nairobi of Mombasa bereiken. De hobbelige weg naar het kamp vindt een voorlopig einde bij de **Athi River** die met een rubber vlot moet worden overgestoken. Gewoonlijk wordt de aankomst van een voertuig op de andere oever snel opgemerkt en hoeft men zelden langer dan een half uur op de veerpont te wachten. In het kamp logeert u in comfortabele tenten en geniet u rond het kampvuur van de nachtelijke stilte, die slechts wordt verbroken door het kwaken van de kikkers.

Vanuit het kamp worden bij zonsondergang jeeptochten naar het **Yatta Plateau** ⑭ georganiseerd, een kans die u niet voorbij moet laten gaan. Het plateau wordt gevormd door een reusachtig lavaveld, dat zich tot een fantastisch

Boven: Olifanten hebben altijd voorrang.
Rechts: De berghaan, of goochelaar, speurt vanaf grote hoogte naar een prooi.

vogelparadijs ontwikkeld heeft. De absolute eenzaamheid en het wijde uitzicht over het ongerepte landschap, terwijl de avondzon langzaam in vlammende kleuren achter de heuvels zinkt, maken dit tochtje tot een onvergetelijke ervaring. Het compenseert bovendien het feit dat men door de dichte vegetatie in de omgeving van het kamp slechts weinig dieren te zien krijgt.

U keert terug op de Nairobi-Mombasa Highway. De eerstvolgende halte is het kleine stadje **Tsavo** ⑮, dat tijdens de aanleg van de spoorlijn een zekere faam verkreeg. Tegenwoordig vindt u er alleen nog een station, de **Tsavo Gate** (een van de toegangen tot Tsavo West Park) en de **Tsavobrug**. De bouw van de brug werd indertijd gehinderd door mensenetende leeuwen. De brug overspant de Tsavo waar deze samenvloeit met de Athi die als de Galana en verder oostwaarts als de Sabaki naar de Indische Oceaan stroomt. Buiten het Tsavo Park, in het zuiden, ligt het stadje **Voi**, omringd door sisalplantages. Hier kruisen de spoorlijnen Mombasa-Nairobi en Taveta-Tanzania elkaar. De markt van Voi is een goede plaats om fruit te kopen voor een eventuele safari.

Verder richting Mombasa is het volgende treinstation de plaats **Mackinnon Road**, genoemd naar de Schot Sir William Mackinnon, die een deel van de spoorlijn in 1892 liet aanleggen. Een bezienswaardigheid en belangrijke bestemming voor pelgrims is het in de jaren vijftig van de vorige eeuw in Perzisch-Indiase stijl gebouwde **Holy Man's Grave**, waartoe ook de **Pir-Padreemoskee** behoort.

Hiervandaan gaat de reis verder naar **Mariakani**, dat voornamelijk bekend is omdat het op de route van de befaamde *Safari Rally* ligt. Hoe dichter men bij de kust komt, hoe vruchtbaarder en dichter bevolkt het land wordt. Langs de weg staan steeds meer bananenbomen en kokospalmen en de eerste kleine voorstadjes kondigen Mombasa reeds aan.

Tsavo National Park

Het Tsavo Park werd in 1948 geopend als een van de eerste wildreservaten van Kenia en werd onderverdeeld in de bestuurlijke delen 'oost' en 'west'. Met een oppervlakte van 21.283 km^2 is het nog steeds het grootste park in Kenia en een wegennet van meer dan 2000 km lang maakt het goed toegankelijk. Het park dankt zijn populariteit niet in de laatste plaats aan het grote aantal films over olifanten dat hier is opgenomen. Ooit leefden hier de grootste olifantenkudden van Afrika. Helaas is hun aantal door droogte en stropers gedecimeerd. Pas sinds de benoeming in 1989 van dr. Richard Leakey tot directeur van de *Kenya Wildlife Service* is het mogelijk gebleken de stropers in bedwang te houden en de olifantenpopulatie weer te vergroten. De beroemde 'rode' olifanten, waarvan de kleur simpelweg het gevolg is van het laterietstof in het park, hebben nogal wat schade aan de vegetatie toegebracht. Zo zijn de vroegere bosgebieden van het park grotendeels veranderd in met struikgewas begroeide savanne.

Vooral bij degenen die voor een strandvakantie naar Kenia komen, is het Tsavo National Park populair. Een korte safari geeft zowel een goede indruk van de dierenwereld als van het landschap van Kenia. Vanuit Mombasa is het een rit van circa twee uur, zodat u ook een dagtocht naar het park kunt maken. Doordat de Nairobi-Mombasa Highway dwars door het park loopt, trekt het gunstig gelegen Tsavo Park jaarlijks honderdduizenden bezoekers. Een hoogtepunt, ook voor een dagtocht, is een tussenstop in de legendarische **Kilaguni Lodge**. Vanaf het grote terras geniet u van het uitzicht op de dieren in een eindeloze savanne. Het eten is prima, vooral het kaasbuffet. Als u wat dieper in het oostelijke deel van het park doordringt, bestaat de kans dat u de hele dag geen sterveling tegenkomt. Voorzichtigheid is geboden, vooral in verband met lekke banden die u op de onverharde wegen maar al te gauw oploopt. Repareer ze zo snel mogelijk, zodat u weer een reservewiel hebt wanneer u wéér een lekke band krijgt.

In het park leven meer dan vijftig zoogdier- en bijna 400 vogelsoorten in een, ondanks de vele beschadigingen, verrassend veelzijdige vegetatie. In tegenstelling tot andere gebieden is het Tsavo tot nu toe in staat gebleken om zich na perioden van droogte, overstromingen of verwoestingen door olifantenkudden weer redelijk te herstellen.

Als u alleen bent, moet u ervoor zorgen al in Nairobi, Mombasa of bij een tankstation met winkel een goede plattegrond van het park te kopen. Deze zijn ook bij tankstations verkrijgbaar, maar niet altijd bij de ingangen. Denk er bij een rit door het park aan dat u alleen op bepaalde aangegeven punten de auto mag verlaten. Dit is niet alleen ter bescherming van de dieren, maar ook voor uw eigen veiligheid.

**Tsavo West

Het westelijk deel van het **Tsavo Park** strekt zich uit van de Nairobi-

Boven: Deze luipaard heeft het zich gemakkelijk gemaakt.

Mombasa Highway tot de grens met Tanzania. Over een prima wegennet rijdt u door heuvelachtige savannen en acaciabossen, door fascinerend vulkanisch gebergte waarvan de lavastromen nog geen 200 jaar oud zijn.

Voor een tocht naar het West Park zijn er, afhankelijk van het beginpunt, diverse mogelijkheden. U kunt bij **Mtito Andei** de hoofdweg verlaten en het park binnenrijden, of vanaf Tsavo door het **Tsavo Gate** 🔞 gaan of liever vanaf Voi door het Taita Hills Reserve naar de **Maktau Gate** rijden. Komt u vanuit het Amboseli Park, dan neemt u de route via Kimana. Soms maakt men al bij ingang van een park kennis met een wild dier. Nieuwsgierige **bavianen** dartelen om de auto's heen of proberen er een lunchpakket uit te stelen. Pas op: een bavianenbeet kan erg gevaarlijk zijn.

De **Kilanguni Lodge** 🔞 midden in het park is het startpunt van de meeste verkenningstochten. De lodge werd in 1962 geopend, als eerste onderkomen voor de toeristen in het Tsavo Park. Door het prachtige uitzicht over de nabijgelegen Chyulu Hills is de lodge nog

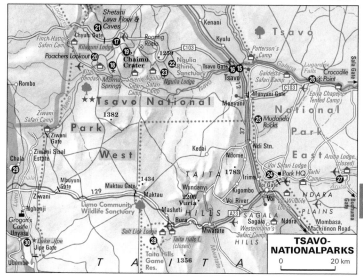

net zo geliefd als in het begin. De drink-plaatsen dicht bij de lodge worden veel-vuldig bezocht door **olifanten**, **zebra's** en **buffels**. Terwijl u op het terras zit met een kopje koffie of thee kunt u, rus-tig achterover leunend, de dieren als in een film aan u voorbij zien trekken. Veel hagedissen, mangoesten, **neus-hoornvogels** en prachtglansspreeuwen voelen zich op het terrein van de lodge net zo thuis als de toeristen. Voor een-daagse bezoekers is er een **Visitor Cen-tre** met informatie, een restaurant en een bar. Het uitzicht is van hieruit echter minder mooi dan op het terrein van de lodge zelf.

Ten zuiden van de Kilanguni Lodge liggen de ★**Mzima Springs** ⑱, midden in een pittoreske oase met palmbomen en acacia's. De kristalheldere zoetwa-terbronnen, idyllisch omzoomd door papyrussen, zijn hier in de droge Tsavo-vlakte een waar paradijs. Meer dan 240 miljoen liter water per dag borrelt op uit de bronnen, die zowel Nairobi als Mombasa van drinkwater voorzien. Bij de parkeerplaats wachten rangers op u om u via de **rondweg** naar de bronnen

langs het meer en de onderwater-obser-vatiepost en weer terug te brengen. De rangers zijn bewapend: een voorzorg voor het geval van een gevaarlijke ont-moeting met nijlpaarden. Ze bieden u ook veiligheid en informatie, daarom is een geldelijk blijk van waardering hier op z'n plaats. In het meertje bevindt zich een de ★**onderwater-obser-vatiepost**, van waaruit u **nijlpaarden**, **krokodillen** en tropische **vissen** van dichtbij kunt bekijken.

Ten zuidoosten van Kilanguni Lodge kunt u een mooie **wandeling** maken op de **Chaimukrater** ⑲. Vanwege de scherpe randen van de lava heeft u stevi-ge schoenen nodig. Ook kunt u de kra-ter beter niet in de middaghitte beklim-men vanwege de donkere bodem en pas op voor de wilde dieren.

Een andere bezienswaardige plek in het park is de **Poachers' Lookout** ⑳ met een prachtig uitzicht over de wil-dernis van **Ol Turesh** ten westen van de Mzima Springs.

Een mooie en nog rustige route voert van de Kilanguni Lodge naar het noor-den naar de Chyulu Hills en langs de

Shetani lavavelden ㉑, die pas 200 jaar geleden ontstonden na een eruptie.

Vanuit Kilaguni kunt u oostwaarts over het weinig bereden en tamelijk onbegaanbare traject een rit maken door de rotsachtige **Rhino Valley** naar het **Rhino Sanctuary ㉒** dat is aangelegd ter bescherming van de zeldzaam geworden zwarte neushoorn. In de jaren zestig van de vorige eeuw leefden meer dan 5000 exemplaren van deze soort in het Tsavo Park, nu zijn hetminder dan 100. Een bezoek aan het reservaat (tussen 16 en 18 uur geopend) is zeer de moeite waard, daar elders in het park amper nog neushoorns voorkomen.

Achter de Rhino Valley slingert de weg steil omhoog naar de **Ngulia Safari Lodge ㉓**. Deze romantisch gelegen lodge troont hoog op een steile rotswand van de **Ngulia Mountains**. Hier loopt een veelgebruikt wildpad en de 's nachts verlichte drinkplaats bij de lodge trekt vele dieren aan. Met een in

Boven: Nijlpaarden leven in grote kudden. Rechts: Uitzicht vanuit de Voi Lodge op olifanten die op weg zijn naar een drinkplaats.

een boom gehangen stuk vlees probeert men elke avond een **luipaard** te lokken – en meestal met succes. U kunt dit schouwspel in alle rust vanuit de eetzaal gadeslaan. In een dagboek in de lodge is te lezen welke dieren waar en wanneer het laatst zijn gezien.

De Kilanguni en de Ngulia Lodge zijn beide comfortabel ingericht. Dat heeft natuurlijk zijn prijs. De gerenoveerde **banda's** (eenvoudige bungalows) in **Ngulia** Safari Camp en **Kitani** Safari Camp zijn ideaal voor reizigers met een wat krapper budget. Het is verstandig, om van te voren te bespreken.

Voor wie een goedgevulde beurs heeft, is **Linch Hatton's Camp** een topaccomodatie: het is het enige kamp dat jarenlang zijn topkwaliteit kon behouden. De perfecte stijl van de aristocraat Denys Finch Hatton (1887-1931), die ook voorkomt in Karen Blixens succesroman, is voor het management nog steeds het grote voorbeeld. U woont er in luxe tenten aan een van de drie door bronwater gevoede **hippo-pools**. Het 35 ha grote terrein is niet omheind: voor

het diner worden de gasten door rangers afgehaald om confrontaties met nijl-paarden te vermijden. Tijdens tochten in de omgeving kunt u onder andere gi-raffen, buffels, zebra's en struisvogels te zien krijgen.

Wie grotere kuddes dieren wil zien, kan beter naar het Tsavo East-National Park reizen.

Tsavo Oost

Het een flink stuk grotere **Tsavo Oost** Park, dat zich uitstrekt ten noord-oosten van de Nairobi-Mombasa High-way, is slechts gedeeltelijk voor bezoe-kers toegankelijk. Het droge gebied ten noorden van de Galana grenst in het noorden aan het planten- en dierenre-servaat **South Kitui National Reserve**. Er kunnen slechts beperkte excursies worden gemaakt naar de beschermde zones van het Tsavo Safari Camp, in de buurt van Mtito Andei (zie p. 121).

Het gebied ten zuiden van de rivier staat wel open voor bezoekers: een weids, droog gebied, typerend voor Afrika's ongetemde wildernis.

Op slechts een paar kilometer van de parkingang bij Voi staat de **Voi Safari Lodge** ㉔, op een heuvel hoog boven de vlakte vanwaar men drie drinkplaatsen kan observeren. In de lodge begint een onderaardse gang die naar een observa-tiepost op maar een paar meter van de drinkplaatsen voert. Hier kunt u de die-ren van heel dichtbij bekijken. Met een beetje geluk kunt u vanuit de lodge ook de grote **buffel- en olifantenkudden** op hun trektochten observeren.

Ten noorden van de Voi Safari Lodge strekken zich over een lengte van 1,5 km de rotsformaties van de **Mudan-da Rocks** ㉕ uit. Onder de uitspringen-de rand van de rots heeft zich een **drinkplaats** gevormd, waar men uitste-kend dieren kan observeren.

Een bijzonder fraaie route voert langs de **Galana**, de op een na grootste rivier van Kenia. Papyrus en palmen omzomen de oevers en de stilte van het verlaten gebied wordt alleen verstoord door een incidentele safaribus.

De naar hun ontdekker, de Britse Captain Frederick Lugard, genoemde **Lugard's Falls** ㉖ zijn weliswaar niet

TAITA HILLS

zeer hoog, maar vanwege de idyllische lokatie zeker een bezoekje waard. 1 km ten oosten van de watervallen, bij **Crocodile Point**, kunt u tamelijk veilig naar de in de zon doezelende **krokodillen** kijken. Zolang u het observatieplatform niet verlaat, kunt u er zeker van zijn dat u de voor uw persoonlijke veiligheid noodzakelijke afstand bewaart.

Blijft u op de weg langs de rivier, die vanhier tot de Indische Oceaan Sabaki heet, dan komt u bij de **Sala Gate**. Daarvandaan is het ongeveer 115 km naar de kuststad Malindi. De meeste bezoekers reizen echter in zuidelijke richting naar het **Arubastuwmeer ㉗**, waar veel wild komt. De **Aruba lodge** aan het meer is wegens verbouwing gesloten. Vanaf het meer komt u in westelijke richting weer terug bij Voi en in zuidoostelijke richting bij de **Buchuma Gate** aan de hoofdweg kunt u uw weg richting Mombasa vervolgen.

De gebruikelijke toegangsweg naar het **Taita Hills Game Reserve ㉘**, een privéwildpark, begint in Voi en volgt de weg in westelijke richting naar Taveta aan de grens met Tanzania. Na de plaatsjes **Mwatate** en **Bura** – bekend van een slag in de Eerste Wereldoorlog waarbij de Duitse generaal Lettow-Vorbeck een lange strijd voerde met de Britse troepen – bereikt u de afslag naar het reservaat. In het heuvelachtige bosgebied van de Taita Hills leven gnoes, olifanten, buffels en zebra's en ook roofdieren als leeuwen en cheeta's.

De luxueuze **Taita Hills Lodge**, staat pal bij de ingang van het park. Midden in het 113 km² grote wildpark staat de architectonisch buitengewone **Salt Lick Lodge**. De ronde paalhutten in Afrikaanse stijl zijn via hangbruggen met elkaar verbonden. De lodge biedt een uitgebreid scala aan activiteiten, van het observeren van dieren tot dineren bij kaarslicht. Een **drinkplaats** lokt veel dieren, die men vanuit een nabijgelegen **bunker** kan observeren.

Boven: Op palen gebouwd - de Salt Lick Lodge in het Taita Hills Game Reserve.

*JIPEMEER EN *CHALAMEER

Als u de hoofdweg Voi-Taveta volgt, komt u een paar kilometer voor de grens met Tanzania bij de afslag naar het **Jipemeer** en niet lang daarna op de weg naar het **Chalameer**.

Het is de moeite waard om hier de gebruikelijke route te verlaten en dit vrij onbekende deel van Kenia te bezoeken. De door papyrus omzoomde meren zijn namelijk niet alleen landschappelijk prachtig, het Jipemeer biedt de vogelliefhebber ook vele mogelijkheden om vogels te observeren. De grens met Tanzania loopt dwars door het meer.

Het wilde **Lake Chala** ㉙ is een 100 m diep kratermeer. Vanaf de kraterrand heeft u een fantastisch ***uitzicht** over het meer tot aan de Kilimanjaro. U kunt ook op enkele plekken rond de krater kamperen. Via de trap bij de (momenteel gesloten) lodge kunt u makkelijk afdalen naar het meer.

Midden in de ongerepte wildernis is het **Jipemeer** ㉚ een waar vogelparadijs. Het is ongeveer 40 km² groot en wordt gevoed door de rivier de **Lumi**, die ontspringt op de Kilimanjaro. Tussen het riet, de papyrus en de waterlelies leven talloze watervogels, die het best vanuit een boot kunnen worden geobserveerd. Terwijl de oever aan de Keniase kant van de grens vlak en toegankelijk is, verheffen zich aan de Tanzaniaanse grens de **Pare Mountains** tot 2100 m hoogte. U heeft hier een adembenemend uitzicht. U kunt onderdak vinden op de camping achter de ingang van het park.

Groot wild is hier schaars. De dieren zijn aanzienlijk schuwer dan in de door toeristen gefrequenteerde gebieden. Niettemin geeft de ongerepte natuur hier een goed idee van wat echte wildernis betekent.

Wie niet over dezelfde weg terug wil rijden, kan met behulp van een goede kaart een van de kleinere wegen door de Taita Hills nemen en zo terugkomen op de hoofdweg Nairobi-Mombasa.

AMBOSELI NATIONAL PARK

INFO: geopend dgl. 6.00-18.30 uur, na 19.00 uur mag er niet meer gereden worden, max. snelheid 40 km/u, kaart 'Amboseli National Park' (KWS) bij de *gates* verkrijgbaar. Het hele jaar goed te bezoeken, in de weekeinden erg vol, gedurende de regentijd april/mei zijn de wegen deels onberijdbaar. *BIJZONDERE ACTIVITEITEN:* **Tortilis Camp**, door Masai gegidste jjunglewandelingen, sundownerexcursies. **Amboseli Serena**, vogels kijken.

VLUCHTEN: dgl. met *Air Kenya* vanaf Wilson Airport in Nairobi om 7.30 uur, vanaf Amboseli 8.30 uur.

TSAVO NATIONAL PARK WEST

INFO: dgl. geopend van 6.00-18.30 uur, max. snelheid 30 km/h, geen toegang na 19.00 uur, **Visitor Centre** bij de Mtito Andei Gate dgl. 8.00-17.00 uur, kaarten voor beide Tsavoparken hier verkrijgbaar, **Information Centre** in de Kilanguni Lodge, restaurant en bar ook zonder overnachting. *BIJZONDERE ACTIVITEITEN:* **Rhino Sanctuary**, beschermd gebied voor de zwarte neushoorn, dgl. 16.00-18.00 uur. **Mzima Springs**, vlak bij Kilanguni Lodge, heldere plassen met mogelijkheid onder water te kijken. **Kilanguni Lodge**, wandelingen met gids in de naburige Seven Sisters Hills.

TSAVO NATIONAL PARK OOST

INFO: dgl. geopend 6.00-18.30 uur, max. snelheid 40 km/u, geen toegang na 19.00 uur, klein **Education Centre** aan de Voi Gate met info over het park, alleen de regio ten noorden van de Galana River is deels voor bezoekers toegankelijk. *BIJZONDERE ACTIVITEITEN:* **Tsavo Safari Camp**, sundowner-jeep-tocht op het Yattaplateau (vogelparadijs), **Satao Camp**, voetsafari's met gids, jeepverhuur, sundowner in de wildernis, **Galdessa Safari Camp**, nachtelijke *Game Drives*, wandelingen in de wildernis met gids, kameel- en hengelsafari's.

SHOMPOLE CONSERVANCY

Nieuw natuurreservaat in Rift Valley, het exclusieve Shompole Camp organiseert o.a. excursies naar het Natronmeer.

6 **Ten zuiden van Nairobi**

Het Masai Mara Game Reserve, een natuurlijke voortzetting van het Serengeti National Park in Tanzania, strekt zich uit over een betoverend grasland met zacht golvende heuvels en prachtige acaciawouden, waardoor de rivieren de **Mara** en de **Talek** zich slingerend een weg banen. Voor veel toeristen in Kenia is een bezoek aan het Masai Mara de kroon op hun vakantie-indrukken. En wanneer de enorme kudden over de wijde vlakten van dit prachtige reservaat zwerven, wordt ieder bezoeker vervuld met gevoelens van eerbied en ontzag. De Masai mogen hun vee wel laten grazen aan de randen van het Masai Mara, maar het hart van het reservaat is uitsluitend voorbehouden aan het wild en de safarigangers.

De toegangsroute

Vliegtuigen uit Nairobi of Mombasa kunnen landen op een van de landingsbanen in het Masai Mara. Voor meer op avontuur beluste reizigers die niet worden afgeschrikt door de slechte wegen, is de route over land vanuit Nairobi een interessant alternatief.

Deze route voert via de weg van Nairobi in noordwestelijke richting naar

Voorgaande pagina's: De trek van een kudde gnoes door het Masai Mara. Links: Masaikrijger.

Limuru. Van hieruit gaat u verder over de aantrekkelijke **Old Naivasha Road** (niet over de Nakuru Highway), die dichter langs breuklijn naar de Rift Valley loopt. Voordat deze uit de steile rotsen gehouwen weg zich op halsbrekende wijze het dal binnen kronkelt, hebt u eerst nog een schitterend uitzicht vanaf de **Kukuyu Escarpment** op 1800 m hoogte op de **Rift Valley** en op de vulkaankegel van **Mount Longonot** (2777 m). Net voordat u aankomt beneden in het dal van deze geologische breuklijn komt u langs de kapel **St. Mary of the Angels**. Ongeveer een kilometer verderop buigt de weg in het dorp **Mai Mahiu** naar links af richting **Narok**.

Op de 82 km lange rit van de afslag in Mai Mahiu naar Narok komt u in de verlaten, onherbergzame regio van de Rift Valley de **Masai** met hun runderen tegen. Aan weerszijden van de weg kunt u reeds de eerste kudden gazellen, zebra's en giraffen langs zien komen met op de achtergrond de gegroefde Mt. Longonot in het noorden en de uitgedoofde vulkaan **Mount Suswa** ten zuiden van de weg bewonderen.

Narok ❶, een stoffig oord, is de 'poort naar het Masai Mara National Reserve'. Hier moet u benzine inslaan, die in het park veel duurder is, en voedsel inkopen. In het **Narok Maa Cultural Museum** vindt u informatie over de levenswijze van de Masai.

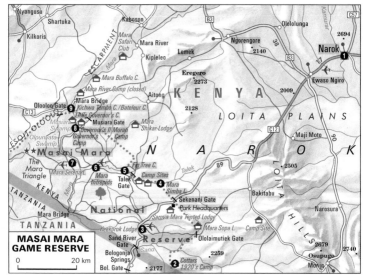

Ongeveer 17 km ten zuidwesten van Narok heeft u bij **Ewaso Ngiro** twee mogelijkheden om bij het National Reserve te komen.

Links loopt de C 12 naar het zuiden, waarvan de eerste 30 km geasfalteerd zijn en de rest niet. Via de **Sekenani Gate** komt u zo in het oostelijke deel van Masai Mara met het **hoofdkwartier** van het park, de **Keerorok Lodge** (87 km) en ook de meeste bezoekers.

De alternatieve route (B 3) gaat bij Ewaso Ngiro naar rechts en maakt landschappelijk gezien een onvergetelijke indruk. U rijdt tussen oneindige tarwevelden door en via **Ngorengore** en **Lemek**, langs **Mt. Eregero** naar het westelijk deel van het park (**Musiara Gate** en **Oloololo Gate**) met het **Mara River Camp** (thans gesloten) en enkele andere lodges en kampen.

Na regenval kan het zelfs voor auto's met vierwielaandrijving extreem moeizaam zijn en lang duren voordat u het park over deze catastrofaal slechte weg

Rechts: Het oversteken van de rivier in het Masai Mara verloopt vaak dramatisch.

bereikt. Op dit moment wordt er wel aan de weg gewerkt.

★★MASAI MARA NATIONAL RESERVE

Door de gelukkige omstandigheid dat de grote vlakten van Oost-Afrika Masai- en dus weideland waren, konden zich in **★★Masai Mara National Reserve** – meer dan in de rest van Kenia – een buitengewone rijke flora en fauna handhaven. **Leeuwen, luipaarden** en **cheeta's** sluipen door het struikgewas, terwijl **gazellen, zebra's, antilopen** en **gnoes** tevreden op de savanne grazen. Uitgebreide **nijlpaarden**families wentelen rond in het ondiepe water van de Mara, **krokodillen** luieren in de zon op de zanderige oevers en meervallen en andere vissen zwemmen ongehinderd in de waterpartijen in het Masai Mara.

Bij de laatste telling werden in het reservaat 1,5 miljoen witbaardgnoes, 0,5 miljoen gazellen, 200.000 zebra's en 70.000 impala's geregistreerd.

Omdat de **olifanten** door het ingrijpen van de mens in hun leefomgeving

info p. 139

uiterst prikkelbaar zijn geworden, is in de buurt van een olifantenkudde altijd de grootste voorzichtigheid geboden.

Het hoogtepunt in het grensoverschrijdende Masai Mara-Serengeti-ecosysteem is de jaarlijkse **★★migratie** van rond de 2 miljoen wilde dieren. Als in juli de droge tijd in het Serengeti Park begint, trekken de kudden in één grote stampende, snuivende massa de **Mara River** over in de richting van het Masai Mara. Op buit beluste roofdieren, waaronder de slanke Masaileeuw, omcirkelen onvermoeibaar de voorwaarts dravende dieren. Het grasland en de zachtgolvende heuvels van het Masai Mara verdwijnen bijna onder de uitgestrekte kudden. Dicht op elkaar trekken de dieren naar nieuwe voedselplaatsen en hun eindeloze rijen reiken vaak tot aan de horizon. Wel een miljoen gnoes en vele honderdduizenden zebra's en buffels, vergezeld van antilopen en gazellen bevolken in deze tijd het Masai Mara. Als eind oktober, begin november de regentijd begint en het Serengeti Park opnieuw groen wordt, trekken de dieren weer in zuidelijke richting, naar Tanzania.

Een indrukwekkende belevenis is de dramatische **oversteek van de rivier** door de enorme kudden. Pas na lang zoeken kiezen de leiders een doorwaadbare plaats die hun voor de hele kudde geschikt lijkt. Dan storten de enorme kudden zich van steile oevers achter hun leiders aan de kolkende rivier in. Vele van de zwakkere dieren zijn niet opgewassen tegen de sterke stroming en worden hulpeloos stroomafwaarts gesleurd. Andere slagen er niet in om op de andere oever aan wal te klimmen en worden door sterkere dieren opzij gedrukt. Vaak is de toegang tot de veilige oever zo smal dat een deel van de kudde die niet kan vinden en even wanhopig als vergeefs probeert de overkant te bereiken op een vrijwel ontoegankelijk punt. Het kan op deze wijze verscheidene uren duren voordat een kudde de rivier is overgestoken. Tijdens deze verplaatsingen ziet men soms antilopen in alle rust grazen op slechts enkele meters van een troep volgevreten leeuwen – ze weten gewoon dat ze van de koning der wildernis niets hebben te vrezen zolang deze bezig is met het verteren van zijn vorstelijke maaltijd en nauwelijks in staat is zijn opgezwollen buik van de grond te verheffen.

Op sluipjacht

De beste tijd om een sluipjacht op het wild te ondernemen is in de vroege ochtend of de late middag. Bovendien zijn de zonsopgangen midden in de wildernis een onvergetelijke belevenis, zodat het zeker de moeite waard is om vroeg op te staan. Vooral de katachtige roofdieren houden in de middaguren siësta. 's Ochtends en 's avonds zijn ze het actiefst en loopt men dus de grootste kans ze te zien te krijgen. De koelere uren van de dag worden door de dieren benut om te grazen, op prooi te jagen en de drinkplaatsen te bezoeken.

Nergens in Kenia leven zoveel leeuwen als in het Masai Mara. Vaak treft men leeuwenfamilies aan waarvan de speelse welpen zich niets van de toeschouwers aantrekken. Met een beetje geluk krijgt u zelfs cheeta's of luipaarden te zien. Meestal weten de lokale chauffeurs van de lodges en camps precies waar ze deze schuwe dieren kunnen vinden. Helaas komt het ook nogal eens voor dat er een regelrechte autoklopjacht op de dieren plaatsvindt. Want elke chauffeur is erop gebrand om voor zijn passagiers het beste plekje voor het nemen van foto's te pakken te krijgen. U dient de chauffeur nooit aan te sporen om nog wat dichter naar de dieren toe te rijden. Cheetamoeders worden daardoor soms zo in het nauw gedreven dat ze hun jongen in de steek laten; en cheetawelpen zijn bijvoorbeeld een lekkernij van de bavianen.

In de rivieren de Mara en de Talek leven talloze nijlpaarden. In de vroege morgen liggen ze op de zanderige oevers wat in de zon te doezelen. Later op de dag ziet men ze alleen nog wanneer ze luid proestend aan het wateroppervlak opduiken. De neushoorn is in het wildreservaat echter bijna uitgeroeid. Er zijn nog maar een paar exemplaren over, die door de parkwachters worden beschermd.

Bij een bezoek aan het Masai Mara moet u beslist een warme trui of jack meenemen. Op de hoogvlakte, die een hoogte van 1700 m bereikt, kan het 's ochtends en 's avonds behoorlijk fris worden. Bovendien wordt u gewoonlijk in open terreinwagens rondgereden.

Camps en lodges

Een overnachting in een van de lodges of tentenkampen behoort natuurlijk tot de onderdelen van iedere safari in het Masai Mara. Het aanbod varieert van eenvoudige tentenkampen tot luxueuze lodges. Bij alle kampen en lodges worden *game drives* (zoektochten naar wild) door het reservaat aangeboden. Voor de *game drive* in de vroege ochtend wordt men voor zonsopgang met een kop thee of koffie gewekt. De tweede *game drive* vindt gewoonlijk tegen het middaguur plaats, de derde laat in de middag. Een dag vol belevenissen kan worden bekroond met een romantische avond bij een kampvuur.

Het is vrijwel onmogelijk om zonder reservering in het Masai Mara te overnachten. Ondanks de talrijke lodges en kampen overtreft de vraag ruimschoots het aanbod en de overheid heeft, ter bescherming van het wild, de bouw van nieuwe toeristencomplexen voorlopig gestaakt. De lodges en tentenkampen in het Masai Mara stellen niet alleen wagens voor de *game drives* ter beschikking, op verschillende plaatsen worden zelfs tochten aangeboden in een heteluchtballon, waarmee men geluidloos boven de savanne kan zweven en zich kan verwonderen over het grandioze schouwspel van de zich verplaatsende kudden. Afhankelijk van de tijd van het jaar organiseren diverse kampen een vlotsafari op de ondiepe, traag voortkronkelende Mara, die uitmondt in de

Rechts: Een ballonsafari is een geweldige belevenis.

Mararua Swamps. De Mara wordt gevoed door verschillende zijrivieren die ontspringen in de Mau Escarpment en die de Mara in de regentijd omvormen tot een woeste stroom. In een paar uur tijd kan het waterpeil meer dan 5 m stijgen en de watermassa's sleuren dan bomen en dieren met zich mee in een wervelende maalstroom van modder.

In het uiterste zuidoosten van het Masai Mara, aan de grens van het Serengeti, vindt u in het kleine nostalgische **Cottars 1920's Camp ❷** luxe in klassieke safaristijl voor slechts 12 gasten. De traditionele tenten zijn ingericht met antiek uit de jaren 20. Het slechts voor gasten bestemde ongerepte natuurgebied van 90 km² garandeert een exclusieve persoonlijke sfeer.

In het drukbezochte oostelijke deel van het park, in de buurt van het **hoofdkwartier**, ligt de **Keekorok Lodge ❸**, de oudste van het reservaat, midden tussen de migrerende savannedieren. De gast kan hier kiezen tussen twee prijsklassen, maar de standaard blijft onveranderd hoog. Het koele, stenen toegangspad voert langs de receptie naar een veranda met uitzicht op een grote weide en een **drinkplaats** waar de hele dag veel wild op afkomt.

Aangezien de Keekorok Lodge deel uitmaakt van de hotelketen Block kan zijn keuken zich meten met die van de beste hotels in heel Kenia. De gasten kunnen zich ontspannen in of bij het fraaie zwembad en als u een wandeling maakt over het daartoe aangelegde pad, krijgt u een adembenemend uitzicht over de schitterende, wildrijke omgeving. U kunt hier ballonsafari's maken en 's avonds voeren Masai uit de omgeving hun traditionele dansen op of vertellen over hun gebruiken en legenden.

Tussen de Sekenani en de Talek Gate bevindt zich aan de oever van Talek Rivier de **Mara Simba Lodge ❹** met banda's van steen en hout en *makuti*-daken. De onderkomens zijn luxueus en het uitzicht op de 's nachts met schijnwerpers verlichte rivier is zeer fraai. Er is een ervaren natuurgids aanwezig die wandelsafari's organiseert.

Het **Fig Tree Camp ❺** in de buurt van de Talek Gate en net buiten het kamp is wat soberder van opzet. Het

Boven: Een leeuw doet zich tegoed aan zijn prooi in het avondzonnetje.

kamp is in de droge tijd normaal gesproken met tweewielaandrijving te bereiken. Een houten brug brengt u naar de op een eiland gelegen onderkomens. Vanuit de comfortabele tenten heeft u een fantastisch uitzicht op de Talek River. U kunt hier ballontochten maken, dieren observeren of op paardensafari, er is een zwembad en een boomhuisbar.

De luxe tenten van de **Mara Intrepids Club** ❻ staan eveneens aan de Talek, iets meer naar het westen en op een steile oever hoog boven de rivier. U kunt 's avonds vanuit de bar de dagelijks met een homp vlees gelokte **luipaard** bekijken, of vanaf het panoramaterras genieten van de zonsondergang over de Afrikaanse savanne. Iets verder, ook aan de Talek, liggen de tien luxe tenten van het **Mara Explorer Camp**.

Ten westen van de Mara River ligt de **Mara Serena Lodge** ❼, een fantasierijke reproductie van twee *manyattas*, de traditionele dorpen van de Masai. Deze hoog op een rotskam gebouwde lodge biedt een fantastisch panorama over de savanne. De lodge telt 78 kamers en er is ook een landingsbaan. Bezoekers met eigen auto's kunnen de lodge gemakkelijk over een goede weg vanuit Narok bereiken. Het terras bij het zwembad biedt een geweldig uitzicht op de voorbijtrekkende kuddes en Mara River. De lodge heeft een fantastische ligging. De driehoek tussen Mara River en Oloololo Escarpment trekt vanwege zijn moerasgebied vooral in de droge tijd grote hoeveelheden dieren aan en de rit langs de **nijlpaardpoelen** en de Mara is altijd een belevenis.

Ten noordwesten van de Mara Serena Lodge ligt aan de oostelijke oever van de Mara het **Governor's Camp** ❽, een naam die gelijk staat met exclusief safaritoerisme, met de beste service in de stemmige sfeer van de Afrikaanse wildernis. *Game drives* zijn bij de prijs inbegrepen. Vooral het nabijgelegen **Musiaramoeras** is zeer geschikt voor het observeren van dieren. 's Nachts lopen de dieren door het kamp en gasten worden op hun weg naar het exclusieve restaurant door bewakers begeleid.

Vanuit het hoofdkamp kan men met een boot oversteken naar de andere oever waar **Little Governor's Camp** ligt aan een klein meer dat veel vogels en wild aantrekt. Het kleine, romantisch gelegen kamp, waar een betoverende sfeer hangt, is meestal volgeboekt. Jaarlijks wordt na de regentijd iets naar het zuiden het rustieke **Governor's Paradise Camp** opgezet. De meest luxe variant van de Governor's camps is het **Governor's Il Moran Camp**, dat pas in het jaar 2000 werd geopend. In slechts tien tenten, pal aan de Mara River, geniet u in een zeer private sfeer op de meest exclusieve manier van een safari-ambiance. Vanaf de terrassen bij de tenten (waar u overigens ook uw eten kunt laten serveren), vanuit de restauranttent en vanuit de bartent heeft u een fantastisch uitzicht op de Mara River. Naast de gangbare activiteiten kunt u van hieruit ook met een chartervliegtuig een uitstapje maken naar Lake Victoria.

Aan de noordwesthoek van het reservaat bevindt zich ook weer iets buiten het park, vlak bij de Oloololo Gate het **Kichwa Tembo Camp** ❾ alweer een luxueus tentenkamp. Het ligt aan de voet van het Oloololo Escarpment en u heeft er een prachtig uitzicht op de savanne. Vanwege het vele wild staat er een omheining om het kampement. Meryl Streep en Robert Redford woonden hier gedurende de opnames van de film *Out of Africa*.

Luxe en koloniale stijl vindt u in het naburige **Bateleur Camp**. 9 tenten zijn zeer exclusief ingericht. Bijzonderheden van deze lodge zijn de ligging aan de Mara River – waar gedurende de migratie vele kuddes gnoes en zebra's te zien zijn –, en de spectaculaire ballontochten over de savanne.

Eenvoudige **campings** voor individuele reizigers zijn te vinden bij alle ingangen van het park. Vaak liggen ze erg mooi en het is in elk geval een onvergetelijke belevenis om 's nachts in een tentje te liggen en het doordringende gebrul van een leeuw te horen.

MASAI MARA GAME RESERVE

🛈 *INFO:* dgl. geopend 6.30-19 uur, na 19 uur mag er niet meer gereden worden, max. snelheid 40 km/u, tijdens de regentijd eind maart tot begin mei zijn vele wegen onbegaanbaar, dierentrek tussen aug. en begin nov., koele nachten wegens de hoge ligging, warme kleding meenemen!

BIJZONDERE ACTIVITEITEN: **Keekorok Lodge**, ballontochten dgl. 6.00 uur met champagne-ontbijt op de landingsplaats, 1-1,5 uur voor $ 450, hippo pool. **Mara Simba Lodge**, nachtelijke *Game Drives* buiten het park, een zoöloog begeleidt wandelingen in de wildernis. **Fig Tree Camp**, ballontochten, voet- en paardsafari's. **Mara Intrepids Club**, 'Night Sight Safaris' met infrarood-videocamera's (video's te koop), voetsafari's. **Mara Serena Lodge**, ballontochten. **Governor's Il Moran Camp**, voetsafari's 's ochtends met ontbijt in de wildernis, 's avonds met sundowners, ballontochten met champagne-ontbijt in de wildernis, excursie naar Lake Victoria met chartervlucht: boottochten en hengelen op het meer, overnachting in het Mfangano Island Camp. **Cottars 1920's Camp**, *game drives*, voetsafari's op het 90 km² groot terrein.

🍴 **Keekorok Lodge**, Afrikaans middagbuffet ook voor gasten die niet overnachten, bar met uitzicht op een hippo pool.

✈ *VLUCHT:* **Air Kenya Aviation** vliegt 2 maal dgl. van Nairobi Wilson Airport naar Masai Mara. Vertrek Nairobi 10 en 15 uur, vertrek Masai Mara 11 en 16 uur, de meeste lodges hebben een landingsbaan en jeeptransfer naar de lodge. *AUTO:* U kunt zonder vierwielaandrijving via de C 12 door de Sekenani Gate (bij droog weer) in het oostdeel van het park komen. Voor de rit naar de westgates en het hele westdeel van het park is beslist een terreinwagen nodig.

NAROK (☎ 050)

🏛 **Narok Maa Cultural Museum**, dgl. 9.00-18.00 uur, tel. 22 095, informeert u over de levenswijze van de Masai.

🍴 **Kenol**, restaurant en supermarkt (safariproviand!), tankstation.

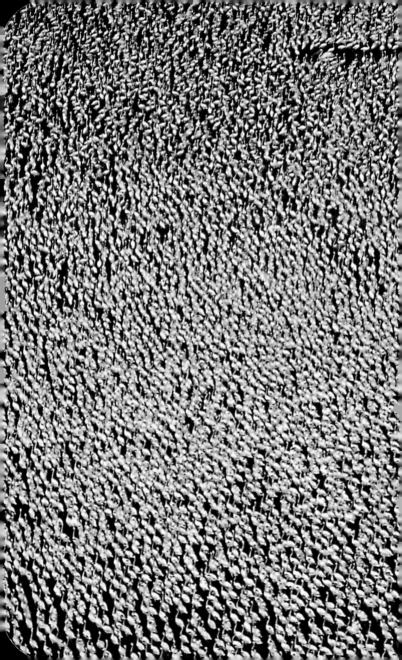

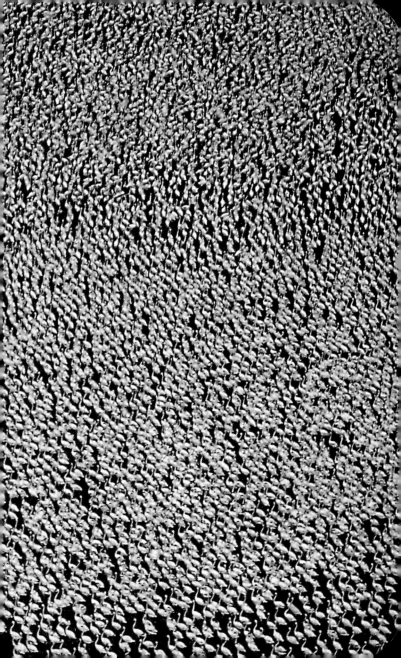

GREAT RIFT VALLEY

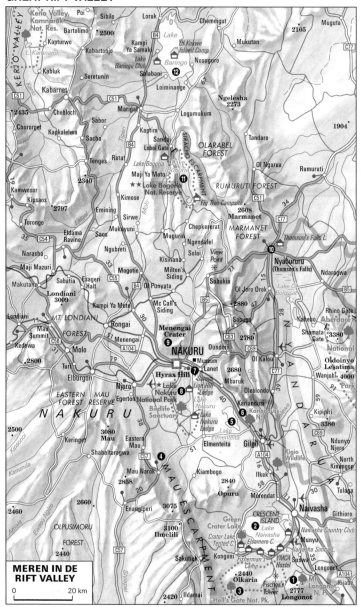

MEREN IN DE RIFT VALLEY

0   20 km

MEREN IN DE GREAT RIFT VALLEY

NAIVASHAMEER
NAKURUMEER
ELMENTEITAMEER
BOGORIAMEER
BARINGOMEER

De enorme Oost-Afrikaanse Slenk, de **Great Rift Valley**, is miljoenen jaren geleden ontstaan. Het strekt zich langs een noord-zuidas uit van de Jordaanvallei in het noorden, via de Rode Zee, Ethiopië, Kenia en Tanzania, tot de Zambezidelta in Mozambique in het zuiden. Door het op elkaar stoten van twee parallelle aardlagen zonk het zachtere gesteente en vormde een trog met een keten zouthoudende meren, terwijl het hardere gesteente omhoog werd gestuwd en bleef staan als een loodrechte wand. De talloze vulkaankegels van het gebied rond de Rift Valley herinneren aan dit verleden.

Ten zuiden van het **Naivashameer** staan de uitgedoofde vulkanen **Mount Suswa** en **Mount Longonot**; de oevers van het meer zijn bijna geheel bedekt met vulkanisch gesteente. Hier vindt men ook glinsterende scherven van het inktzwarte obsidiaan, waarvan onze voorouders bijlbladen en messen maakten. Wat verder naar het noorden, rond het **Elmenteitameer**, is de bodem van de vallei bezaaid met talloze kleine vulkaantjes en ook tussen het **Nakurumeer**, het **Bogoriameer** en het **Baringomeer** strekken zich grote vlakten met vulkanisch puin uit.

Voorgaande pagina's: Nu en dan vestigen zich vele duizenden flamingo's bij het Nakurumeer.

Wanneer u vanaf de koele hoogte van de steile wanden van de Rift Valley naar de 1000 m dieper gelegen vlakte kijkt, begint u te begrijpen welke geweldige aardverschuivingen hier eens moeten hebben plaatsgevonden. Bronnen en kleine rivieren voeden de keten van meren die zich uitstrekt van het Naivashameer tot het **Baringomeer**. Elk van deze meren bezit niet alleen een bijzondere chemische samenstelling, maar ook een heel eigen charme en een niet minder interessante omgeving. Vanuit Nairobi zijn ze gemakkelijk te bereiken; ze trekken veel toeristen die op zoek zijn naar wat rust. Mensen die op safari zijn naar het Turkanameer, gebruiken de meren ook graag als pleisterplaats.

NAIVASHAMEER

De route van Nairobi naar het noordoostelijk gelegen Naivashameer is ook de belangrijkste verkeersader tussen West-Kenia en Oeganda. De eerste afslag is de **oude weg** naar Naivasha, tegenwoordig voornamelijk als wegomleiding voor vrachtwagens gebruikt. Deze weg is in zeer slechte staat, maar de rit door het idyllische landschap is zeker de moeite waard. Wie niet opziet tegen een hobbelrit wordt voor zijn moeite beloond met een idyllisch landschap en fraaie vergezichten. Een

8

Great Rift Valley

info p. 155

nieuw tracé is in aanleg en zou eind 2008 klaar zijn.

Als u een uitstapje wilt maken naar **Mount Longonot**, die sinds 1983 beschermd wordt als **Mount Longonot National Park ❶**, moet u de oude weg volgen. De tamelijk lichte beklimming van deze door erosie gekerfde, uitgedoofde vulkaan van 2200 m, wordt vanaf de parkeerplaats aan de noordoostflank bekroond met een indrukwekkend uitzicht over het omliggende land. Bij helder weer reikt de blik zelfs tot de Aberdare Mountains en de steppe van de Masai. Een wandeling rond de krater, over het hoogste punt van de Mount Longonot (2776 m), is tamelijk vermoeiend. Wie er dan nog geen genoeg van heeft, kan zich aan de steile afdaling in de diepe krater wagen, die begroeid is met struikgewas en waarin antilopen en buffels leven. U moet wel een geoefend wandelaar zijn. Voor een beklimming van de Mount Longonot moet u ongeveer 2 uur uittrekken; voor het pad rond de krater 3 tot 4 uur. Voor uw eigen veiligheid is het aan te bevelen u vanaf de gate door een ranger te laten begeleiden. Aan het begin van de jaren negentig van de vorige eeuw vonden hier meer dan eens overvallen plaats.

Wilt u Naivasha echter via de snelste weg bereiken, dan moet u de pittoreske oude weg links laten liggen en rechtdoor blijven rijden op de nieuwe snelweg, waarlangs **uitzichtpunten** voor fotostops zijn aangegeven. Deze route bestaat uit één lange klim naar het hoogste punt van de weg en een kortere en nog steilere rit bergafwaarts naar het meer. In de vallei voert een goed aangegeven afslag naar links naar Naivasha.

Het **Naivashameer ❷** is een geliefd reisdoel voor mensen uit Nairobi die een dagtochtje willen maken of een weekend willen vissen, varen en zich ontspannen. Het is ook een geschikte tussenstop voor mensen die onderweg

zijn voor een merentocht of nog verder naar het noorden van Kenia. Het Naivashameer ligt 1890 m boven de zeespiegel en is daarmee het hoogstgelegen meer van de Rift Valley. Reeds in prehistorische tijden woonden hier mensen. Nog steeds worden in de omgeving hun meer dan 4000 jaar oude kunstvoorwerpen gevonden.

Toen in 1883 de Duitse natuurwetenschapper G.A. Fischer hier als eerste Europaan arriveerde, werd het gebied rond het meer nog bewoond door de Masai. De Britse nieuwkomers namen de hele oever rond het meer in bezit, nadat ze de Masai die rond het meer woonden naar elders hadden verjaagd.

Het land rond het meer is nog altijd in particuliere handen. Het wordt intensief bevloeid en gebruikt voor het verbouwen van groenten en bloemen voor de export. Aan de zuidelijke oever is sinds 1980 een wijnbouwgebied aan het ontstaan.

Al naar gelang de regenval is de waterspiegel van het meer, en dus ook de oeverlijn, voortdurend in beweging. Het meer, met een gemiddelde diepte van 8 m, overspoelde in 1917 zelfs de spoorlijn van Naivasha, terwijl het in de jaren vijftig daarentegen vrijwel geheel uitdroogde.

Het diepste punt van het Naivashameer wordt gevormd door een klein kratermeer in het noordoosten, dat een diepte van 20 m bereikt. De rand van de krater, die uit het meer opsteekt, wordt door een rotskam met het vasteland verbonden. Hierdoor is **Crescent Island**, zoals de rand wordt genoemd, afhankelijk van de waterstand nu eens een schiereiland, dan weer een echt eiland.

In het meer monden twee rivieren uit: de **Melawa**, die ontspringt in de oostelijke **Nyandarua Mountains**, en de **Gilgil**, die zich vanuit het noorden door de Rift Valley slingert. Aangezien het meer, dat geen enkel zichtbaar afvoerkanaal heeft, uit zoet water bestaat, is het waarschijnlijk dat het onderaardse drainagekanalen bezit.

Rechts: Een breed roze lint – flamingo's voelen zich bij de meren thuis.

Het waterpeil van de meeste andere meren in de Rift Valley daalt uitsluitend door verdamping. Dit verklaart ook het hoge alkaligehalte van het water.

Rondom het meer loopt een zeer hobbelig weggetje dat bovendien vaak zo ver van de oever af ligt dat u slechts zelden een mooi uitzicht op het meer hebt. De enige tamelijk goede toegang tot het meer vindt u op de zuidelijke oever, op het terrein van de hotels en campings.

De **Moi South Lake Road** splitst zich 3 km ten zuiden van de plaats Naivasha van de oude Naivasha Road af. De zeer goede asfaltweg loopt parallel aan de zuidelijke oever van het meer tot het Elsamere Conservation Centre. Hier bevinden zich de enigszins vrije toegangen naar het meer op het grondgebied van hotels en campings.

Alle hotels staan hier aan de rechterkant van de weg. Als eerste de in een prachtige tuin gelegen **Lake Naivasha Country Club**, die ook de meest veeleisende gasten tevreden zal stellen.

Het **YMCA Hostel**, kort voor de afslag naar Hell's Gate National Park, biedt een uitstekend onderkomen aan de individuele reiziger, evenals het **Fisherman's Camp**, dat een stukje verder langs het meer ligt. Het heeft een kampeerterrein en er worden fietsen, boten en bungalows voor individuele reizigers verhuurd. 's Nachts komen de nijlpaarden hier aan land om te grazen.

Achter het Fisherman's Camp ligt het laatste onderkomen voor toeristen, het **Elsamere Conservation Centre**, dat niet alleen onderdak (met volpension) biedt aan professionele biologen. Oorspronkelijk stond hier het huis van de schrijfster en dierkundige Joy Adamson die talloze lezers heeft bekoord met haar boeken over de tamme leeuwin Elsa. Reserveren is hier noodzakelijk.

Iets ten westen van het Elsamere Conservation Centre gaat de asfaltweg over in een hobbelige en zeer stoffige weg, die helemaal om het meer heenloopt. De weg ligt over het algemeen wat van het water af en u heeft dan ook maar zelden een zicht op het meer. 6 km na het einde van de asfaltweg loopt de weg aan het **Green Crater Lake** voorbij waar een reservaat is. In het exclusieve **Crater Lake Camp** in de krater kunt u lunchen terwijl u over het meer uitkijkt.

Waar u ook overnacht, afdoende bescherming tegen muskieten is een must.

Een groot aantal nijlpaarden heeft het Naivashameer tot woonplaats gekozen. Krokodillen daarentegen zijn hier schaars. Sportvissers zullen hier de dag van hun leven hebben wanneer ze erin slagen een uit Noord-Amerika ingevoerde zwarte baars of een tilapia aan de haak te slaan.

De oever van het meer wordt omgeven door een fijnbladerig struikgewas van papyrus, waarvan de oude Egyptenaren hun schrijfondergrond vervaardigden. Wat er in de verte uitziet als kleine, in de wind over het meer drijvende eilandjes, zijn in werkelijkheid een aantal tot een soort vlotten met elkaar verstrengelde papyrusplanten.

Helaas gaat het door toedoen van de beverrat slecht met de papyrusvegetatie rond het Naivashameer. Dit dier heeft zich de laatste decennia snel vermenigvuldigd en de papyrusvegetatie al danig aangetast. De waterlelies, die vroeger in grote hoeveelheden in het meer ronddreven, zijn al bijna verdwenen.

Vogelliefhebbers zullen hier tot hun grote schrik ontdekken dat het bij extreem lage waterstanden vrijwel onmogelijk is de activiteiten van vogels te observeren. Het uitzicht wordt vooral versperd door de papyrusbosjes en de drijvende rieteilandjes.

Wie meer wil zien dan alleen de vogels in de bomen en het moerasland rondom, zal beslist een **boottocht** moeten maken. Op deze manier is het ook mogelijk het **vogelreservaat** midden in het Naivashameer te bereiken en onderweg de plots met luid gesnuif opduikende nijlpaarden te bewonderen.

Wanneer het in Europa winter is, neemt het aantal vogels nog flink toe door de 'zontoeristen' uit noordelijke

streken. Het kan dan ook voorkomen dat een aantal eenden en steltlopers u merkwaardig bekend voorkomt. Maar aan de andere kant zal de onvergetelijke aanblik van flamingo's die als soldaten in slagorde naast elkaar staan te vissen, wellicht een nieuwe ervaring zijn.

Hell's Gate National Park

Bij een wat langer verblijf aan het Naivashameer zou u beslist een bezoek moeten brengen aan het in 1984 geopende **Hell's Gate National Park** ❸ met zijn spectaculaire kliffen en kloven en met zijn wild. De warmwaterbronnen van de 'Poort van de Hel' worden sinds kort, dankzij de hulp van een VN-onderzoeksprogramma en met steun van de Wereldbank, gebruikt voor het opwekken van elektriciteit.

Momenteel dekt de geothermische krachtcentrale in de omgeving van het meer een flink deel van het stroomverbruik van Kenia. Men heeft geboord tot een diepte van ongeveer 1700 m. De hoogste temperatuur die daarbeneden werd gemeten, bedroeg 304 °C.

Een stukje voorbij het YMCA Hostel bevindt zich een afslag zuidwaarts naar de hoofdingang van het Hell's Gate Park. Niet ver daarna torent een vulkanische rots omhoog, de naar voornoemde Duitse onderzoeker genoemde **Fischer's Tower**. In de puntige klippen van deze rots hebben de klipdas en vele ongewone vogelsoorten hun thuis. Met een beetje geluk krijgt u zelfs de steeds zeldzamere lammergier te zien, die hier zijn nest bouwt. Kudden zebra's, giraffen, antilopen en Grant's gazellen trekken diep beneden in het dal over de weidse vlakte.

In dit wildpark hebt u eindelijk weer de gelegenheid om wat te wandelen over prachtige paden. Om niet te verdwalen dient u echter beslist op de aangegeven paden te blijven. Ook fietsen (te huur in het Fisherman's Camp en in de hotels) zijn een goed vervoermiddel om het park te ontdekken.

Rechts: In de alomtegenwoordige termietenheuvels heerst een drukte van belang.

Verstokte autoliefhebbers kunnen vanaf de hoofdingang een rondrit maken en het park door een tweede ingang bij de geothermische krachtcentrale weer verlaten. Bij deze centrale wordt men bliksemsnel in de moderne tijd teruggeworpen. Het netwerk van pijpen en de wolken sneeuwwitte stoom tegen de achtergrond van de Afrikaanse wildernis wekken de indruk van het decor van een sciencefictionfilm. Vanaf de centrale voert een goede asfaltweg terug naar de South Lake Road.

Voor wie de dorst naar avontuur nog niet is gelest, kan een uitstapje naar het **Mau Escarpment** ❹, ten westen van het Naivashameer, en verder door naar **Sakutiek** worden aanbevolen. Het Mau Escarpment, dat een hoogte van 3100 m bereikt, vormt een onderdeel van de indrukwekkende steile wand van de Rift Valley. Voor de rit over de hobbelige weggetjes naar het hoge plateau moet u over een terreinwagen beschikken. Het landschap verandert hier al gauw in een koele, groene bergidylle.

Wanneer u geen zin hebt om dezelfde weg terug te nemen, kunt u Sakutiek ook in noordwaartse richting verlaten, om via **Njoro** door mooi, afwisselend landbouwgebied naar Nakuru te rijden. Ook kunt u een zuidwaartse route nemen, naar de weg Nairobi-Narok.

ELMENTEITAMEER EN NAKURUMEER

Vanuit Naivasha volgt u de hoofdweg verder naar het noordwesten, langs **Gilgil**, met een grote militaire basis, en vangt u even later de eerste glimp op van het **Elmenteitameer** ❺. Nog ten zuiden van het meer slaat een zandpad linksaf – ook begaanbaar voor voertuigen met tweewielaandrijving – naar de zuidelijke ingang van het Lake Nakuru National Park. In het dorp **Elmenteita** gaat u bij de kruising rechtsaf en na 9 km, via de volgende goed aangegeven afslag, door het **Ndarit Gate** het park in. Bij regenachtig weer is het verstandiger om het schilderachtige onverharde pad te mijden en op de hoofdweg te blijven.

Net als bij het Naivashameer is de grond rond het Elmenteitameer voor het

grootste deel in particuliere handen. Ooit behoorde dit gebied tot het landgoed van de beruchte Lord Delamere. Langs de oever van het meer, dat regelmatig droogvalt, staan veel flamingo's die de bezoeker een voorproefje geven van het grootse natuurschouwspel dat hem of haar aan het Nakurumeer staat te wachten. Hier werden 400 vogelsoorten geregistreerd en de roze pelikaan heeft hier een van de grootste broedkolonies in Oost-Afrika.

Kariandusi en Hyrax Hill

Als u via Nakuru naar het Nakuru National Park rijdt en achter Gilgil op de hoofdweg blijft rijden, komt u langs twee van de belangrijkste archeologische vindplaatsen van het land. Bij **Kariandusi ❻**, ten oosten van het Elmenteitameer aan de andere kant van de hoofdweg, zijn veel prehistorische voorwerpen opgegraven. Zo'n 10.000 jaar geleden schijnt hier een groot meer te hebben gelegen, dat zich tot ver in de Rift Valley uitstrekte. De stenen werktuigen en fossielen die hier zijn gevonden, zijn honderdduizenden jaren oud en zijn te zien in het kleine museum.

2 km ten zuidoosten van Nakuru verheft zich de **Hyrax Hill ❼**, een ongeveer 50 m hoge lavarug die in de jaren dertig van de vorige eeuw door Mary Leakey werd uitgegraven, is een aantal vondsten te bezichtigen, waaronder werktuigen en aardewerk. De plattegrond van een nederzetting uit die tijd, alsmede graven uit de jonge steentijd en de ijstijd zijn bewaard gebleven. Deze plek werd waarschijnlijk bewoond door de Kalenjin, een halfnomadisch herdersvolk uit het Nijldal, dat omstreeks 2500 jaar geleden naar het westen van Kenia is getrokken. In het **museum** van Hyrax Hill zijn de vondsten geëxposeerd: sieraden, aardewerk, steen- en obsidiaanwerktuigen en andere gebruiksvoorwerpen. Van de graven uit de jonge steentijd is het interessant dat men alleen in de vrouwengraven graf-

Boven: Pelikanen bij het Lake Nakuru.
Rechts: Goed beschermd tegen muskieten naar de vogels kijken.

geschenken heeft aangetroffen. Dit wijst erop dat de maatschappelijke positie van vrouwen waarschijnlijk hoger was dan die van de mannen. Vanaf Hyrax Hill heeft men een mooi uitzicht over het Nakurumeer.

★Lake Nakuru National Park

Circa 8 km voor **Nakuru** rijdt u door de **Lanet Gate** het ★**Lake Nakuru National Park** ❽ binnen. Het is een van de mooiste vogelgebieden ter wereld. In 1961 werd het Nakurumeer uitgeroepen tot het eerste vogelreservaat van Oost-Afrika. Bij tijden leven hier miljoenen dwergflamingo's, die de waterkant veranderen in een lang roze lint. Dit onvergetelijke uitzicht op de talloze flamingo's wordt echter steeds zeldzamer. Ten eerste is dit te wijten aan het feit dat de flamingo's niet aan het Nakurumeer broeden, maar voor het bouwen van hun nesten veelal uitwijken naar het Natronmeer in het noorden van Tanzania. Ten tweede schijnt het dat de vogels gewoonlijk uitwijken naar het Bogoriameer of het Naivashameer wanneer de waterspiegel van het Nakurumeer te veel daalt. Daardoor stijgt het sodagehalte van het water, wat weer tot gevolg heeft dat het favoriete voedsel van de flamingo's – larven, waterkevers en algen – schaars wordt. Het is daarom mogelijk dat bezoekers van het Nakurumeer slechts weinig vogels te zien krijgen en dat kan tot teleurstellingen leiden.

Behalve de grote zwermen dwergflamingo's vindt men hier ook de zeldzame roze flamingo *Phoenicopterus ruber roseus* en nog zo'n 450 vogelsoorten. Zo ziet men hier pelikanen hun snavel in het water dompelen in de hoop een van de smakelijke tilapia's te vangen die hier enige tijd geleden werden uitgezet om zoveel mogelijk muskietenlarven te vernietigen. Een pelikaan kan 1 kg vis per dag verschalken en als u bedenkt dat zo'n 5000 pelikanen zich hier gemakkelijk weten te voeden, kunt u zich voorstellen hoe snel de tilapia's

aan hun nieuwe woonomgeving zijn gewend.

Langs de zuidwestelijke oever van het meer strekt zich een acaciawoud uit waarin vele boomvogels huizen. Geheel andere vogelsoorten bewonen de rotsheuvels langs de oostelijke oever, die dicht begroeid is met kandelaarbomen.

In het Nakuru National Park hebt u een grote kans een luipaard te zien, vooral in het zuidoosten van het park tussen de twee lodges. De in Kenia zeldzaam geworden Rothschild giraffe is opnieuw in het park uitgezet, evenals de zwarte neushoorn.

De **neushoorn**, die tot de oudste diersoorten op aarde behoort, is het op een na grootste op het land levende zoogdier. De kolossen komen in Afrika al zo'n 60 miljoen jaar voor. Of ze nu rondscharrelen in de bosjes, rennen over de vlakten of rustig wat drinken bij een drinkplaats, hun omvangrijke lichamen zijn altijd indrukwekkend en de twee hoorns dwingen ontzag af. Ondanks dat ze nogal ongezellig in zichzelf gekeerd zijn en ook geen hoge aaibaarheidsfactor hebben, winnen ze

8

Great Rift Valley

de sympathie van de meeste toeristen. Het slechte gezichtsvermogen van de neushoorns verklaart waarschijnlijk waarom ze zo gauw geïrriteerd zijn en permanent gereed om aan te vallen. Er is veel geschreven en gefilosofeerd over het feit dat een neushoorn tijdens een aanval op een toerist zich vaak plots afwendt om rustig wat te grazen en elke strijdlust vergeten schijnt te zijn. Dit is echter geen al te geruststellend idee wanneer 2000 gepantserde kilo's met 50 km per uur op je af komen stormen.

Het aantal **zwarte neushoorns** is inmiddels onrustbarend gedecimeerd. Alle dieren die nog in Kenia te vinden zijn, zouden nog niet eens aan de jaarlijkse vraag naar hoorns uit Noord-Jemen kunnen voldoen, zoals een dierenbeschermer eens cynisch opmerkte.

De zogenaamde **witte neushoorn**, die nog net voor uitsterven kon worden behoed, is in het geheel niet wit. Zijn naam is afgeleid van het Afrikaanse woord 'weit', dat 'breed' betekent. Dit vanwege zijn brede bovenlip. De hoorn van dit dier is ook geen echte hoorn, maar dicht opeengeperst haar.

Er zijn in totaal nog maar ongeveer 4000 exemplaren van deze beide diersoorten over. En dat terwijl er in 1970 van de zwarte neushoorn alleen nog zo'n 65.000 exemplaren werden geteld. In de beschermde omgeving van het National Park kunnen ze zich weer ongestoord bewegen en naar hun zeer eenvoudige gedragspatronen leven: wat in de modder wentelen, eten, drinken en ontspannen. Het voedsel van de zwarte neushoorn bestaat uit verschillende soorten struiken en grassen, die hij afrukt met zijn scherpe, beweeglijke lippen, zonder zich te storen aan de doorns en stekels die veel planten toch voor hun bescherming hebben ontwikkeld.

In de acaciawouden langs het Nakurumeer leeft ook de franjeaap. Bohor-rietbokken grazen op de savanne ten zuiden van het meer, terwijl enorme kudden Defassawaterbokken rondzwerven langs de noordkant van het meer. Ook in het noorden, waar het water het diepst is, houden zich kleine groepen nijlpaarden op. Impala's komen rond het hele meer voor.

Er loopt een goede weg rond het meer en er zijn verschillende afslagen naar plekken aan de oever waar u de vele watervogels goed kunt observeren. De meest geschikte plek is **Pelican Point** aan de zuidwestelijke oever.

Bij lage waterstanden moet u aan de westelijke oever opletten. Op zulke momenten bevinden de vogels zich ver weg en u zou in de verleiding kunnen komen om over de zoutvlakte nog wat dichter naar het water te rijden. Wie de rest van de dag zijn auto niet uit de modder wil graven, kan dat idee maar beter uit zijn hoofd zetten.

Het park telt verscheidene onderkomens: de **Lake Nakuru Lodge**, op een heuvel aan de zuidoostkant van het meer, de **Sarova Lion Hill Lodge** waarvan de cottages net zo indrukwekkend zijn als het fraaie uitzicht of in het zuiden het vredige kleine **Naishi House** voor 8 personen, ook met een mooi uitzicht. Verder zijn er nog twee prachtige kampeerterreinen in de acaciawouden. Het ene ligt in de buurt van de hoofdingang, het andere bij een **waterval** aan het zuideinde van het park.

Nakuru ligt op slechts enkele kilometers van het park. Als hoofdstad van de provincie Rift Valley is deze onaantrekkelijke, lawaaiige stad met 165 000 inwoners het belangrijkste verkeersknooppunt en het agrarische centrum van het gehele achterland. Nakuru is de vierde stad van Kenia en een van de oudste steden in het binnenland. In 1903 vestigden zich hier reeds de eerste kolonisten.

Naast het Nakurumeer en Hyrax Hill is er in de omgeving van de stad nog een bezienswaardigheid: de 2278 m hoge **Menengai Crater ❾**, waarvan de vul-

Rechts: Water is uiterst kostbaar en moet vaak van ver worden gehaald.

kaankegel de wijde omgeving overheerst. De enorme krater heeft een diameter van 12 km en is tot 300 m diep. Alleen goed geoefende bergbeklimmers kunnen zich aan de steile afdaling wagen. De krater kreeg zijn naam Menengai ('plaats van de lijken') na een veldslag in de tweede helft van de negentiende eeuw waarbij Masaikrijgers leden van een andere Masaistam over de rand in de afgrond wierpen.

Thomson's Falls

Vanuit Nakuru kan men een uitstapje maken naar de waterval van **Nyahururu ❿**. Van een hoogte van ruim 72 m stort het water van de eertijds naar een Schotse onderzoeker genoemde **Thomson's Falls** zich indrukwekkend naar beneden.

2 km ten oosten van Nakuru buigt de B 5 naar het noorden af richting Nyahururu. De asfaltweg passeert Menengai (mooi uitzicht in de krater), circa 30 km verderop kruist de weg de evenaar (borden en souvenirwinkels geven dit aan) en komt dan 7 km voorbij het dorp **Su-bukia** bij een **uitzichtpunt** op 2550 m hoogte. Spoedig daarna bent u in Nyahururu.

De plaats Nyahururu (25 000 inw.), die tot 1973 ook Thomson's Falls heette, is een agrarisch centrum in de Aberdare Mountains, met een eigen markt, een zaagmolen en een eindstation van de spoorlijn. De prachtige oude, van inheemse houtsoorten gebouwde **Thomson's Falls Lodge** staat bij de waterval en biedt comfortabel onderdak en goede maaltijden. Behalve de waterval is er in de omgeving van de stad weinig tot niets te zien. Dat de waterval toch een grote stroom toeristen trekt, komt vooral door de gunstige ligging.

De weg naar Thomson's Falls, die slechts op zo'n 500 m van het stadscentrum ligt, is goed aangegeven. Op het terrein van de lodge ligt het enige beveiligde **observatieplatform**, dat zowel de toeristen als de alomtegenwoordige souvenirverkopers een prachtig uitzicht op de waterval biedt. (Vrije toegang voor bezoekers van buiten.) Wie hier echter in de droge tijd komt moet rekenen op een ernstige teleurstelling: de

grootste waterval van Kenia is dan niet meer dan een miezerig gedruppel. Toch staat hier een waterkrachtcentrale.

Langs een onbeveiligd pad kunt u op eigen risico naar een vijvertje onder de waterval klimmen. Er zijn enige onbeveiligde klauterpaden naar de top van de waterval. Hier is voorzichtigheid geboden want de rotsen kunnen zeer glibberig zijn. U moet dezelfde weg terugnemen want de sterk geërodeerde rotsen bieden geen veilige ondergrond.

Een bezoek aan Thomson's Falls kan gemakkelijk worden gecombineerd met een ritje door het Aberdare National Park, waar men in de lodge een drankje of een hapje kan gebruiken. Ook overdag kan het hier behoorlijk fris zijn, dus neem een trui of jack mee.

BOGORIAMEER

U kunt het **Bogoriameer** in één dag bezoeken vanuit Nakuru of uw reis naar

Boven: Aan het Lake Bogoria. Rechts: De vissers met hun bootjes bieden een eeuwenoude aanblik op het Lake Baringo.

het verder naar het noorden gelegen Baringomeer ervoor onderbreken. Beide meren zijn gemakkelijk te bereiken via de Nakuru-Baringoroute, die vlak achter Nakuru om de westkant van de Menengaikrater heenloopt. Na 38 km buigt bij **Mogotio** een alleen voor vierwielaandrijving geschikt pad van de hoofdweg af naar de Emsos Gate en Maji Moto Gate van het Bogoria National Reserve. Blijft u op de hoofdweg, dan passeert u kort achter Mogotio de **evenaar**. Na 97 km slaat u kort voor Marigat rechtsaf (in zuidoostelijke richting) en daalt u in het dal af naar het ****Lake Bogoria National Reserve ⓫**, waar men zich te voet vrij kan bewegen.

Het 30 km² grote, ongeveer 9 m diepe **Bogoriameer** ligt midden in een romantisch landschap, gekenmerkt door donker lavagesteente in een diepe kom (990 m boven zeeniveau). Aan de oostzijde verheft zich het 1600 m **Siracho Escarpment**. Het sterk alkalische water trekt vele **dwergflamingo's** aan en reizigers die bij het Nakurumeer nog niet genoeg hebben gezien, kunnen bij het Bogoriameer nog eens hun hart op-

kaart p. 142, info p. 155

Great Rift Valley 8

halen. Omdat er weinig vis in het meer zit, komen pelikanen hier hooguit even langs voor een kort bezoek.

Behalve de flamingo's zijn ook de **geisers** een hoofdattractie in dit park. Op de westelijke oever schieten warme bronnen als kleine geisers uit de bodem op en verspreiden een zwavelachtige lucht. U dient uiterst voorzichtig over deze aardkorst te lopen, want die is dun en het water eronder gloeiend heet! Op een afstandje van de bronnen is het water minder heet en zeer geschikt voor een heerlijk warm bad.

Parallel aan de westelijke oever van het meer loop een weg die vanaf de **Loboi Gate** in het noorden tot aan de warme bronnen geasfalteerd is. Het daarop aansluitende pad naar het zuiden van het park is alleen met vierwielaandrijving berijdbaar. Het voert door een fraai landschap, een met acacia's begroeide grassavanne. Met een beetje geluk stuit u onderweg op een **luipaard** of op de **grote koedoes**, een antilopesoort, met spiraalvormige hoorns.

Als u een kampeeruitrusting bij zich heeft, kunt u aan de zuidzijde van het meer op drie verschillende campings overnachten.

Het einde van het pad is de **Fig Tree Campsite**, de weg langs de oostoever, terug naar de Loboi Gate is sinds een aardverschuiving onbegaanbaar.

In de lokale legenden staat het Bogoriameer bekend als de plaats van 'de verloren stam'. Het verhaal gaat als volgt: 'Vele eeuwen geleden, lang voor zich hier een meer bevond, woonden in dit gebied twee stammen, de Sokomo en de Kamale. De gastvrije Sokomo waren altijd bereid om langskomende reizigers een warm welkom te bereiden en hun eten en drinken aan te bieden. De gierige Kamale daarentegen ergerden zich aan de eisen van de reizigers en zetten hun zure melk, bedorven vlees en beschimmelde groenten voor. Dit wekte de woede op van de god Chebet, die zware regens op hen neer deed storten. Onder het gewicht van deze zondvloed, die dagen duurde, zakte het land in elkaar, maar het water steeg onophoudelijk en vormde een meer dat de dorpen onder water zette. De Sokomo konden zich op de heuvels in veiligheid bren-

gen, maar het dorp van de luie Kamale verdween in de vloed.

Tot op de dag van vandaag, meestal 's nachts, kan men de Kamale horen jammeren.'

BARINGOMEER

Het **Baringomeer** ⑫ ligt 40 km ten noorden van het Bogoriameer en 115 km van Nakuru. Een goed aangegeven zijweg naar rechts loopt 16 km ten noorden van **Marigat** van de hoofdweg naar de **Lake Baringo Club**, op de westelijke oever van het meer. Aan de pier, 2 km voorbij de ingang van de club, ligt altijd een boot klaar, ook 's avonds laat, om reizigers over te varen naar het eiland **Ol Kokwe**, waarop het betoverende **Island Camp** ligt. De overtocht duurt ongeveer 20 minuten.

Omdat het Baringomeer net als het Naivashameer een zoetwatermeer is – hoewel het geen zichtbare afvoerkanalen heeft – vermoedt men dat ook het Baringomeer over onderaardse drainagekanalen beschikt. Omdat er uit de hele omgeving rode aarde naar het meer wordt meegevoerd, heeft het water naar gelang de stand van zon allerlei kleuren, van geel tot rood en bruin, en soms zelfs purper.

In het water zwemt van alles rond: nijlpaarden en kleine krokodillen, maar ook barbelen, meervallen en tilapia's. U kunt ervan verzekerd zijn dat deze smakelijke vissen in de Lake Baringo Club of in het Island Camp in vele variaties op het menu zullen staan.

De omgeving van het Baringomeer is niet direct beroemd vanwege het vele wild, maar het is een troost dat men hier na het invallen van de duisternis goed **nijlpaarden** kan observeren wanneer ze het grasveld rond de club bemesten of tussen de tenten van **Robert's Campsite** langs de oever staan te grazen.

Hartstochtelijke ornithologen zullen zich hier in het paradijs wanen: in het Baringogebied zijn meer dan 480 vogelsoorten waargenomen.

Boven: Een regenboog staat boven het woelige Lake Baringo

Tijdens de regenperioden moet u echt een boottocht op de rivier de **Molo** maken, daar u dan van dichtbij kleinere soorten **krokodillen** en vele schitterende **vogels** kunt observeren, zoals eenden, reigers, steltlopers, plevieren en ijsvogels. De vogels lijken zich weinig van de boot aan te trekken, zelfs niet als hij vlak langs ze vaart. Ook de vogels in de tuin van de Club en in het Island Camp lijken gewend aan de talloze, met verrekijker uitgeruste bezoekers.

Korte wandelingen buiten het Island Camp zijn niet zo zinvol, omdat men in de directe omgeving van het kamp afval recycled met behulp van geiten, die het eetbare uit het overal neergeworpen afval pikken. Als u echter wat verder loopt en de bewoonde wereld achter u laat, moet u vooral eens naar het hoogste punt van het eiland wandelen. Uw moeite wordt beloond met een fantastisch uitzicht. En misschien vindt u er ook wel een roze stenen woestijnroos.

's Ochtends en 's avonds organiseert de ornitholoog van de Club excursies voor vogelliefhebbers. De ochtendexcursie voert naar de 3 km van de Club gelegen vuur van een steile rotswand, waar verscheidene vogelsoorten kunnen worden bewonderd die in deze droge gebieden leven. De avondexcursie voert naar de zuidoever van het meer.

Het Island Camp organiseert boottochten en heeft voor zijn bezoekers ook waterski- en windsurfuitrustingen ter beschikking. Weliswaar is er overdag zelden voldoende wind, maar 's avonds staat er vaak een stevige bries.

Het Camp regelt ook uitstapjes naar een **Njempsdorp** waar men naar hartelust mag fotograferen zonder dat men bang hoeft te zijn dat iemand zich daaraan stoort. Bovendien wordt het dorpshoofd ervoor betaald.

Een ander uitstapje brengt u naar de **ruïnes** van een rond 1900 gebouwd fort aan de oostoever van het meer. Het **fort** werd kort nadat het was voltooid alweer verlaten omdat de muskieten het leven van de bewoners tot een hel maakten.

LAKE BARINGO

ACTIVITEITEN: De lodges ter plaatse organiseren boottochten, vogelkijken met gids, een bezoek aan een *Njemps*-dorp, waterskiën bij het Island Camp, kameelrijden bij de Lake Baringo Club.

LAKE BOGORIA

Lake Bogoria National Reserve, dgl. 6-19 uur, 3 campings in het zuiden van het park (4WD!). **Papyrus Inn**, bij de Loboi Gate, camping, bar, restaurant, kamers, fietsverhuur. **Lake Bogoria Hotel**, ca. 3 km. vóór de gate.

NAIVASHA (☎ 050)

Lake Naivasha Country Club, middagbuffet in de open lucht. **Crater Lake Camp**, aanbevelenswaardig restaurant aan de oever van de Green Crater Lake.

UITSTAPJES: **Hell's Gate National Park**, dgl. van zonsop- tot zonsondergang open, Info Centre bij de Elsa Gate. Fietsverhuur in de Country Club en Fisherman's Camp. **Crater Lake Game Sanctuary**, ten westen van het Naivashameer, bereikbaar met eigen vervoer of met de Matatu, dgl. vertrek om 15 uur in Naivasha en 9 uur bij het Crater Lake, wandelpad om het meer, goede camping. **Mt. Longonot National Park**, dgl. 6-18.30 uur, rangerbegeleiding aan te bevelen, wandeling parkeerplaatskraterrand 2 uur, de krater rond in 3 à 4 uur.

NAKURU (☎ 051)

Oyster Shell, Kenyatta Ave, goede Indiase en westerse keuken. **Nakuru Sweet Mart**, Gusii Rd. en Moi Rd., kostelijke Indiase *thali's*, taart, gebak, goedkoop.

UITSTAPJES: **Lake Nakuru Nationaal Park**, hoofdingang 4 km ten zuiden van Nakuru, hier een overzichtskaart van de KWS verkrijgbaar. **Hyrax Hill**, prehist. opgraving 4 km ten oosten van Nakuru, dgl. 9.00-18.00 uur, museum. **Kariandusi**, prehist. opgraving aan de weg naar Naivasha, dgl. 8.00-18.00 uur, klein museum.

8

Great Rift Valley

MIDDEN-KENIA

**THIKA EN OMGEVING
RONDOM MOUNT KENYA
ABERDARE MOUNTAINS
SOLIO GAME RESERVE
MOUNT KENYA
MERU NATIONAL PARK
MWEA NATIONAL RESERVE
SAMBURU / LAIKIPIA / MARALAL
MARSABIT**

Ten noorden van Nairobi, tot aan de vlakten van **Laikipia** en **Embu**, strekt zich het centrale hoogland van Kenia uit. Zowel de tweelingbergen van **Mount Kenya** als de **Aberdare Mountains** liggen in het hart van het land. Al aan het begin van de 20ste eeuw vestigden vele Europese kolonisten zich in dit vruchtbare hoogland en verdrongen de lokale bevolking, de Kikoejoe. Uit deze tijd stamt ook de bijnaam *White Highlands*, zoals het gebied sindsdien wordt genoemd. Tegenwoordig wordt het gebied weer voornamelijk bevolkt door Afrikanen, die hier als boeren wonen en werken.

Er zijn hier twee nationale parken om de flora en fauna te beschermen: het **Aberdare National Park** en het **Mount Kenya National Park**. Aan de oostelijke en zuidelijke rand van het hoogland liggen het beroemde **Meru National Park** en het kleine **Oldoinyo Sabuk National Park**, beide een bezoek waard. De belangrijkste verkeersverbindingen tussen Nairobi en het hoogland in het noorden zijn de route via **Thika** en **Nyeri** naar **Nanyuki** en de route via Thika naar **Embu** en door naar **Meru**. Beide zijn goed aangelegd en in

Voorgaande pagina's: Heuvels, dalen en kleine dorpjes kenmerken het gebied rond Nyeri. Links: Groot kruiskruid op de Mount Kenya.

ieder seizoen begaanbaar. De belangrijkste verkeersader die naar het gebied ten oosten van Nairobi voert, is de route via Thika naar **Garissa**.

THIKA EN OMGEVING

Thika ❶, een stadje met 70 000 inwoners, 40 km ten noordoosten van Nairobi, is vooral van belang om zijn industrie en als verkeersknooppunt van de routes naar het westen en het noorden van het land. Thika heeft ook een zekere bekendheid gekregen door het boek *The Flame Trees of Thika*, dat verhaalt over de eerste Europese kolonisten. Bovendien is Thika bekend vanwege zijn vele **ananasplantages**, eigendom van het alom bekende Amerikaanse concern *Del Monte*. Verder heeft het plaatsje echter weinig te bieden, behalve wellicht een aangename tussenstop in het **Blue Post Hotel**.

Het Blue Post Hotel wordt ook wel 'hotel tussen de watervallen' genoemd, want op het terrein van het hotel storten twee watervallen zich in de diepte: de **Chania Falls**, rechts van de hotelingang, en de **Thika Falls**, aan de linkerkant. De Chania Falls, idyllisch door bomen omgeven, tuimelt van een hoogte van 25 m naar beneden. Vanaf het hotel voert een pad naar de 200 m verderop gelegen Thika Falls en u zult verrast zijn hoezeer de beide watervallen ver-

kaart p. 160-161, info p. 177

Midden-Kenia **9**

159

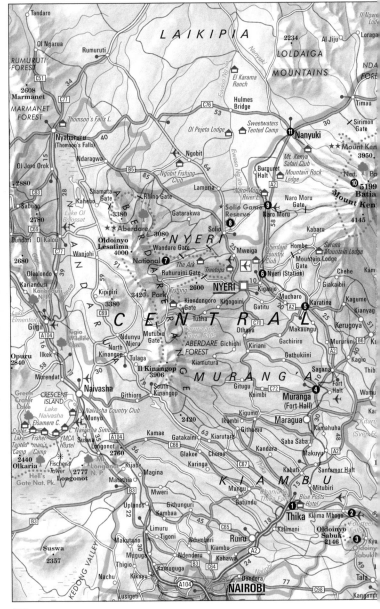

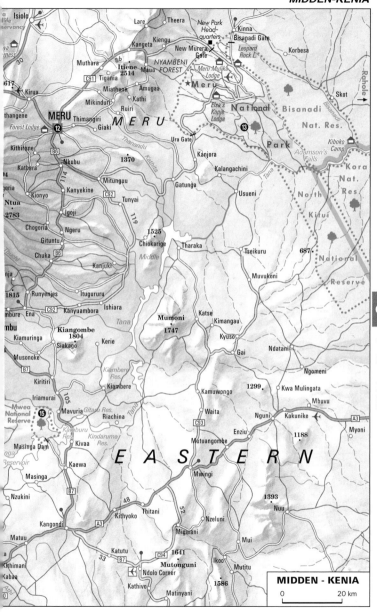

schillen. De Thika Falls wordt door hoge, dichte bomen bijna geheel van het hotel afgeschermd en ziet er veel wilder en somberder uit dan de Chania Falls, hoewel beide ongeveer even groot zijn.

Het Blue Post Hotel, met zijn liefdevol verzorgde omgeving en de fraaie, oude bomen, is overigens een van de oudste hotels in heel Kenia. In 1907 logeerde Winston Churchill hier al.

Oldoinyo Sabuk National Park en Fourteen Falls

Vanuit Thika is het mogelijk om een interessant uitstapje te maken naar het Oldoinyo Sabuk National Park of een tussenstop te maken bij de fascinerende Fourteen Falls. Voor deze tocht moet u de weg naar Garissa nemen. Al gauw ziet u rechts de **Mount Oldoinyo Sabuk** (2145 m) opdoemen; om de voet ervan slingert de rivier de **Athi**. 20 km ten oosten van Thika komt u na een afslag naar rechts op een met rode stof bedekt pad naar het nationale park terecht. Dit pad is bij elk weer goed begaanbaar. Auto's die wat laag op de wielen staan, moeten echter wel langzaam en voorzichtig rijden (rotsblokken!).

Hoe de **Fourteen Falls** ❷ aan hun naam komen is niet duidelijk, omdat naar gelang de waterstand verandert, ook het aantal watervallen varieert. Na zware regenval komen een aantal kleintjes samen en worden een grote brede stroom. Vanaf de rand van de waterval heeft men een adembenemend uitzicht op de enorme watermassa's die hier 27 m naar beneden storten.

De regering richtte na een aantal overvallen een aantal jaren geleden een politiepost op bij het nabijgelegen dorpje Oldoinyo Sabuk waarvandaan dagelijks een team agenten naar de waterval gestuurd wordt om die te bewaken, evenals naar het hoger gelegen National Park. Sinds men patrouilleert hebben

Rechts: Een kudde olifanten in Aberdares National Park.

zich nooit meer dergelijke incidenten voorgedaan.

Via het pad komt u iets verder naar het zuiden uit bij het slechts 20 km^2 grote **Oldoinyo Sabuk National Park** ❸. Op de bosrijke berghellingen leven hyena's, luipaarden, verschillende apensoorten, bosbokken en waterbokken. Het park wordt echter gedomineerd door **buffels**, waarnaar de berg – in de taal van de Masai 'berg van de buffels' – genoemd werd. De dichte vegetatie van het bergwoud wordt gevormd door proteastruiken wat typisch is voor de bergwouden in Oost-Afrika en biedt onderdak aan talloze vogelsoorten. De drie uur durende beklimming (uit veiligheidsoverwegingen en vanwege de buffels alleen onder begeleiding van rangers) biedt fraaie panorama's. De top met een zendmast is tamelijk dicht begroeid. Bij helder weer kunt u zelfs in de verte de met sneeuw bedekte toppen van Mt. Kenya en de Kilimanjaro zien.

Terug op de hoofdweg kunt u over een stille weg door een dun bevolkt gebied naar het oosten rijden, naar Garissa. Deze plaats kan als startpunt dienen voor een tocht door het Meru National Park (zie p. 168).

– RONDOM MOUNT KENYA –

Een rondrit door het **Mount Kenya National Park** is één van de hoogtepunten van een reis door het landschap van Kenia. Vanuit Thika voert de route in noordelijke richting eerst tussen de Mount Kenya en de Aberdare Mountains door tot Nanyuki. Het eerste wat grotere stadje op de route is **Muranga** ❹, het voormalige Fort Hall. In de **St. James Church** is het indrukwekkende werk van de Tanzaniaanse schilder Elimo Njau te bewonderen.

De weg van Muranga naar **Sagana** slingert door vruchtbare velden en komt uit in het drukke stadje **Karatina** ❺. Het *matatu*- en busstation vormt het centrum van de drukke markt in het stadscentrum.

Verder op de weg naar het noorden moet men al gauw een keuze maken tussen de route die regelrecht naar Nanyuki voert en een wat langere route via **Nyeri ❻**, met 53 000 inwoners de voornaamste stad in het Kikoejoegebied. Dit is het beginpunt van een de belangrijkste toegangswegen van het Aberdare National Park. Het stadje Nyeri ligt op 1790 m hoogte en is bekend als woonplaats van de grondlegger van de padvinderij, Lord Baden-Powell die er van 1938 tot zijn dood in 1941 woonde. Zijn graf bevindt zich in het centrum van de stad.

Rond zijn voormalige woning werd het zeer succesvolle **Outspan Hotel** gebouwd, dat vanwege zijn mooie tuinen en sportvelden en zijn omvangrijke aanbod van allerlei excursies heel populair is. Behalve wandelingen langs de oevers van de **Chania River** of uitstapjes naar de nabijgelegen Aberdare Mountains, biedt het Outspan Hotel zijn gasten de mogelijkheid om te vissen, te golfen of opvoeringen van traditionele dansen bij te wonen. In het hotel bevindt zich de receptie van de Treetops Lodge in het Aberdares National Park. Met eigen vervoer van het hotel wordt u erheen gebracht.

★★ABERDARE MOUNTAINS

Wilde, romantische berglandschappen, steile klippen en groene dalen, dat alles vindt men in het **★★Aberdare National Park ❼**. De bijna 70 km lange bergketen strekt zich uit langs de Oost-Afrikaanse Slenk, met toppen die een hoogte van 4000 m bereiken. In de regentijd zijn de wegen in het park nauwelijks begaanbaar.

In het noorden, bij **Oldoinyo Lesatima**, bereiken de Aberdare Mountains een hoogte van 4000 m, 40 km ten zuiden daarvan verheft zich de 3906 m hoge **Kinangop**. Daartussen ligt het *moorland*-plateau, een met graspollen en heide begroeid, heuvelachtig gebied. Naar het oosten hebt u een schitterend uitzicht op de Mount Kenya, in het westen kunt u gemakkelijk de Great Rift Valley onderscheiden en bij helder zicht zelfs het Naivashameer en het daarachter gelegen Mau Escarpment.

9

Midden-Kenia

De watervallen in de Aberdares vormen een uniek schouwspel. De **Gura Falls**, de grootste waterval van Kenia, storten meer dan 300 m naar beneden in de gelijknamige rivier. Vrijwel pal daartegenover vallen met donderend geraas de 275 m hoge **Karura Falls** in de diepte. Zij monden uit in de rivier de **Chania**.

In de Aberdare Mountains leven onder meer olifanten, buffels, water-, bosen rietbokken, elandantilopen, bongo's, duikers, muskusbokjes, rivier- en wrattenzwijnen, leeuwen, bavianen, hyena's en bovendien ongeveer 60 witte neushoorns.

De kriskras door het park lopende wegen werden grotendeels door Britse troepen aangelegd gedurende de onafhankelijkheidsstrijd in de jaren vijftig van de vorige eeuw. De belangrijkste route is de gedeeltelijk geasfalteerde, tot een hoogte van 3170 m omhoogvoerende weg van Nyeri naar Naivasha.

Boven: Een ontmoeting met impala's is op safari door Kenia bijna gewoon.

De hotels in de Aberdare Mountains, ooit opgericht als observatieposten en uitzichtspunten, bereikt men via Nyeri. Het Outspan Hotel in Nyeri is het vertrekpunt voor excursies naar het beroemdste boomhuis ter wereld, **Treetops Lodge**. Dit uitzonderlijke hotel, midden in een bosgebied van de Aberdare Mountains en in de buurt van een drinkplaats, is gebouwd in de toppen van een aantal reusachtige bomen en is alleen via ladders te bereiken. Een gedenksteen herinnert aan het memorabele verblijf van prinses Elizabeth en de hertog van Edinburgh in dit hotel. In de nacht die zij hier eens doorbrachten, vernamen zij belangrijk nieuws: koning George VI was overleden en de prinses was opeens koningin Elizabeth II van Engeland geworden.

De elegante boomherberg **The Ark** biedt zijn gasten nog meer comfort en luxe dan de Treetops. Het hotel is te bereiken via de Aberdare Country Club dat zich iets buiten het park bevindt ten noorden van Nyeri bij **Mweiga**. Het boomhotel heeft plaats voor 79 gasten. Bij het vallen van de duisternis kan men aan de drinkplaats bij het hotel behalve veel vogels ook bosbokken, olifanten en buffels zien. Elke verdieping van het hotel beschikt over een observatieplatform met een comfortabele, glazen lounge, waar men de hele nacht naar de dieren kan kijken.

De **Aberdare Country Club** heeft uitstekend viswater in het deel van de rivier dat binnen de grenzen van het clubterrein ligt. Hier heeft men goede kansen om forellen te vangen. De club biedt verder een verschillende activiteiten zoals wandelen, paardrijden, tennissen en het observeren van vogels. De gasten van The Ark en van de Aberdare Country Club kunnen óf zelf met de auto uit Nairobi hierheen rijden, óf kunnen afgehaald worden van de nabijgelegen landingsbaan **Mweiga Airstrip**.

*Solio Game Reserve

Op weg naar het noorden, langs de oostelijke uitlopers van de Aberdare Mountains bereikt u, net voorbij aan **Mweiga**, het plaatsje **Solio**. Opmerkelijke is het *Solio Game Reserve ❽. Dit particuliere wildreservaat, dat zich over een gebied van 25.600 ha uitstrekt tussen de uitlopers van de Aberdare Mountains en de Mount Kenya, wordt beheerd door het echtpaar Parfet. Deze bijzondere natuurbeschermers hebben uitzonderlijk veel succes geboekt bij het fokken van neushoorns. In een tijd dat in heel Afrika en Azië de neushoorn in rap tempo werd uitgeroeid, lukte het de Parfets om zowel zwarte als witte neushoorns te fokken. In hun privépark van 5600 ha leven nu meer van deze dieren per km^2 dan op enige andere plaats ter wereld. Solio deelt zijn rijkdom aan neushoorns bereidwillig, zowel met andere wildreservaten waarvan de neushoornpopulatie is gedecimeerd of zelfs helemaal uitgeroeid, als met particuliere reservaten die dringend behoefte hebben aan nieuw bloed om met de neushoorns succesvol te kunnen fokken. Zo konden bijv. vijftien neus-

hoorns uit het Solio Reserve uitgezet worden in het Nakuru Rhino Sanctuary, waar nog maar één van deze dieren leefde. Drie andere dieren werden overgebracht naar Lewa Downs, vier naar Ol Pejeta en drie naar Ol Jogi, ten noorden van Nanyuki.

Het zorgvuldig onderhouden Solio Reserve heeft ook tot de vermeerdering van andere diersoorten geleid, zoals **buffels** en **zebra's**, die zij aan zij grazen met de neushoorn. Het reservaat is een van de laatste enclaves waar men het leven van de dieren der hoogvlakte, waaronder leeuwen en luipaarden, cheeta's, gazellen en zebra's, in een veilige en natuurlijke omgeving kan observeren. Behalve de struisvogel leven in het Solio nog talloze andere vogelsoorten, zoals de visarend, het helmparelhoen en de Meyerspapegaai. Op de vlakte aan de rand van het moeras midden in het reservaat komen onder meer steenbokken, bosbokken, duikers, spiesbokken, elandantilopen en reuzenzwijnen voor.

Over het goed onderhouden, 300 km lange wegennet kan men in elke uithoek van het reservaat komen. Het reservaat wordt beschermd door een hek dat onder stroom staat en door intensief patrouillerende parkwachters. Het gebied is toegankelijk voor door de Aberdare Country Club georganiseerde groepsreizen. U kunt ook overnachten op enkele eenvoudige campings.

Vanuit Solio loopt er een weg in noordoostelijke richting naar **Naro Moru ❾** waar u ook rechtstreeks vanuit Karatina heen kunt rijden (zonder de omweg via Nyeri en Solio). Zodra men het stadje midden in de groene heuvels achter zich laat, kan men genieten van het indrukwekkende uitzicht op de oude vulkaan Mount Kenya, vooropgesteld dat deze zijn meestal in wolken gehulde top laat zien.

Dicht bij het volgende dorp, Naro Moru, staat de **Naro Moru River Lodge**, belangrijk vertrekpunt voor een beklimming van de Mount Kenya (5199 meter).

9

Midden-Kenia

MOUNT KENYA NATIONAL PARK

De eerste Europeaan die, in 1849, een blik wierp op de Mount Kenya was de Duitse missionaris-ontdekkingsreiziger Johann Ludwig Krapf. In die tijd geloofde niemand dat zich op de evenaar een besneeuwde berg kon bevinden. Pas 34 jaar later werd Krapfs ontdekking bevestigd door de Schot Joseph Thomson. Sinds 1949 is het vulkaanmassief als **Mt. Kenya National Park** ⓾ een beschermd gebied, dat op meer dan 3200 m hoogte gelegen is.

De **Mount Kenya** met zijn drie besneeuwde toppen, de **Batian** (5199 m), **Nelion** (5189 m) en **Point Lenana** (4985 m), levert op heldere dagen een prachtige aanblik. Het is werkelijk de enige plek rond de evenaar waar altijd sneeuw ligt. De eigenaardige vorm van de uitgedoofde vulkaan is ontstaan door erosie van de as- en lavavelden en door de kracht van de gletsjers. Aan de voet van de een na hoogste berg in Afrika, die voor de Kikoejoe heilig is (het is de zetel van hun god Ngai), liggen vruchtbare landbouwgebieden en savannen. Het landschap verandert hoe hoger men op de berg komt van dichte regenwouden, bamboejungle en een drassig gebied in heideland met enorme lobelia's en kruisbloemigen in de hogere gebieden, tot uiteindelijk rotsen en sneeuw.

De vogelwereld van de Mount Kenya is uitermate gevarieerd, van enorme adelaars tot de kleurrijke honingzuiger. In de wouden onder de *moorlands* leven grote hoeveelheden dieren die vrij in de wildernis kunnen rondzwerven. Een ongewoon aspect is dat de leeuwen de *moorlands* delen met de zebra's die uit de lager gelegen vlakten komen. Ook vindt u hier talrijke soorten reptielen, zoals de bergpofadder, die uitsluitend in het gebied rond de Mount Kenya en in de Aberdare Mountains voorkomt.

Bergwandelingen en klimpartijen op de besneeuwde toppen van de Mount Kenya beginnen meestal bij de **Naro Moru River Lodge** bij Naro Moru (⑨).

Boven: De Mount Kenya, gezien vanuit het noorden. Rechts: De Mount Kenya Safari Club, opgericht door de acteur W. Holden.

Daar kunt u ook een uitrusting huren. De *Naro Moru Trail* is de kortste en meest populaire van alle routes op Mt. Kenya. Met een goede conditie kunt u, ook zonder veel bergbeklimmerservaring, Point Lenana in 4 dagen beklimmen. Voor Batian en Nalion moet u goed uitgerust en ervaren zijn. Het weer is er onvoorspelbaar, maar de beste tijd voor een beklimming zijn de maanden januari/februari en juli tot september.

In de zuidwestelijke, door wouden bedekte uitlopers van Mount Kenya die ook tot het nationale park behoren, ligt de met de auto gemakkelijk bereikbare **Mountain Lodge**, midden in het dichte regenwoud. Luxe accommodatie vindt u in de **Mount Kenya Safari Club** (te bereiken vanuit Nanyuki), gelegen in een tuin van zo'n 40 ha groot, met op de achtergrond het veelal in nevelsluiers gehulde bergmassief. Deze exclusieve club werd in 1958 opgericht door de filmster William Holden. Op de ledenlijst staan beroemdheden van over de hele wereld, maar ook gewone stervelingen en niet-leden zijn welkom in dit paradijs. Er zijn verschillende zwembaden, restaurants, bowling- en tennisbanen, een golfbaan met negen holes, een paviljoen en uitkijktorens voor het observeren van vogels.

★MERU NATIONAL PARK

Een paar kilometer ten noorden van Naro Moru herinneren een groot geel bord en wat souvenirwinkels eraan dat men zich hier op de **evenaar** bevindt.

Bij de zuidelijke toegang tot Nanyuki staan een tweede souvenirwinkel en nog een evenaarbord, daar neergezet door bedrieglijke souvenirhandelaars om zaken te kunnen doen.

Vanaf **Nanyuki** ⑪, centrum en marktplaats van de omliggende landbouwgebieden, met enkele mooie gevels uit de koloniale tijd, maar verder niet erg spectaculair, voert de route rond de Mount Kenya naar Meru. De weg loopt langs de droge noordflank van Mt. Kenya langzaam omhoog tot op 2000 m. Van hieruit heeft u een fraai uitzicht op de **Loldaiga Mountains** (links van u) en over de uitgestrekte savanne van Noord-Kenia. 50 km ten noordoosten

van Nanyuki bevindt zich een afslag linksaf naar Isiolo en Marsabit, en tegelijkertijd in de richting van de Ethiopische grens.

Verder rijdend over de hoofdweg komt u over een vooral dalende weg na 25 km bij **Meru** ⑫. Het is met zijn 75.000 inwoners het handels- en zakencentrum van de regio, waar hoofdzakelijk thee, koffie, maïs en tabak worden verbouwd. Vanaf hier is het nog ongeveer 80 km naar het ★**Meru National Park** ⑬ en de **New Murera Gate** in het noordwesten van het park. Het park beslaat een oppervlakte van 870 km². Het heeft een typisch Afrikaans *bush*-landschap, met moerassen, vulkanisch gesteente en weiden, dat een groot aantal vrij rondzwervende dieren herbergt.

In het Meru National Park werd de beroemde **leeuwin Elsa** geboren, die werd grootgebracht door de zoöloge en schrijfster Joy Adamson. Haar boek *Born Free* is aan de leeuwin opgedragen; het leverde het verhaal voor de ge-

Boven: In de bergachtige omgeving van Meru liggen koffieplantages.

lijknamige film en ook voor het bekende liedje. Het is nu alweer vier decennia geleden dat de leeuwin Elsa weer werd losgelaten in de wildernis om vrij rond te kunnen zwerven. Het onderzoekersechtpaar wende vele leeuwen die slechts gevangenschap kenden weer aan een vrij bestaan in de wildernis.

In het zuidoosten grenst Meru National Park aan het **Kora National Reserve**. Hier sleet George Adamson (p. 234) zijn laatste levensjaren. Hij kwam in 1989 om het leven tijdens een vuurgevecht met bandieten. Zijn vrouw Joy was al in 1980 vermoord. De *Elsa Wildlife Trust* heeft plannen voor de bouw van een museum dat aan het echtpaar en hun leeuwen zal worden opgedragen.

In het zuiden en oosten sluiten de reservaten **North Kitui Reserve**, **Bisanadi**, **Kora** en **Rahole** op het Meru National Park aan. Deze parken zijn alleen toegankelijk voor auto's met vierwielaandrijving. Om veiligheidsredenen wordt toeristen afgeraden zich in deze gebieden te begeven.

In het noordwesten van het pal op de evenaar liggende Meru Park staat de

2514 m hoge, indrukwekkende Nyambeni Range. De zuidgrens wordt gevormd door de grootste rivier van Kenia, de **Tana**. Nog vijftien andere rivieren, die alle ontspringen op de Mount Kenya, kronkelen door de wildernis van het Meru National Park. Daardoor heeft het Meru National Park op zijn betrekkelijk kleine oppervlak een ongehoord veelzijdige vegetatie en een enorme afwisseling in landschappen. Het Meru National Park behoort geografisch tot de meest afwisselende parken van Kenia. De weidse Afrikaanse savannen, de dichte, een gesloten dak vormende bergwouden en de moerasgebieden scheppen de voorwaarden voor een onvergelijkelijke rijkdom aan zoogdieren, reptielen en vogels.

De grootste attractie van het Meru ligt in de uitstekende observatiemogelijkheden voor **leeuwen** en **cheeta's**.

Tot de fauna van het Meru behoren ook een grote kudde **Grévy's zebra's**, die voornamelijk in het noorden van Kenia leven, zachtaardige **netgiraffen** en een groot aantal Somali **struisvogels**. Naast de vele zoogdieren vindt men in het Meru Park ongeveer een derde deel van alle 1068 in Kenia getelde vogelsoorten.

De Tana wordt bevolkt door krokodillen en nijlpaarden. In de dichte vijgen- en tamarindebossen langs de zijarmen van de Tana leven vele papegaaien en apen. Bij de pittoreske **Adamson Falls** versmalt de Tana plotseling en stort omlaag over verscheidene granieten terrassen. Indrukwekkend zijn hier ook de veelkleurige door het water veroorzaakte erosievormen van het gesteente. In de buurt van de watervallen ligt een nieuwe brug over de Tana, richting Kora National Reserve.

Het Meru National Park behoort nog altijd tot minst bezochte parken van het land. In de jaren tachtig van de 20ste eeuw maakten Somalische stropersbendes het gebied onveilig. Het wildbestand werd gedecimeerd, maar ook toeristen werden overvallen. Ondanks zware inspanningen zoals versterkte veiligheidsmaatregelen, een beter wegennet en de bouw van twee nieuwe luxe lodges is het park nog steeds niet 'herontdekt' door de bezoekers. U zult hier nauwelijks georganiseerde safari's tegenkomen, maar daarentegen wel veel ongerepte natuur. Omdat u er gemakkelijk verdwaalt, kunt u zich maar beter laten begeleiden door rangers.

De topaccommodatie in het park is momenteel **Elsa's Kopje Camp**, een nieuw, erg klein luxe kamp op een van de 'kopjes' (eenzame heuveltjes), die op vele plaatsen in het park uitsteken boven de vlakke savanne. Het uitzicht vanaf de veranda's en het zwembad is dan ook geweldig. Uitrusting en service zijn perfect, net als in Tortilis Camp, het zusterhotel in Amboseli.

De **Leopard Rock Lodge**, voorheen bestaand uit eenvoudige banda's voor individuele reizigers, werd intussen heringericht als comfortabele lodge.

Het recreatieaanbod in het park bestaat behalve uit *game drives* ook uit nachtelijke dierobservatietochten, wandelsafari's en boottochten. U kunt eenvoudig overnachten op diverse campings in het park of in de **Murera Bandas** meteen bij de parkingang.

Ten zuidoosten van Mt. Kenya, via Embu naar Mwea National Reserve

Als u het park verlaat en verder rijdt in zuidelijke richting over de landschappelijk fraaie weg aan de oostkant van Mount Kenya, dan is **Embu ⑭** (130 km van Meru, 23 000 inw.) de enige plaats van betekenis op de weg naar Thika en Nairobi. De plaatsnaam is ontleend aan de Embustam, die in deze omgeving woont. Het is het bestuurscentrum van de Eastern Province, ligt in een heuvelachtig, vruchtbaar en intensief gecultiveerd landschap en heeft een zeer prettig klimaat. Verder heeft Embu niet veel te bieden. Het kan echter wel dienen als uitgangspunt voor een bezoek aan het Mwea National Reserve.

9

Midden-Kenia

Ten zuiden van Embu zijn door een dam in de **Tana River** verscheidene reusachtige stuwmeren ontstaan die een groot deel van het land van elektriciteit voorzien. Aan de rand van de waterreservoirs ligt het 42 km² grote **Mwea National Reserve ⑮**, dat de laatste jaren steeds toegankelijker is geworden voor bezoekers. Aan de landzijde is het reservaat afgesloten met een elektronisch beveiligde omheining. Hier leven onder andere olifanten, krokodillen, buffels, kleine koedoe's, 200 verschillende vogelsoorten en nijlpaarden. Die kunt u perfect gadeslaan vanaf **Hippo Point**. U kunt hier op een camping overnachten.

★★SAMBURU, MARALAL EN MARSABIT

Het traditionele woongebied van de Samburu ligt in het ruige landschap ten noorden van de Mount Kenya, waar het **Samburu National Reserve**, **Shaba National Reserve** en **Buffalo Springs National Reserve** liggen, alsmede het **Maralal National Sanctuary**. Verder naar het noorden liggen nog twee andere interessante dieren- en plantenreservaten, het **Losai Reserve** en het **Marsabit Reserve**. Op een rondreis door deze gebieden zult u bekend raken met de totaal verschillende vegetatiezones van Kenia, van het groenbeboste hoogland tot het semi-woestijnlandschap rondom Samburu, met zijn vulkanische heuvels en rivieren.

Wanneer u het gebied rond de Mount Kenya verlaat en in de richting van **Isiolo** rijdt, constateert u al gauw een flinke stijging in temperatuur en de eerste aanwijzingen van de droogte van Kenia's noordelijke woestijn, hoewel hier in het overgangsgebied nog grote terreinen met gras zijn bedekt en de glooiende heuvels nog een zekere zachtheid aan het landschap geven.

De verharde weg eindigt in Isiolo. De rest van de route naar Marsabit voert over een stoffige, onverharde en moei-

Boven: Gewapende herder in Samburu-land. Rechts: De Grévy's zebra komt vooral voor in het Meru Park, het Samburu National Park en op het Laikipia Plateau.

lijk begaanbare weg. In de omgeving van **Archer's Post** ⑯ wordt het nog warmer. Dit is **Samburuland**. De trotse, lange Samburu met hun roodgele haar en hun bonte, toga-achtige, losjes over de schouder gedrapeerde *shukas* staan in de zon met hun lange speren in hun hand en bewaken hun grote kudden tegen veedieven.

In het kleine dorp buigt de toegangsweg naar het Samburu National Park af. Wie het als uitvalsbasis voor een bezoek gebruikt, kan overnachten in eenvoudige lodges of op diverse campings.

**Samburu National Reserve

Als een brede groene band strekken de bomen zich uit langs de rivieren die door het **Samburu National Reserve** ⑰ slingeren, een 165 km² groot gebied vol tegenstellingen ten westen van Archer's Post, op 315 km van Nairobi. Het reservaat is betrekkelijk klein. De voornaamste attractie van het park is de dichtheid van het enorme wildbestand. De dieren die hier leven, bewegen zich heen en weer tussen dit reservaat en het

131 km² grote **Buffalo Springs National Reserve** ⑱ aan de andere kant van de **Ewaso Ng'iro River**.

Hier wordt duidelijk hoe ongelooflijk fascinerend Afrika is: nu eens ziet u savannen met verschrompelde doornstruiken, termietenheuvels en afgesleten rotsheuvels, dan weer staat u voor het weelderige, oeroude woud op de oever van de **Ewaso Ng'iro**, een nooit droogstaande rivier en sinds mensenheugenis de levensader van dit gebied.

Het uitgebalanceerde ecosysteem van de savanne biedt een onderkomen aan de vele dieren waarmee de Samburu hebben leren samen te leven. De Grévy's zebra, die in andere delen van Afrika uiterst zeldzaam is, komt hier nog redelijk veelvuldig voor. Olifanten en buffels zijn hier niet al te talrijk, maar de grote aantallen antilopen trekken veel leeuwen en luipaarden aan.

De Ewaso Ng'iro (bruin water) is hier breed en rustig. Hij slingert zich door de savanne en biedt leefruimte aan angstaanjagende kolonies krokodillen (deze dieren kunnen meer dan 6 m lang worden) en aan nijlpaarden, die ofwel

9

Midden-Kenia

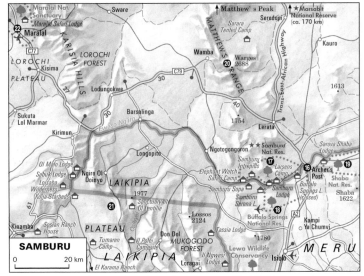

half onder water liggen, of op de mod-
derige oevers liggen te zonnen.

Voor overnachtingen kan men onder
andere terecht in de **Samburu Lodge**,
de **Samburu Serena Lodge**, het **Larsens Tented Camp** of op een van de
vele kampeerterreinen aan de oever.

Het derde van de in een driehoek liggende reservaten is het **Shaba National
Reserve ⓳** aan de oostkant van de
hoofdweg. Het is met een oppervlakte
van 239 km² het grootste van de drie
wildreservaten. Het is minder bekend
dan de andere twee, vooral omdat de
wegen er over het algemeen slechter
zijn dan in het Samburu, zodat men bij
regenachtig weer gauw vast komt te zitten. In de beboste heuvels en bij de vele
bronnen leven olifanten, buffels, leeuwen en zebra's.

De beroemde zoöloge Joy Adamson
heeft in het Shaba Reserve cheeta's
grootgebracht en met succes weer in het
wild uitgezet. Ze werkte aan een boek,

*Rechts: Een reusachtige Nijlkrokodil bij de
Ewaso Ng'iro River.*

maar werd in 1980 in het park vermoord
voordat zij het kon afsluiten. Direct aan
de **Ewaso Ng'iro River** ligt de betoverende **Sarova Shaba Lodge**.

Bergliefhebbers kunnen in de omgeving ten noorden van Archer's Post een
uitstapje maken naar de bergketen **Matthew's Range ⓴**. De Samburu noemen
deze bergketen *Ol Doinyo Lengeyo*, wat
'berg van het kind' betekent. Om deze
berg te bereiken neemt u bij Archer's
Post de weg naar het noorden en slaat na
ongeveer 20 km achter het plaatsje **Le-
rata** af naar links, richting Maralal. Na
circa 40 km gaat u dan rechtsaf, het
dorpje **Wamba** in. De dichtst bij gelegen top is de 2688 m hoge **Warges**, die
ook voor onervaren bergbeklimmers
gemakkelijk te beklimmen is. Toch doet
u er verstandig aan een lokale gids mee
te nemen. Wanneer u over de onverharde wegen verder het Matthew's Range-
gebied inrijdt, komt u in een heerlijk
berglandschap met groene weiden en
heldere beekjes en vijvers. De weg is alleen met terreinwagens begaanbaar.
Aan het eind ervan lokt de zeer lonende
beklimming van de 2375 m hoge **Mat-**

thew's Peak. Win echter van tevoren beslist informatie in over de veiligheidssituatie!

★Laikipia Plateau

De route naar Maralal loopt ten noorden langs het ★**Laikipia Plateau** ㉑. Door dit heuvelachtige, droge savannelandschap ten noordwesten van Mt. Kenya lopen de rivieren Ewaso Ng'iro en Ewaso Narok. Veel privéranches hebben de enorme **rijkdom aan wild** hier de laatste jaren benut om op eigen terrein zeer luxueuze Camps op te richten. Ter bescherming van het wild werd in 1992 het Laikipia Wildlife Forum (www.laikipia.org) opgericht. In en om het **Laikipia National Reserve** kunt u met een beetje geluk alle vertegenwoordigers van de 'Big Five' bezichtigen. Enorme olifantenkuddes trekken jaarlijks door het gebied en meer dan 50 % van Kenia's puntlipneushoorns en andere inheemse diersoorten (b.v. de **Grévyzebra**, **netgiraffe** of het **Jackson's hartebeest**) leven hier. Een bezoek aan een van de privéranches is een ideale ma-

nier om de wildernis van Kenia te ervaren buiten de toeristenstroom van de grote parken om.

Maralal Game Sanctuary

Over rotsachtige wegen (106 km vanaf de kruising bij Wamba) bereikt u ten slotte **Maralal** ㉒. Het plaatsje van 21 000 inwoners ligt hoog in de heuvels boven het Lorochi Plateau aan de rand van de wildernis van Noord-Kenia. De wegen zijn stoffig, winderig, bij regen moeilijk berijdbaar en worden omzoomd door de kleurrijke *duka's*. Samburukrijgers domineren het straatbeeld.

Veel toeristen onderbreken hier hun reis naar Lake Turkana en moeten zich dan teweer stellen tegen een ongelooflijk aantal opdringerige souvenirhandelaren. Vanwege de grote droogteperioden in de afgelopen jaren hebben veel jongemannen hun traditionele leven als Samburunomade opgegeven en proberen nu op deze manier in hun levensonderhoud te voorzien. Wie de 3de zaterdag van oktober in de omgeving is, mag de sinds 1990 jaarlijks gehouden Mara-

9

Midden-Kenia

lal International **Camel Derby** niet missen. De entree is $ 30 en in de amateurklasse mag iedereen deelnemen.

Maralal ligt aan de rand van het **Maralal National Sanctuary**. Er leven impala's, elandantilopen, buffels, zebra's, wrattenzwijnen en bavianen.

De **Maralal Safari Lodge** ligt niet ver van de stad en heeft voor zijn bezoekers gemoedelijke houten huisjes ter beschikking, die in de Zwitserse bergen niet zouden misstaan. De open haarden in de huisjes zult u in de koele avonduren zeker weten te waarderen. Het kan op dit 1900 m hoge plateau 's nachts behoorlijk fris worden. De lodge werd gebouwd op slechts enkele meters van de doorlopend gevulde drinkplaatsen van het park.

Vanaf de veranda heeft men uitstekende mogelijkheden om de dorstige dieren op weg naar de **drinkplaats** te observeren. Er worden hier ook excur-

Boven: De verlaten, hobbelige weg naar het noordelijke Maralal. Rechts: In de buurt van de Maralal Safari Lodge is het mogelijk luipaarden te observeren.

sies georganiseerd naar een plaats waar vlees wordt opgehangen om **luipaarden** te lokken – meestal met succes.

Wie in noordelijke richting op weg is naar het Turkanameer of in oostelijke richting naar Marsabit heeft in Maralal de laatste gelegenheid geld te wisselen en te tanken.

*Marsabit National Reserve

Wanneer u van **Archer's Post** (**16**) verder naar het noorden rijdt over de *East-African Highway*, dan komt u over deze vooral na hevige regen catastrofale weg via Marsabit bij Moyale aan de grens met Ethiopië. Momenteel moet hier onder politiebegeleiding in konvooi gereden worden, omdat u gevaar loopt overvallen te worden door bandieten, *shifta* genoemd. De *shifta* behoren tot een Somalische stam die aanspraak maakt op dit gebied en guerilla's op pad stuurt om afgelegen dorpen te overvallen of eenzame voertuigen te overvallen en te plunderen.

Net voor **Laisamis**, de grootste plaats tussen Archer's Post en Marsabit,

komt u door het **Losai Animal Reserve**. Het reservaat werd in 1976 geopend, maar is tot nu toe nauwelijks ontsloten voor toerisme.

Achter Laisamis komt de weg uit op de stoffige eenzaamheid van de **Sagererua lavaplateaus** en de **Kaisutwoestijn**. De monotonie van deze zwarte lavawoestijn wordt slechts hier en daar onderbroken door bizarre rotsen die als paddestoelen uit de woestijnbodem lijken op te springen.

Na 50 km passeert u **Loga Loga** met slechts een paar marktkraamachtige winkeltjes en bereikt al vrij snel daarna (258 km van Isiolo) de al Somalisch aandoende stad Marsabit (1400 m boven de zeespiegel; 22 000 inwoners).

De stad ligt temidden van het 1222 km² grote, uit savanne en woestijn bestaande ***Marsabit National Reserve**. Midden in het reservaat zijn de toppen van Mt. Marsabit door het 360 km² grote **Marsabit National Park** beschermd gebied geworden.

Voor de vermoeiende tocht over land wordt men bij aankomst in het Marsabit ruimschoots beloond. Midden in de la-

vawoestijn en tussen de afgesleten heuvels verheft zich de 1707 m hoge **Mount Marsabit** als een soort groene oase. De groene kleur is een gevolg van de regenwouden die de flanken van de berg bedekken. De berg is de belangrijkste waterbron voor de gehele regio. Deze bossen met hun vrijwel ondoordringbare groene dak contrasteren sterk met de droge savanne in de omgeving. De daarbij ontstane vegetatiezones zijn indrukwekkend. Lavavelden en talrijke kraters duiden op de vulkanische oorsprong van de berg.

Vanaf de hoofdingang van het park loopt een weg dwars door het dichte woud naar de eerste krater, de **Gof Sokorte Dika** waar de **Marsabit Lodge** romantisch gelegen is aan een klein meer. Laat in de namiddag komen de **olifanten** en **buffels** hier drinken. Nadat ze hun dorst gelest hebben, grazen ze op de groene weide die direct aansluit op de veranda van de eetzaal. De gasten kunnen de dieren van zeer nabij gadeslaan.

Een paar kilometer verder naar het zuidwesten kijkt u vanaf de kraterrand

9

Midden-Kenia

van de **Gof Sokorte Guda** uit op **Lake Paradise** en de **Lake Paradise Campsite**, dat landschappelijk gezien prachtig gelegen is.

Marsabit is beroemd als leefgebied van de enorme mannetjesolifanten met hun reusachtige slagtanden. Toen het gebied in 1962 tot het Marsabit National Reserve werd uitgeroepen, was het nog het door presidentieel decreet beschermde woongebied van Ahmed, de patriarch der dikhuiden, die in 1974 van ouderdom stierf. Een plastic replica van Ahmeds lichaam is te bezichtigen in het National Museum te Nairobi. Een van zijn slagtanden alleen al woog maar liefst 64 kg.

Tot de bekoring van dit afgelegen, onbedorven gebied draagt ook het vele wild bij dat hier leeft, zoals **Grévy's zebra's, leeuwen** en **luipaarden**. Bijzonder bezienswaardig is de **netgiraffe**, die men hier individueel of in groepen op de hellingen kan aantreffen. Giraffen leven normaal gesproken liever in het weidse, vlakke land, maar de bomen op de berghelling zijn de enige in de verre omtrek van dit woestijngebied en hebben de giraffen van Marsabit ertoe aangezet hun natuurlijke gewoonten te veranderen en zich aan te passen aan hun omgeving.

De ongastvrij ogende lavawoestijn in het noorden oefent een geheel eigen, onweerstaanbare aantrekkingskracht uit. De route erheen voert door een zanderig landschap met onvolgroeide acacia's. Tot de ornithologische bijzonderheden van de **Dida Galgalu Desert** behoort onder andere de **Somali struisvogel**. Ook leeft hier de majestueuze Heuglinstrap. De zeldzame maskerleeuwerik komt betrekkelijk veel voor in deze lavazee.

Ondanks de ongelooflijke diversiteit aan flora en fauna en de aantrekkelijkheid van het landschap, komen er maar weinig bezoekers naar dit nationale park. Aan de ene kant is het gebied nogal afgelegen en aan de kant speelt de onveilige situatie in het gebied daarbij een belangrijke rol.

In het reservaat wonen enige nomadische volken, zoals de Boran, Rendille en Gabra, die hun vee al eeuwen laten drinken bij de Balesa Bongolebronnen van de eens zo machtige rivier **Laga Sagante**. Deze bronnen hebben de bijnaam *Singing Wells* (zingende bronnen). De naam van de bronnen is gebaseerd op een fenomeen dat u zelf kunt waarnemen aan de rand van deze grote, rotsachtige vallei, als u luistert naar de melodieuze woestijnwind. Het geluid van de wind vermengt zich harmonieus met het ritmische gezang van de herders wanneer ze het water ophalen uit de diepte.

Ten noordwesten van het Marsabit Reserve strekt de eentonige Chalbi Desert, die zelfs geen wegen heeft, zich uit tot aan het Turkanameer. Aan de noordoostelijke oever van het Turkanameer ligt het meest afgelegen reservaat van Kenia, het Sibiloi National Park.

Boven: Hopelijk is er genoeg benzine om bij het Turkanameer te komen.

ROND OM MT. KENYA

ABERDARE NATIONAL PARK

INFO: **Park Headquarters**, Mweiga, tel. (061) 55 024, informatie, boekingen, goede kaart verkrijgbaar. dgl. geopend 6.30-18.00, in de regentijd deels gesloten. *WANDELEN:* Bewapende begeleiding is een voorwaarde vanuit de Mweiga Park Headquarters, aan te bevelen in de droge maanden eind sept./okt. en jan./feb. *HENGELEN:* Visvergunning bij de Park Headquarters, goed uitgangspunt is de Kiandongoro Fishing Lodge, rangerbegeleiding aan te bevelen.

EMBU (☎ 068)

Morning Glory, Kenyatta Hwy., populair, ontbijt erg goed.

EXCURSIE: **Mwea National Reserve**, terreinwagen aanbevolen, bij de ingang zijn een overzichtskaart en een lijst met vogelsoorten verkrijgbaar, campsites in het park.

MERU NATIONAL PARK

INFO: dgl. geopend 6.00-18.30 uur, geen toegang na 19 uur, max. snelheid 40 km/u, rondrijden in de aangrenzende reservaten wordt om veiligheidsredenen afgeraden. Georganiseerde tochten door **Kimbla Safaris**, Nairobi, tel. (020) 89 12 88.

VLIEGTUIG: Tussenlanding van **Air Kenya**, tel. (020) 60 57 45, op het traject Nairobi-Samburu, elke wo, vr en zo.

MT. KENYA NATIONAL PARK

TREKKING TOCHTEN: **Naro Moru River Lodge**, in Naro Moru, organiseert bergwandelingen en klimtochten met gidsen, dragers, kok etc., verhuur van berguitrusting, bagagedepot. **Mountain Rock Hotels & Safaris**, Nairobi, Wabera Str., gespecialiseerd in Mt. Kenyabeklimmingen.

Trout Tree Restaurant, tel (062) 62 059, trouttree@wananchi.com, 12 km ten zuiden van Nanyuki, 11-16 uur, heerlijke forel onder een vijgenboom, uitzicht op vijver.

NYERI (☎ 061)

Outspan, goed middagbuffet ook voor eendaagse gasten. **Greenoak**, Gakere Rd., uitstekend eten (bijv. forel), balkon.

ACTIVITEITEN: **Solio Game Ranch**, ten noorden van Mweiga, part. reservaat voor neushoorns, Aberdare Country Club organiseert tochten naar de ranch. **Gliding Club of Kenya**, vliegveld 2 km ten zuiden van Mweiga, tel. 0733-76033, contact: P&P Allmendinger, tel./fax: 2748, www.kenyatravel.de Zeilvliegen, vliegschool, (10-min.-vlucht 50 $).

THIKA (☎ 067)

EXCURSIE: **Oldoinyo Sabuk National Park**, 27 km ten oosten van Thika, wandeling naar de top van de Oldoinyo Sabuk in 3-4 u, rangerbegeleiding vereist. **Fourteen Falls**, watervallen bij Oldoinyo Sabuk.

NOORDELIJK VAN MT. KENYA

ISIOLO (☎ 064)

EXCURSIES: **Kameelsafari's** in het land van de Samburu, overnachting in tenten, boeking bij Let's Go Travel, Nairobi, Standard Str., tel. (020) 34 03 31. **Samburu, Buffalo Springs** en **Shaba National Reserves**, ten noorden van Isiolo, combi entree voor Samburu en Buffalo Springs, activiteiten zoals kameelrijden, voetsafari's, riverrafting, vogelkijken, krokodil en luipaarden voeren, bezoeken aan Samburudorpen worden door de lodges in de parken georganiseerd.

VLIEGTUIG: **Air Kenya** vliegt dgl. van Wilson Airport Nairobi naar het Samburu Nat. Reserve. *BUS:* Verbinding 1 x daags met Nairobi via Nanyuki, dgl. naar Maralal.

MARALAL (☎ 065)

ACTIVITEITEN: **Yare Safari Club & Camp**, tel. 622 95, Nairobi tel. (020) 21 40 99, www.kenyatourism.com, organiseert kamelensafari's, wandelingen, mountainbiketochten, jaarlijks vind hier de **Maralal International Camel Derby** plaats.

MARSABIT (☎ 069)

EXCURSIES: **Marsabit National Park**, verblijf aan Lake Paradise met eenvoudige campsite, rangerbegeleiding!

BUS: Isiolo-Marsabit elke wo, vr, zo. *AUTO:* Konvooien tussen Isiolo-Marsabit en Marsabit-Moyale (Ethiop. grens).

9

Midden-Kenia

TURKANAMEER
Het Jademeer

TURKANAMEER
SIBILOI NATIONAL PARK

★TURKANAMEER

Toen de Hongaarse ontdekkingsreiziger graaf Teleki en tweede luitenant Ludwig von Höhnel in 1888 door Noord-Kenia trokken, stuitten ze op 6 maart van dat jaar, na een vermoeiende reis, op een gigantisch, jadekleurig meer. Ze noemden het het **Rudolfmeer**, naar hun beschermheer aartshertog Rudolf van Oostenrijk. Ook aartshertogin Stephanie vergaten zij niet: niet ver ten noordoosten van het Rudolfmeer ligt een meer dat zij het Stephaniemeer (Ethiopië) noemden. In het kader van de afrikanisering werd het Rudolfmeer in 1975 omgedoopt in **★Turkanameer**.

Een schrijver gaf een treffende beschrijving van het meer: 'Een binnenzee van onvergelijkbare schoonheid, omgeven door lavagesteente en ketens violette heuvels, overspannen door glanzend zonlicht en met sterren bezaaide nachthemels. De vele algen in het meer veranderen het water in een kleurrijke caleidoscoop, van leisteengrijs tot diamantblauw, onder de elkaar najagende wolken. Meestal echter doet het zonlicht het meer diepgroen glanzen, waardoor het de bijnaam Jademeer kreeg.'

Voorgaande pagina's: Vulkaankrater bij het Turkanameer. Links: De vangst van een nijlbaars uit het Turkanameer.

Het Turkanagebied, dat lange tijd een slaperig achterland was, trekt steeds meer bezoekers. Want hier, buiten de invloed van de westerse beschaving, is een stukje oorspronkelijk Afrika bewaard gebleven. Maar niet alleen het landschappelijk schoon en de ongerepte wildernis oefenen een grote aantrekkingskracht uit op steeds meer reizigers, ook de belangrijke prehistorische vondsten trekken veel bezoekers.

Het noordelijke puntje van het 300 km lange en 50 km brede Turkanameer ligt in Ethiopië. Hoewel verscheidene rivieren in het meer uitmonden, is er niet één rivier die er weer uit stroomt. De toenemende woestijnvorming in de omgeving heeft geleid tot een sterke verzanding, waardoor het meer in omvang is afgenomen.

Safari in het noorden

Er voeren verschillende wegen naar het onherbergzame noorden van het land, dat tot de dunst bevolkte gebieden ter wereld behoort. Ook vandaag nog is een autorit door deze streek een onvergetelijk avontuur. Wanneer u een zeer goede uitrusting hebt en goed op de hoogte bent van de lokale levensomstandigheden, is een safari naar het Turkanameer zeer aan te bevelen. Natuurlijk kunt u ook voor een georganiseerde reis kiezen, waarbij u de keuze hebt uit

Turkanameer 10

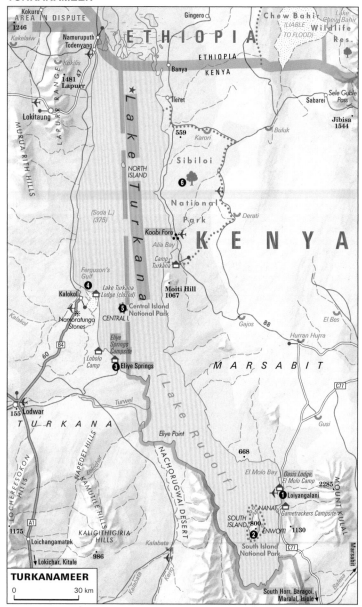

TURKANAMEER

0   30 km

vele mogelijkheden. Zo kunt u bijvoorbeeld met zes tot acht personen een perfect georganiseerde safari maken in een landrover, waarbij u overnacht in aangename lodges. Een andere mogelijkheid is om met een groep van tien tot twintig personen een safari te maken in tot bussen omgebouwde vrachtwagens, waarbij onderweg wordt gekampeerd. De prijs en uw voorkeur zullen uw keuze bepalen. Natuurlijk kunt u ook per vliegtuig naar het Turkanameer; zo bespaart u zich de vermoeiende, maar opwindende reis over land.

Een van de oorzaken voor de relatief late ontwikkeling van het toerisme in Noord-Kenia was een beschikking van de koloniale overheid die deze provincie tot *restricted area* verklaarde en slechts aan bepaalde personen, zoals ambtenaren en professionele jachtgezelschappen, toestemming gaf het gebied te betreden. Tegenwoordig zijn er geen reisbeperkingen meer. Alleen op de wegen tussen **Isiolo** en **Marsabit** moet in konvooi worden gereden.

Voor een safari door dit oorspronkelijke, ruige gebied heeft men beslist enig uithoudingsvermogen nodig, maar het grandioze landschap en het vele wild lonen ruimschoots de moeite. Waar men in ieder geval goed om moet denken, is voldoende voedsel, water en benzine mee te nemen, want de lodges in dit gebied liggen ver uit elkaar. Ook voor het kamperen hebt u een zorgvuldig samengestelde uitrusting nodig. U kunt het best inlichtingen inwinnen bij personen die bekend zijn met de problemen ter plaatse. Enkele absoluut noodzakelijke reisbenodigdheden zijn een reparatieset voor lekke banden, een keur aan reserveonderdelen, een krik, een schop en minstens twee zandladders voor het geval u vast komt te zitten in een poel of een zandverstuiving.

Het is bijna onmogelijk om de reis op basis van de afstanden in kilometers op de landkaart in dagetappes vooruit te plannen, want op het oneffen, rotsachtige terrein komt men slechts langzaam

vooruit. Afhankelijk van de staat van de weg, het weer en de bruikbaarheid van lokale reisinformatie, doet men soms een hele dag over een stuk van 80 km.

De inheemse bevolking, die over het algemeen uiterst vriendelijk is, spreekt meestal wel een beetje Engels en vindt het leuk om met vreemdelingen kennis te maken. Men is te allen tijde bereid om inlichtingen te geven.

Aangezien hier weinig openbaar vervoer is, is het gebruikelijk voetgangers een stuk in de auto mee te nemen. De mannen van de **Samburu** en **Rendille** dragen vaak een kort zwaard (*simi*) en een soort knuppel (*rungu*) bij zich. De **Turkana** en **Boran** daarentegen zijn bewapend met speren, de Merille en Gabbra vaak met een oud geweer; ze dragen daarbij een leren patroongordel om hun heupen. Deze wapens dragen ze als voorzorgsmaatregelen tegen bandieten, maar ook tegen rondzwervende leeuwen. Wanneer u een van hen een lift geeft, moet u niet vergeten hem als teken van gastvrijheid wat water aan te bieden. Water is in het droge noorden een kostbaar goed.

Vele wegen leiden naar het doel

Noord-Kenia strekt zich uit van het Baringomeer via het gebied van het Turkanameer tot de grens met Soedan en Ethiopië. In het oosten wordt het begrensd door Somalië, in het westen door Oeganda. Net als in de rest van Kenia voeren de grotere wegen in het noorden via de hoofdsteden van de verschillende districten, in dit geval langs **Lodwar**, **Maralal**, **Isiolo** en **Marsabit**.

Een nieuwe (maar zware) asfaltweg voert in het uiterste westen van het land via **Kitale** en Lodwar naar het midden van de westelijke oever van het Turkanameer. In de regel doet men zo'n vijf uur over de 400 km van Nairobi naar Kitale. Voor het hobbelige stuk van Kitale naar het Turkanameer heeft men nog eens vijf uur nodig. De rit kan echter ook beduidend langer duren. Het is

10

Turkanameer

dan ook het best twee dagen voor de rit uit te trekken.

Vanuit Kitale op de weg naar het stadje **Lokichar** rijdt u tussen twee nog bijna ongerepte **wildreservaten** door, het **Nasalot** en het **South Turkana**. In deze reservaten zijn geen mogelijkheden tot overnachten. De vlakte wordt steeds kaler. Uiteindelijk daalt de rotsachtige weg af naar de hete omgeving van het Turkanameer en loopt bij **Lodwar**, het bestuurscentrum en de belangrijkste marktplaats van de omgeving, in noordoostelijke richting tot aan **Kalokol** aan het Turkanameer.

De route via Isiolo naar Marsabit voert over de *Trans-East-African Highway*. Ten noordwesten van Marsabit steekt u de **Chalbi Desert** over. Midden in deze onherbergzame woestijn ligt **North Horr**. Het bestaat uit niet meer dan wat hutten van golfplaten, een politiepost en een missieschool.

Een van de interessantste paden naar het Turkanameer voert via Maralal. Het pad loopt door een uitgedroogde omgeving met rundvee, struisvogels en zebra's naar **Baragoi**, een schilderachtig plaatsje en trefpunt van veel nomaden, die allerhande waar verhandelen op de roerige markt.

Voorbij Baragoi zorgen eenzame heuvels voor een beetje afwisseling in het landschap. De weg loopt omhoog tot op de 2848 m hoge **Ng'iro Range**. In het oosten ziet u de **Ndoto Mountains** met de 2637 m hoge top van de Ndoto.

Het landschap aan weerszijden van het vlakke zandpad lijkt desolaat en verlaten, maar wanneer u een korte stop maakt, verschijnen Samburukrijgers uit het niets om de vreemdelingen te begroeten.

Af en toe moet men het pad vrijmaken voor de passerende kameelkaravanen van de nomaden. Soms biedt dat de gelegenheid tot handel, bijvoorbeeld het ruilen van zelfgemaakte sieraden tegen ballpoints.

Ook verder heeft deze route steeds weer verrassingen in petto: half droogstaande rivierbeddingen die moeten worden overgestoken of scherp gesteente waar u uw banden maar beter niet aan kunt wagen. Vaak is een rit in wandeltempo de enige redelijke mogelijkheid de reis voort te zetten.

South Horr blijkt een idyllische oase met een uitbundige vegetatie. Hier bevinden zich een kantoor van het bosbeheer, een kerk en kleine hotels met lemen vloeren, waar de uitgeputte reiziger wat bij kan komen met thee en koekjes in Swahilistijl.

Hierna slingert het pad zich tussen de gekloofde klippen van de **Ng'iro** en **Mara Range** door. Zodra men de Horr Valley heeft verlaten, neemt het landschap dramatische vormen aan: een oneindig weidse, met zwarte basaltkegels bezaaide vlakte die langzaam overgaat in een waarlijk surrealistisch maanlandschap van zwarte blokken steen. En dan doemt plotseling het Jademeer op. Na de urenlange rit door zwarte lavavelden en desolate rotswoestijn, lijkt het sappige groen van de oase bij het meer niet minder dan een wonder.

Aan het Turkanameer

Rode grond strekt zich uit tot aan de oevers van ★**Lake Turkana** die helemaal vol staan zijn met flamingo's, pelikanen, ibissen, kieviten, steltlopers, kraanvogels en aalscholvers. En op de achtergrond lijken eilanden boven het blauwgroene water te zweven. Het pad loopt langs de oever naar **Loyangalani** en de **Oasis Lodge**.

Dit alkalische meer ligt slechts 375 m boven de zeespiegel en aan de oevers ervan kan de temperatuur oplopen tot 50 °C in de schaduw. De stormen die 's nachts over het meer jagen, hebben al heel wat reizigers uit hun slaap opgeschrikt.

Rechts: In het noorden stuit men regelmatig op de kudden kamelen van de Rendille.

In de omgeving wonen nauwelijks mensen. Wel komen er leeuwen, zebra's, gazellen en neushoorns voor, alsook meer dan 300 vogelsoorten. Het aantal krokodillen is de laatste decennia helaas enorm teruggelopen, hoofdzakelijk door toedoen van de Luovissers.

Met slechts 400 stamleden vormen de rustige, arme El Molo, die aan de oevers van het meer wonen, waarschijnlijk de kleinste etnische groepering in Kenia. Door huwelijken met hun buren de Samburu slaagden ze er weliswaar in hun aantal weer wat uit te breiden, maar hun taal staat op het punt te verdwijnen. Behalve de El Molo wonen in dit gebied ook Rendille, Boran, Gabbra en het nomadische herdersvolk de Merille. De met de Somali verwante Rendille wonen aan de Marsabitzijde van het meer.

Volgens de legende verdwaalden vele eeuwen geleden negen Somalikrijgers bij het kamelen hoeden en na dagenlang te hebben rondgezworven, kwamen ze in het gebied van de Samburu terecht. Voordat de oudsten van de Samburu hun toestonden vrouwen uit hun stam te trouwen, moesten de Somali eerst hun oude gewoonten opgeven en afstand doen van de islam. De krijgers stemden hiermee in en als gevolg van hun verbintenis met de Samburuvrouwen ontstond de Rendillestam.

De mannen, vrouwen en kinderen wonen in semi-permanente nederzettingen, waar ze alleen een paar melkkamelen houden. Op hun speurtocht naar goede weidegronden voor hun grote kudden kamelen zijn de jongens en jonge mannen van de stam doorlopend onderweg met hun mobiele kampen, terwijl de meisjes zorgen voor de schapen en geiten.

Net als vroeger drijven de nomadische Rendille ook vandaag nog hun kudden door het struikgewas van de woestijn. Niet lang geleden zijn er echter scholen gebouwd om de toekomstige generaties voor te bereiden op het leven van de moderne tijd.

De weg loopt langs de oever naar **Loyangalani ❶** naar de **Oasis Lodge**. Hier verhuurt men bungalows, maar ook individuele reizigers kunnen tegen een geringe vergoeding gebruik maken van het zwembad of een koud drankje

Turkanameer **10**

kaart p. 182, info p. 187   185

nemen in de bar. Vanuit de lodge organiseert men excursies naar **South Island National Park ❷**. Op de vulkanisch heuveltjes op dit eiland leven talrijke watervogels, krokodillen, verwilderde geiten en gifslangen.

Het meest aantrekkelijke oord op de westelijke oever van het meer is **Eliye Springs ❸** waar u overigens alleen kunt komen met vierwielaandrijving via Kaolokol of Lodwar (beide 40 km). De **Eliye Springs Lodge** biedt geen accommodatie meer, maar er wachten nog wel verfrissingen, enkele banda's en een camping (vlak bij de bron in een schaduwrijk palmenbos) op de bezoeker. Ter plaatse kunt u alleen vis krijgen, andere levensmiddelen moet u zelf meebrengen uit Lodwar.

De eenvoudigste manier om aan de westelijke oever van het Turkanameer te komen is via **Ferguson's Gulf ❹** ten noorden van Eliye Springs bij **Kalokol**. In de laatste jaren is de waterstand behoorlijk gezakt zodat men nu te voet

Boven: De El Molo leven al vele eeuwen van de visvangst.

naar de **Lake Turkana Fishing Lodge** kan gaan, die vroeger op een eiland lag en al sinds 1992 gesloten is, maar wellicht ooit weer geopend wordt. Men moet een tamelijk lange weg afleggen voordat men het water bereikt. Voor u een frisse duik neemt is het verstandig eerst de vissers te vragen waar de **nijlpaarden** en **nijlkrokodillen** zich ophouden. Nergens elders op de wereld zijn zoveel nijlpaarden en nijlkrokodillen als in het Turkanameer.

Op **Central Island ❺**, een tot **nationaal park** uitgeroepen vulkaaneiland midden in het Turkanameer, bevindt zich een schilderachtig vogelreservaat dat hier en daar geheel is bedekt met een roze wolk flamingo's. Het paradijselijke **Flamingo Crater Lake** is hun geliefde broedplaats, terwijl duizenden nijlkrokodillen het zich in het tweede vulkaanmeertje van het eiland gemakkelijk hebben gemaakt. Om op Central Island te komen, moet u een prijs voor de overtocht met een visser afspreken. Wegens de gevaarlijke stormvloeden moet u er wel op letten dat de boot in een goede toestand is.

De meeste sportvissers loopt het water in de mond als ze aan de rijke buit in het Turkanameer denken, die varieert van nijlbaars tot tilapia en tijgervis. U kunt met een vliegenhengel vanaf de oever vissen, of met een sleephengel vanaf een bootje.

SIBILOI NATIONAL PARK

Aan de noordoostelijke oever van het Turkanameer ligt het 1570 km^2 grote **Sibiloi National Park ❻**, dat zich 1 km in het water van het meer uitstrekt. Het reservaat is te bereiken vanuit Loyangalani via een uiterst slechte weg die alleen voor terreinwagens begaanbaar is. Ook in het Sibiloi Park komen duizenden **nijlkrokodillen** voor, de grootste tellen zes meter. Daarnaast bevolken ontelbare **flamingo's** de oever, net als bij het Nakurumeer. Ondanks zijn desolate voorkomen en de plotselinge en regelmatige voorkomende buien die de hitte in uw gezicht vegen, herbergt het Sibiloi toch een verbazingwekkende hoeveelheid wild, zoals de tiang, een soort topi-antilope.

Tot de interessantste bezienswaardigheden van dit park behoort **Koobi Fora**, een plaats waar men veel prehistorische voorwerpen heeft opgegraven. Deze plaats beschouwde men lange tijd – tot in 2002 aan het Tsjaadmeer zeven miljoen jaar oude resten van hominiden werden ontdekt – als de 'wieg der mensheid'. Richard Leakey, de zoon van het befaamde archeologenechtpaar Louis en Mary Leakey, deed in 1972 aan de oever van het Turkanameer de ontdekking. Hij vond de eerste complete schedel van de *homo habilis*, de 'vaardige mens', onze eerste directe voorouder. Verdere opgravingen legden de fossiele resten van meer dan tachtig leden van de familie der hominidae bloot. Tevens vond men hier voetafdrukken, die met behulp van radiometrische methoden werden onderzocht. De vondsten van Koobi Fora zijn tussen 1 en 3 miljoen jaar oud.

🛥 *LAKE TURKANA SAFARIS*: boekingen bij: **Let's Go Travel**, Standard Str., tel. (020) 34 03 31, fax: (020) 33 68 90, www.letsgosafari.com. **Bushbuck Adventures**, Nairobi, Peponi Rd., tel. (020) 53 20 90, fax: (020) 52 15 05, www.kilimanjaro.com/safaris/bushbuck.

LOYANGALANI

🛥 *EXCURSIES*: **Oasis Lodge**, organiseert boottochten naar **South Island National Park**, **bootverhuur** voor hengeltochten (met visvergunning), **wandelingen** op Mt. Kulal, **autoverhuur** voor de rit naar Sibiloi National Park, allemaal nogal duur. Zwembad en bar met koude drankjes, ook voor eendaagse gasten tegen huurprijs. *INFORMATIE*: naar **Sibiloi National Park** bij: **National Museums of Kenya**, Nairobi, tel. (020) 74 21 31. U kunt ook naar het park vanaf Ferguson's Gulf (westelijke oever) met een boot van de **KWS**, tel. (020) 600 800.

FERGUSON'S GULF

🛥 *EXCURSIES*: **Central Island National Park**, boottochten vanuit Lake Turkana Fishing Lodge of met inheemsen (controleer de toestand van de boot!). **Sibiloi National Park**, informatie over de boten daar naartoe bij KWS, tel. (020) 600 800, of bij de Kalokol Tours Lodge & Hotel in Kalokol (prijzen buitensporig). **Eliye Springs**, palmen en warmwaterbronnen pal aan het meer. U kunt er met een gehuurde terreinwagen komen vanaf Lodwar / Kalokol of Ferguson's Gulf met de boot (ca. 5-6 uur, duur).

LODWAR

🍴 **Salama**, Somalische keuken, goedkoop, aanrader. **Turkwel Lodge** en **Nature Hotel** serveren goede westerse gerechten.

🚌 *BUS*: Van Lodwar naar Kitale, Matatu's naar Kalokol en Lokichokio (Soedanese grens). De rit richting grens is vanwege de onzekere situatie meestal onmogelijk.

TANKEN: In Lodwar beslist uw tank volgooien en extra brandstof meenemen!

Turkanameer 10

WEST-KENIA

**KERICHO
KITALE
MOUNT ELGON
KAKAMEGA FOREST
VICTORIAMEER
KISUMU**

Ten onrechte wordt het westen van Kenia door reizigers genegeerd. Weliswaar vindt men hier geen reusachtige wildreservaten zoals in andere delen van het land, maar het afwisselende landschap maakt dat meer dan goed. Recentelijk kwam het evenwel in West-Kenia tot gewelddadige onlusten met een etnische achtergrond. Voordat u alleen een tocht door dit gebied gaat maken, is het raadzaam naar de veiligheid te informeren. Wellicht is het beter een georganiseerde reis te maken.

De belangrijkste en mooiste bezienswaardigheden van West-Kenia zijn het Victoriameer, de Mount Elgon, het Kakamega Forest, het Saiwa Swamp National Park en het gebied rond Kericho, waar thee wordt verbouwd.

KERICHO

Als u Nakuru in westelijke richting verlaat, bereikt u het kleine dorpje **Molo**. Mololamsvlees is in Kenia beroemd vanwege zijn kwaliteit, maar het is onzeker of het altijd echt uit Molo komt. Voorbij dit dorpje slaat u af naar Kericho. Door zacht glooiend heuvelland en langs het enorme **Mau-bosbeschermingsgebied** bereikt u **Kericho**

Voorgaande pagina's: Een orchideeënplantage in West-Kenia. Links: Ten noorden van Kitale.

❶, een aantrekkelijke stad met 46 000 inwoners en het centrum van de theeproductie in Kenia. Zo ver het oog reikt is de stad omgeven door geurige, groene ***theeplantages**. Het klimaat van Kericho, dat boven de 2000 m ligt, zorgt voor ideale omstandigheden voor het verbouwen van thee. Er gaat hier bijna geen dag voorbij zonder de noodzakelijke korte regenbuien.

Het ordelijke, fraaie stadje kan zich erop beroemen het centrum te zijn van het grootste theeverbouwgebied in Afrika. Sinds 1952 staat hier het beroemde en dure **Tea Hotel**, dat tot het Britse concern *Brooke Bond* behoort – met mooie tuin, en avondlijke openhaard, maar geen Britse klasse meer.

KITALE

Kitale, de poort tot de Mount Elgon en een goed vertrekpunt voor safari's naar het Turkanameer, ligt 380 km van Nairobi in een van de mooiste landschappen van Kenia.

Vanuit Nakuru voert de asfaltweg A104 naar het noordwesten, klimt steil omhoog naar het door de zuivelindustrie gedomineerde deel van Kenia, loopt langs de zuidrand van de **Menengai Crater** en volgt de bergrug door het bos op de **Mount Londiani**. In het gebied bedrijft men vooral de veeteelt op de sappige, groene weilanden en bevinden

West-Kenia **11**

zich veel naaldwouden die eerder aan het noordelijk halfrond doen denken. Na het passeren van de **Mau Summit** klimt de weg langs de zuidelijke hellingen van het **Nandi Plateau**, steekt in het **Tinderet Forest** de evenaar over en voert uiteindelijk over het eentonige **Uasin Gishu Plateau** naar de agrarische en industriële stad **Eldoret ❷**. Deze levendige handelsstad heeft weliswaar geen bijzondere attracties, maar u kunt er wel even een tussenstop maken op uw weg naar het noorden. Na nog 70 km bereikt u dan eindelijk Kitale.

Vlak voor **Kitale ❸**   (54 000 inw.) wordt de weg omzoomd door enorme eucalyptussen en stralende flamboyanten. Een stukje voorbij de **Kitale Club** in het centrum ligt links het **Kitale Museum**, dat is gewijd aan de Mount Elgon en de volken die in dit gebied leven. De belangrijkste collectie van het in 1972 geopende museum is die van wijlen luitenant-kolonel H.F. Stoneham, een boer uit de nabijgelegen Cherangani Hills. Naast vele regionale voorwerpen herbergt het museum ook een winkeltje met kunstnijverheidsproducten.

Tot het museum behoort eveneens een 750 m lang natuurpad, dat zich slingert door het regenwoud van Trans-Nzoia en voert langs bronnen en kleine, rotsachtige rivierbeddingen, langs bomen met guirlandes van klimplanten en lianen, langs dicht kreupelhout, verschillende soorten mossen, orchideeën, korstmossen, varens en wilde bananen. Bij het museumterrein verlaat het pad het woud. Daar illustreert een aantal nauwkeurige replica's van hutten de verschillende manieren van bouwen van de Nandi, Luo, Abaluhya, Sabaot, Pokot en Turkana.

Het museum bezit ook een slangen- en schildpaddenkuil, alsmede een kleine krokodillenvijver.

Tijdens uw bezoek aan het museum, waar u een paar uur voor moet uittrekken, kunt u ook een fascinerende film zien. Hierin wordt getoond hoe olifan-

info p. 201

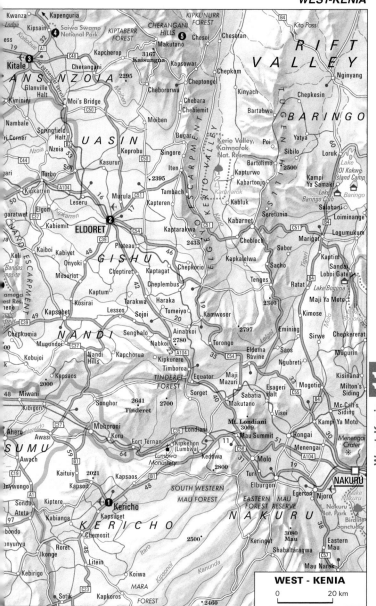

ten op hun zoektocht naar zout in de loop van duizenden jaren ver in de bergen diepe grotten hebben uitgegraven in Mt. Elgon.

Saiwa Swamp National Park

Slechts enige kilometers ten noorden van Kitale, op de weg naar Lodwar, bevindt zich een afslag naar een van de kleinste wildparken van Kenia, het **Saiwa Swamp National Park ❹**. Dit park is slechts 1,9 km² groot en is vooral bijzonder omdat men het te voet mag betreden. Dit moerassige gebied werd tot nationaal park uitgeroepen om de hier levende *sitatunga* (een alleen in dit gebied van Kenia voorkomende moerasantilope) te beschermen.

Deze met uitsterven bedreigde antilopesoort leeft half in het water en half op het land. De antilopen, die zich bij gevaar onder water kunnen verbergen, zijn het best te zien vanaf een van de ob-

Boven: Kraanvogels in het Saiwa Swamp National Park. Rechts: Vrolijk groetende meerkat.

servatieplatforms in de bomen aan de rand van het moeras.

Verder is het een waar genoegen om gewoon wat door de ongerepte jungle van het park te lopen. Bij een tochtje door het park heeft u goede kans om een meerkat of een franjeaap (ook wel stompaap genaamd) te zien en in de bomen op de rivieroevers een van de talrijke hier levende vogelsoorten te ontdekken, zoals de toerako of de monnikskraanvogel. U kunt hier overnachten op een mooie camping.

32 km vanaf Kitale naar het noorden ligt het dorpje **Kapenguria**, waarvan de school een nationaal monument is. Want hier was het waar Jomo Kenyatta, die later president van Kenia werd, in 1953 werd veroordeeld tot zeven jaar dwangarbeid als vermeende aanvoerder van de Mau-Mau-beweging.

Met een gids kunt u hier een bezoek brengen aan de adembenemend mooie **Cherangani Hills ❺**. Deze ten noordoosten van Kitale gelegen bergrug bereikt een hoogte van 3000 m en is begroeid met eucalyptusbomen, grove dennen en parasoldennen.

*MOUNT ELGON

De weg vanuit Kitale in westelijke richting is de hoofdroute naar het ***Mount Elgon National Park ❻**. De 4321 m hoge **Mount Elgon** waaraan het park zijn naam ontleent, ligt op de grens met Oeganda. Het is de op een na hoogste berg van Kenia en net als Mt. Kenya een uitgedoofde en sterk geërodeerde vulkaan. In de buurt van de top is een grote caldeira met warmwaterbronnen op de bodem van de krater.

Net als in andere Oost-Afrikaanse berggebieden hebben zich, afhankelijk van de hoogte, neerslaghoeveelheid en temperatuur vegetatiezones ontwikkeld. In het regenwoud op de benedenste hellingen staat het vol met indrukwekkende exemplaren van de podoboom en Afrikaanse ceder, waarvan de takken omwonden zijn met korstmossen en wilde orchideeën. Daar omheen groeit de bamboe. Daarboven strekken zich rond de toppen bergachtige moeraslandschappen en rotsformaties uit. Opvallend zijn hier de reusachtige lobelia's, het kruiskruid en de boomheide die hier voorkeren.

Hier is een deel van de flora en fauna bewaard gebleven uit de tijd dat het Centraal-Afrikaanse regenwoud zich nog uitstrekte van Zaïre tot West-Kenia. In het gebied lopen soorten olifanten, paarden en neushoorns rond die nergens anders zijn te vinden. Aan de oostzijde van Mt. Elgon werd een gebied van 170 km² aangewezen als nationaal park. Hier kunt u trektochten maken, maar de berg wordt zelden echt beklommen. Behalve een paar campings in de buurt van de ingang van het park en de licht verwaarloosde **Mt. Elgon Lodge**, circa 1 km buiten het park bij de **Chorlim Gate**, is er weinig infrastructuur zoals bijvoorbeeld hutten. Informeer wel naar de veiligheidssituatie voordat u er een excursie naar maakt.

De belangrijkste attractie van het dieper in de wouden gelegen gebied van het park zijn de **grotten**, waarvan men

er ongeveer 60 aangetroffen heeft en die soms tot diep in de Mount Elgon doordringen. Hoewel men het niet precies weet, neemt aan dat ze zijn ontstaan als gevolg van erosie van de rotsen die uit verschillende soorten gesteente bestaan. Ten tijde van de prehistorische vulkaanuitbarstingen zetten zich lagen fijne as af, die het slecht gedraineerde oppervlak van dit rotsgebied vormden. Het is goed mogelijk dat deze lagen grotten hebben gevormd toen ze druk uitoefenden op lagen zachtere tufsteen.

Filmopnames die u in het museum in Kitale kunt zien (zie p. 192) versterken de theorie dat olifanten op zoek naar zout aan het ontstaan van de grotten bijdroegen.

Er circuleren vele sagen en legenden over deze grotten. Ongeacht het waarheidsgehalte ervan staat wel vast dat ze nog niet volledig onderzocht zijn en dat het onmogelijk is diep in de grotten door te dringen zonder zuurstofmaskers, lampen en andere uitrusting. De grotten vormen zo'n doolhof en zijn zo uitgestrekt dat men de grootte en de diepte ervan niet goed kan inschatten.

West-Kenia 11

De vier belangrijkste grotten zijn voor bezoeker toegankelijk: **Kitum**, **Mackingeny**, **Chepnyalil** en **Rongai**. De Kitumgrot is de grootste en de kans om olifanten te zien is hier het grootst. De Mackingenygrot is met zijn **waterval** die over de ingang heen stort het meest spectaculair. Natuurlijke paden brengen u naar de grotten en naar de prachtige uitkijkpunten **Elephant Platform** en **Endebess Bluff**.

Reeds in lang vervlogen tijden waren de grotten van de Mount Elgon bewoond. Tot in de koloniale tijd leefden hier leden van de *El Koni*-stam. In de grootste grotten werden alleen de ruimtes in de onmiddellijke nabijheid van de ingang gebruikt. Alleen daar was voldoende toevoer van frisse lucht. De mensen vonden hier bescherming in tijden van oorlogen en waren beschut tegen wilde dieren. Ook was het vee hier veilig.

Rotsschilderingen in vele grotten tonen aan dat ze dienden als religieuze plaatsen waar offers werden gebracht en rituelen werden opgevoerd. Ook door rotsen beschutte nissen en blootliggende rotsformaties werden gebruikt voor religieuze ceremonies.

Op basis van archeologische studie, waarbij muren, bodems en plafonds van de grotten werden onderzocht, is het vrijwel zeker dat de grotten al in een ver verleden werden bewoond.

Interessant is dat een studie naar recentere bewoning van de grotten in de Mount Elgon heeft uitgewezen dat ze inderdaad nog tot voor kort werden bewoond.

Zo woonde in het jaar 1972 nog een oude man in een grot die zo groot was als een normaal woonhuis. De grot was verdeeld in een haard, een slaapvertrek, een geitenstal en een stal voor het overige vee. Een hek van gedroogde twijgen voor de ingang diende als bescherming tegen wilde dieren. Er was ook nog een soort poort die iedere nacht werd gesloten en bij de ingang brandde dag en nacht een vuur.

Boven: Bij regen veranderen de wegen rond de Mount Elgon in kolkende beken. Rechts: Een grot in de Mount Elgon.

★KAKAMEGA FOREST

Wanneer u van Mount Elgon in de richting van het Victoriameer rijdt, komt u ongeveer 20 km na de stad **Kakamega** in het ★**Kakamega Forest** ❼. Dit bosgebied is bij zoölogen en botanici over de hele wereld bekend.

Hier is een stuk regenwoud bewaard gebleven zoals dat zich zo'n 400 jaar geleden over het hele continent uitstrekte, helemaal tot de Atlantische Oceaan. Een vergelijkbare vegetatie komt men tegenwoordig alleen nog tegen in West-Afrika. Het tropische oerwoud van het Kakamega Forest biedt een plaats aan veel planten- en diersoorten die in Oost-Afrika alleen in dit ongeveer 45 km² grote gebied voorkomen. Men vindt hier honderden soorten vogels en talrijke apen en vliegende honden. Bij wandelingen door dit tussen 1520 en 1680 m hoogte liggende woud moet men goed beseffen dat er nog een andere reden is waarom het Kakamega Forest zo beroemd is: nergens anders in Kenia vindt u zoveel gifslangen – van mamba's tot adders en cobra's.

U kunt hier overnachten in het eenvoudige **Forest Rest House**, dat echter over slechts vier tweepersoonskamers beschikt. Het is raadzaam om te reserveren, vooral als u hier tijdens het weekend wilt verblijven. Het beste uitgangspunt voor een wandeling door het woud en voor het bereiken van het Forest Rest House is het dorp **Shinyalu**.

★VICTORIAMEER

Toen de Engelse ontdekkingsreiziger John Hanning Speke in 1858 als eerste blanke zijn blik over de schier oneindige weidsheid van het ★**Victoriameer** ❽ liet glijden, moet hij verbijsterd naar adem hebben gehapt. Hij doopte het meer met de meest majesteitlijke naam die hem te binnen schoot: die van zijn koningin Victoria. In de daaropvolgende jaren raakte het meer weer in vergetelheid, tot de beroemde Britse Afrikareiziger Henry M. Stanley het in 1875 weer ontdekte.

Het grootste deel van het Victoriameer ligt in Oeganda en Tanzania, waarvan de landsgrenzen met Kenia

West-Kenia 11

dwars door het meer lopen. Het meer vormt een bijna volmaakt vierkant, met zijden van ieder 350 km, behalve in Kenia, waar de **Winam Gulf**, met de vorm van een kalebas, diep in het vulkanische equatoriale tafelland snijdt. In de taal van de hier wonende Luo betekent *winam* 'hoofd van het meer'. Zij noemen zichzelf dan ook *Jonam*, het 'meervolk'.

De buitengewoon gastvrije Luo bereiden iedere vreemdeling een hartelijk welkom, helemaal wanneer deze hun voorliefde voor de tilapia deelt, een vis die door de Luo *ngege* wordt genoemd. De Luo zijn beroemd om hun vaardigheden als bootbouwers en vissers. Het vissen in het op twee na grootste meer ter wereld is echter niet zonder gevaar. Het stormt en onweert hier regelmatig. Een gevolg van de hevige regenval is dat de vegetatie op de oevers wordt losgerukt en als drijvende eilanden over het meer beweegt.

Boven: Op het Victoriameer. Rechts: Het kan niet op! – Yellow-Billed-Stork bij het vissen.

Aan het oostelijke puntje van de Winam Gulf ligt **Kisumu**, de belangrijkste stad van West-Kenia.

KISUMU

Vanuit Nairobi is het 350 km verwijderde **Kisumu** ❾ comfortabel te bereiken in een slaapwagon van de nachttrein, of in een uur vliegen met een toestel van *Kenya Airways*. De rit over land over de goede asfaltweg van Nairobi via Nakuru, Molo en Kericho is echter nogal vermoeiend omdat deze hoofdweg naar Oeganda ook door konvooien zware vrachtwagens wordt gebruikt.

De Britten doopten de stad *Port Florence*, naar de vrouw van een Britse spoorwegingenieur die was betrokken bij de aanleg van de *Uganda Railroad*. De stad heet tegenwoordig Kisumu en is in grootte de derde van Kenia. In de tijd van de Oost-Afrikaanse Gemeenschap (EAC) was de stad van veel groter belang dan tegenwoordig.

Tot de bezienswaardigheden horen onder andere een kleurige groente en fruitmarkt, enige kerken, een tempel en

het **Kisumumuseum** dat een uitstekende verzameling bezit, vooral wat betreft de **cultuur van de Luo**.

De stad beschikt over twee goede hotels: het paleisachtige, airconditioned **Imperial** en het imposante **Sunset** aan de oever van het meer, waar men 's avonds een prachtige logeplaats heeft voor de zonsondergang in het meer.

Het **Hotel Royale** haalt bij lange na niet het niveau van beide bovengenoemde hotels. Verder zijn er in de stad nog enige gezellige, schone hotels met een minimum aan comfort te vinden.

Ook aan enig avondlijk vermaak ontbreekt het hier niet. Behalve een klein **casino**, waar men blackjack en roulette kan spelen, zijn er twee goede nachtclubs, **Flamingo** en **Octopus Bottoms Up**. Om de rest van de clubs, die op alle uren van de dag en de nacht hun diensten aanbieden, kunt u maar beter met een grote boog heen lopen.

Aangezien West-Kenia in toeristisch opzicht nog maar nauwelijks is ontsloten, kunt u het best naar eigen smaak een route vaststellen. Vanuit de haven van Kisumu kunt u boottochten maken

naar nabijgelegen plaatsen aan de Winam Golf en naar enkele eilanden.

De zuidelijke oever van de Winam Golf – Simbimeer en Ruma Park

U verlaat Kisumu via de A 1 richting Kisii. Na 24 km steekt u vlak achter het plaatsje **Ahero** de Nyando River over. Daarna verlaat u rechts afslaand in **Katito** de hoofdweg. U komt nu uit bij het moerassige mondingsgebied van de Nyando en u krijgt telkens weer een mooi zicht op het Victoriameer. 4 km ten westen van de **Kendu Bay** kunt u bezoek brengen aan het met legenden omgeven **Simbimeer** ❿. Het ronde meer met zijn lichtgroene, glinsterende water ziet eruit of het ontstaan is door een meteorieteninslag. Waarschijnlijk is echter een enorme gaseruptie de oorzaak geweest.

Het Simbimeer speelt een belangrijke rol in de lokale legenden. Over de streek en haar bevolking bestaan vele sagen en over het ontstaan van het meer bestaan verhalen in vele variaties. U kunt er te voet omheen lopen. Vooral in

West-Kenia 11

Boven: Eenzame visser aan het Victoria-meer.

de maanden juni en juli vindt u hier in het nabijgelegen **Ondango Swamp** duizenden flamingo's.

Ten zuidwesten van Kendu Bay bevindt zich het levendige vissersdorp **Homa Bay** ⑪ aan de gelijknamige baai, waar de 1752 m hoge **Mt. Homa** bovenuit torent en die u kunt beklimmen. Het uitzicht van bovenaf over het meer en het omringende landschap is zeer indrukwekkend.

's Nachts is er in Homa Bay een buitengewoon schouwspel te zien. Het is de fel in de nacht oplichtende '*omena*-stad' die steeds groter wordt naarmate de vissers de lichten op hun boten ontsteken door om de sardineachtige *omena's* in hun netten te lokken. Er komen in de loop van de nacht steeds meer boten bij, en de glinsterende, drijvende 'stad' breidt zich steeds meer uit, tot het vogelkoor in de ochtendschemering het signaal geeft dat zij het over gaan nemen.

Een bezoek aan het 194 km² grote **Ruma National Park** ⑫, het voormalige Lambwe Valley Game Reserve, is absoluut de moeite waard. In het park worden de zeldzame zwarte **paardantilope** en de eveneens zeldzame **Rothschild giraffen** beschermd. Heel af en toe komen hier ook bleekbokjes, een klein soort antilope, voor en heeft u de kans luipaarden te zien.

Onder begeleiding van een ranger kunt u de oorspronkelijke en eenzame natuur met haar heerlijke savannelandschap verkennen, of wandelen door de vogelrijke bossen langs de Lambwe River. Kamperen is weliswaar toegestaan, maar door de aanwezigheid van de tseetseevlieg zeker niet aan te raden.

Op ***Rusinga Island** ⑬, dat u kunt bereiken via een weg over een dam vanuit **Mbita**, bevindt zich een **prehistorische opgravingsplaats**. Louis en Mary Leakey vonden hier een 17 miljoen jaar oude hominidenschedel, de *Proconsul Africanus*. Op het eiland ligt het vol fossielen, maar het is tevens een vogelparadijs waar onder meer reusachtige visarenden voorkomen.

HET WESTEN

ELDORET (☎ 053)

Elcove, Oloo Rd., Indiase, westerse en Chinese keuken, beste restaurant in de stad, cocktailbar. **Dorinyo Lessos Creameries Cheese Factory**, Kenyatta Str., meer dan 30 kaassoorten, ijs en yoghurt.

HOMA BAY (☎ 059)

EXCURSIES: **Ruma National Park**, 23 km ten zuidwesten van Homa Bay, informatie bij de administratie, Homa Bay, tel. 22 65 6, voetsafari's met rangerbegeleiding, slechte wegen maken het bezoek tijdens de regentijd van maart tot mei lastig. **Rusinga Island**, u komt er via de dam bij Mbita of per boot vanaf Homa Bay. **Mt. Homa**, bergtocht met panorama. **Tabaka**, speksteengroeve en speksteensnijdersdorp bij Kisii (60 km ten zuidoosten van Homa Bay, busverbinding).

BUS: Akambabussen rijden 2 x dgl. naar Nairobi, ook verbinding naar Kisii. *MATATU'S:* naar Kisumu, Mbita.

KAKAMEGA (☎ 056)

EXCURSIES: **Kakamega Forest**, twee startpunten voor wandelingen: Isechura Forest Station in het zuiden en Buyangu KWS Station in het noorden, hier vindt u uitstekende gidsen en kaartenmateriaal (*Kakamega Forest – the Official Guide*).

KERICHO (☎ 052)

EXCURSIES: Bezichtiging van theeplantages, wandeling in Kimugu Valley (met botanische tuin bij de Chakaik dam), hengeltochten, rivierwandelingen: informatie in het **Tea Hotel**, tel. 30 004, en **Kericho Lodge & Fish Resort**, tel.20 035.

KISUMU (☎ 057)

Kimwa Annexe, zelfbediening, goede, inheemse keuken, goedkoop. **Nyanza Club**, goede Indiase en Chinese keuken voor redelijke prijzen.

Octopussy, Ogada Str., populaire bar en disco.

Kisumu Museum, Nairobi Rd., dgl. 8.30 tot 18.00 uur, natuurhistorische en etnografische collectie, aan te bevelen.

EXCURSIES (enkele km ten zuiden van Kisumu): **Hippo Point**, nijlpaarden, boottochten, **Dunga**, pittoresk vissersdorp met vismarkt, **Impala Sanctuary**, klein wildreservaat met tamme impalakudde, aan het einde van de asfaltweg naar Dunga. *RONDVAARTEN OP HET MEER:* Lake Victoria Safaris, in Hotel Royale, Yomo Kenyatta Hwy., tel. 40 924, boot- en hengeltochten.

VLIEGTUIG: Kenya Airways vliegt 3-4 x dgl. naar Nairobi, 1 x dgl. naar Mombasa, kantoor: Oginga Odinga Rd., Alpha House, tel. 44 055, fax: 43 339. *BUS:* paar keer per dag naar Nairobi, 1 x dgl. naar Mombasa, 4 x dgl. naar Eldoret, 1 x dgl. naar Kampala (Oeganda). Akambakantoor, Alego Str., tel. 23 554. *MATATU'S:* naar Nairobi, Eldoret, Kakamega, Kericho, Kisii, Kendu Bay en Homa Bay. *VEERBOTEN:* onregelmatig naar Homa Bay, Mbita en Asembo.

KITALE (☎ 054)

The Latern, Kenyatta Str., beste restaurant in de stad, cocktailbar.

Kitale Museum, dgl. 8.00-18.00 uur, etnografische expositie, natuur.

EXCURSIES: **Saiwa Swamp National Park**, ten noorden van Kitale, alleen voetgangers, informatie over het park, kaarten en georganiseerde excursies bij **Sirikwa Safaris** (camping/guesthouse 23 km ten noorden van Kitale aan de weg naar Kapenguria), kamperen kan ook in het park. **Cherangani Hills**, wandeltochten en vogelsafari's bij Sirikwa Safaris (zie boven).

MOUNT ELGON NATIONAL PARK

INFORMATIE: dgl. geopend 6.30-19.00 uur, info bij **KWS**, Nairobi, tel. (020) 600 800 of bij **Mt. Elgon National Park**, Kitale, tel. (054) 31 456. Beste kaart: *Mt. Elgon Map & Guide* van A. Wielochowski (in boekhandels in Nairobi te koop), bemiddeling voor gidsen en dragers bij Sirikwa Safaris (zie boven).

BIJZONDERE ACTIVITEITEN: **Hengelen**, visvergunning bij het Park Headquarter. **Klimmen**, info bij Mountain Club of Kenya, Nairobi, tel. (020) 50 1747. Bovendien: grotverkenningen, geologische safari's.

West-Kenia **11**

FLORA EN FAUNA

De belangrijkste attracties van Kenia zijn de fascinerende schoonheid van zijn natuur en de dierenwereld, waaronder verschillende soorten die men vrijwel nergens anders ter wereld aantreft. De diverse soorten vegetatie, variërend van open savanne via dorre woestijnen tot vruchtbare vlakten en meren, biedt een grote verscheidenheid aan leefgebieden voor de meest uiteenlopende dieren.

Brede zandstranden met kokospalmen, riviermondingen, mangrovemoerassen en koraalbanken vormen de ongeveer 480 km lange kuststrook langs de Indische Oceaan. Het is een vruchtbare groene strook met voldoende neerslag en een hoge luchtvochtigheid, waar sinaasappels, citroenen, mango's en tropische bloemen goed groeien en waar talloze soorten vogels en insecten

Voorgaande pagina's: Hutten van de Samburu in Samburu National Reserve. Een kudde gnoes. Boven: Vechtende Burchell zebra's.

zich thuis voelen. De zee en het rif voor de kust vormen het leefgebied voor vis en koraal.

Achter de kustlijn verandert het weelderige groen in droog struikgewas en savanne. Doornstruiken, parasolacacia's en baobabs (apebroodbomen) kunnen ook langere perioden van droogte goed doorstaan. Van de droge savannen stijgt het land in het noordwesten op naar de besneeuwde toppen van de Mount Kenya (5199 m), de Aberdare Mountains en de Kilimanjaro (5895 m), die in Tanzania ligt. Op de verschillende hoogteniveaus op de berghellingen worden altijdgroene regenwouden afgewisseld door moerassen en steengruis. Het tropisch regenwoud, bedekt met lianen en varens, roepen herinneringen aan Tarzan op.

Een bijzonder geologisch fenomeen is de Great Rift Valley of East Africa, de Oost-Afrikaanse Slenk. Over een lengte van 6000 km, van Mozambique tot de Dode Zee, brak miljoenen jaren geleden de aardkorst open, waardoor een 700 m diepe kloof overbleef die op bepaalde punten 300 km breed is. In Kenia ligt in deze vlakte een hele reeks meren. Dit zijn, van noord naar zuid: het Turkanameer, het Baringomeer, het Bogoriameer, het Nakurumeer, het Elmenteitameer, het Naivashameer en het Magadimeer. Sommige van deze meren zijn zout (alkalisch), andere zoet. Al deze meren zijn ware vogelparadijzen.

In de *White Highlands*, waar zich ooit vele Europese kolonisten vestigden, vindt intensieve landbouw plaats en de hoogvlakte is dan ook dichtbevolkt. De belangrijkste gewassen zijn koffie, thee, groenten, bloemen en sisal.

Het Victoriameer is het op een na grootste zoetwatermeer ter wereld, met kleine eilanden, papyrusmoerassen en een enorme hoeveelheid vis. De oevers van het meer maken deel uit van Kenia, Oeganda en Tanzania. Als gevolg van verdamping uit het meer valt er in deze omgeving veel neerslag. Ten noorden van het Victoriameer ligt een van Kenia's meest desolate streken, het gebergte rond de Mount Elgon. De hellingen van deze dode vulkaan zijn begroeid met regenwoud, bamboejungle en moerassen.

De bezoeker van Noord-Kenia zal ook kennismaken met fascinerende halfwoestijn- en woestijngebieden. De Chalbi Desert, ten oosten van het Turkanameer, is uiterst onherbergzaam. Alleen na de zeldzame zware regenbuien bloeit hier kortstondig een aantal schitterende bloemen.

De belangrijkste diersoorten

Bavianen zijn vaak te vinden bij rivieren die door tropisch grasland stromen, en bij lavavelden. Bavianen leven in grote families en zijn buitengewoon agressief. Met hun scherpe hoektanden kunnen ze zelfs jonge gazellen doden.

Buffels zijn kuddedieren en komen veel voor in de savannen en de bossen. Solitair levende stieren werden vroeger door grootwildjagers als de gevaarlijkste van alle wilde dieren beschouwd.

Cheeta's zijn te vinden op open savannen. Dit prachtige, hoogbenige, kat-achtige roofdier is de snelste loper van alle zoogdieren; het is in staat om snelheden tot 80 km/u te bereiken. Cheeta's leven alleen of in kleine families.

Dikdiks, de kleinste van alle antilopensoorten, leven bij voorkeur in dicht struikgewas. Ze worden niet meer dan 40 cm hoog en lijken met hun zigzagloop wel wat op grote hazen.

Elandantilopen komen op de savannen veel voor. Dit kuddedier heeft spiraalvormige hoorns en halskwabben.

Flamingo's leven in enorm grote groepen bij de meren van de Great Rift Valley. Ze voeden zich met planten en dieren in ondiep water.

Gerenoeks leven voornamelijk in droge gebieden met struikgewas. Ze worden ook wel giraffegazellen genoemd vanwege hun lange nekken. Dit dier is gemakkelijk te herkennen wanneer het staand op zijn achterpoten bladeren van de struiken eet.

Giraffen grazen bij voorkeur op savannen en in open bosgebieden met acacia's. De Masaigiraffe, die ten zuiden van de rivier de Tana leeft, komt het meest voor. De kleinere, zeldzamere netgiraffe is vooral in het noorden van het land te vinden.

Gnoes leven verspreid over de savannen. Deze dieren leven in kudden die men gedurende hun jaarlijkse trek het best kan observeren in het Masai Mara Game Reserve.

Grant's gazellen treft men aan in open gebied met struiken (bushsavanne) en op grasland. Dit dier is wat groter dan de nauwverwante *Thomson's gazelle* en heeft geen zwarte strepen op de flanken.

Hyena's komen vrijwel overal voor. De twee bekendste soorten zijn de gevlekte en de gestreepte hyena. Hun voedsel bestaat slechts ten dele uit aas; de gevlekte soort maakt ook jacht op bijv. zebra's.

Impala's komen veel voor op acaciasavannen en in met struikgewas begroeide gebieden. Deze antilope kan eenmaal op de vlucht sprongen maken van wel 10 m.

Kongonihartebeesten (Alcelaphus buselaphus cokii) leven op de savanne ten zuiden van de Tana in het open grasland.

Koedoes leven in dichte bossen en struikgewas, mijden open terrein en zijn daardoor maar zelden waar te nemen. Men onderscheidt de grote (schouderhoogte 160 cm) en de kleine (schouderhoogte 100 cm) koedoe. Beide zijn gestreept en hebben spiraalvormige hoorns.

Krokodillen treft men in vrijwel alle rivieren van Kenia aan. Ze zijn meestal te zien op de oevers, waar ze vaak liggen te zonnen. Deze gevaarlijke dieren kunnen wel 6 m lang worden.

Leeuwen leven vooral op de savannen en in open wouden. Deze 'koning der dieren' is de enige katachtige die in groepen leeft, zogenaamde troepen. Overdag liggen ze meestal te slapen op kopjes of onder bosjes en bomen.

Boven: Een leeuwenfamilie laaft zich bij de drinkplaats. Rechts: Topi's in de savanne van zuid-west Kenia.

Luipaarden komen in allerlei soorten landschappen voor, maar vooral in bossen, struikgewas en grotten. Dit nachtdier valt moeilijk waar te nemen. Vanwege zijn prachtige vacht werd er veel op dit dier gejaagd.

Luipaarden leven solitair. Hun prooien, apen of jonge antilopen, slepen ze vaak de bomen in.

Mangoesten komen in Kenia voor in verschillende soorten. Het zijn grappige, onderhoudende diertjes, die zich goed laten observeren. Als er gevaar dreigt, waarschuwen ze elkaar met luid gefluit en gekrijs.

Neushoorns leven op savannen en in heide- en bosgebieden. Neushoorns zijn de sterkst met uitsterven bedreigde dieren in Afrika.

Er zijn twee soorten: de zwarte (of puntlipneushoorn) en de witte (of breedlipneushoorn). De laatste komt in Kenia alleen nog maar in het Meru National Park voor, waar hij een paar jaar geleden werd uitgezet.

Nijlpaarden zijn in alle rivieren en meren te vinden die omgeven zijn door grasland. Hun gesnuif wanneer ze uit

het water opduiken, is vaak al te horen nog voor men de dieren ziet. 's Ochtends en 's avonds liggen ze vaak op de oevers te doezelen.

Olifanten, de grootste landzoogdieren, leven vooral in bossen of op savannen. Het zijn kuddedieren die hun jongen in familieverband grootbrengen. De dikhuiden zijn vreedzame vegetariërs.

Oryxen (spiesbokken) leven bij voorkeur in droge gebieden met struikgewas. In Kenia komen de beisa en de franjeoor voor. De eerste is grijs en leeft ten noorden van de Tana; de laatste is donkerbruin, heeft oren met uitstekende bosjes haar en leeft in Zuid-Kenia.

Secretarisvogels komen alleen op de savannen voor. De vogels zijn gemakkelijk te herkennen aan hun uitstekende veren op het achterhoofd en hun sierlijke tred.

Struisvogels zijn te vinden op de savannen en de graslanden. Ondanks zijn veren kan de struisvogel niet vliegen, maar met zijn merkwaardige loopstijl kan hij snelheden van 70 km/u bereiken.

Topi's of *lierantilopen* leven op de open savannen van Zuidwest-Kenia. Vaak ontdekt men deze grote, blauwzwarte tot bruine antilopen op een kleine verhoging in het landschap, waar ze waakzaam de omgeving observeren.

Waterbokken leven in open bosgebieden en rotsachtig heuvelland in de buurt van water. Deze krachtige antilope heeft een ruige, grijsbruine vacht.

Wrattenzwijnen leven bij voorkeur op savannen in de buurt van water. De grijze wrattenzwijnen zijn goed te herkennen aan hun staart, die recht overeind staat wanneer ze op de vlucht slaan. Ze leven in kleine families.

Zebra's komen veel voor op open savannen en grasland. Er zijn twee ondergeslachten.

De eerste is de steppenzebra met brede strepen, die vooral in zuidelijk Kenia leeft en die men bij de dierenmigraties in het Masai Mara kan zien. Zeldzamer is de Grévy's zebra, herkenbaar aan zijn smalle strepen die eindigen op de flanken boven de buik. De Grévy's zebra komt voornamelijk voor in Meru en Samburu.

12

Flora en fauna

VERDWIJNEND PARADIJS?

'Wij zullen nooit meer dezelfden zijn indien wij toelaten dat de laatste in het wild levende dieren uitsterven en nog slechts enkele exemplaren in dierentuinen zijn te bewonderen, en wanneer wij onszelf van de mogelijkheid beroven onszelf als deel van de aarde, van de natuur en als broeder der dieren te zien, om onder hen de ons toekomende plaats in te nemen. Wij mogen het laatste beetje schone lucht en de laatste schone rivieren en beken niet vervuilen, noch asfaltwegen door het laatste restje stilte aanleggen. Dan zouden wij mensen in ons eigen land nooit meer vrij zijn van het lawaai en de stank van afval van mensen en auto's.

Wij hebben dat wilde land nodig, zelfs als we er niets anders mee zouden doen dan erheen te rijden en het te bekijken, omdat het ertoe dient ons van ons bestaansrecht te overtuigen, van

Boven: Rustende buffel in het Masai Mara.
Rechts: Speurend naar stropers.

ons gezonde verstand, van het feit dat we deel uitmaken van de hoop der wereld.'

Zo treffend beschrijft professor Wallace Stignor van de Stanford University het belang van het beschermen van in het wild levende dieren.

Het observeren van de in het wild levende dieren is het hoogtepunt van een reis naar Kenia. Zelfs het kortste bezoekje verleent het begrip 'menselijke dierentuin' een geheel nieuwe dimensie: neushoorns en olifanten kunnen tot een aanval overgaan, zebra's, buffels, giraffen en andere dieren kijken de mensen nieuwsgierig aan of negeren hen volkomen. Want het zijn de dieren die hier thuis zijn. De mens daarentegen is slechts een vluchtige bezoeker – in zijn eigen kooi, de auto.

Van de meeste toeristen die eenmaal op deze wijze de natuur hebben beleefd, maakt zich een geheel nieuw gevoel meester: het gevoel dat de wereld die ze hier zagen eenvoudigweg beter, natuurlijker is. Na thuiskomst ziet alles er opeens pijnlijk leeg uit. Misschien wordt men zich er dan van bewust wat er is ge-

beurd met het wild in Europa en Noord-Amerika.

Ook in Kenia dreigt dit gevaar. Bij de aanleg van de spoorlijn rond 1900 stootten de arbeiders nog op duizenden in het wild levende dieren in wat nu het industriegebied rond Nairobi is. Het zou nog slechts negentig jaar duren voor de enorme dierenbestanden, waaronder bijvoorbeeld de Kaapse leeuw, tot op het punt van uitsterven waren gedecimeerd. Men rechtvaardigt deze massaslachtingen met zulke onaanvaardbare redenen als de goede zaken die men doet met van luipaardvellen vervaardigde jassen of de uiterst winstgevende handel in de slagtanden van olifanten. Het belachelijke gerucht dat de hoorn van een neushoorn als potentieverhogend middel zou werken, resulteerde in een bloeiende handel in deze hoorns, en een afslachten van duizenden neushoorns.

De redenen die boeren en veehouders aanvoeren om actie te ondernemen tegen de in het wild levende dieren zijn misschien tot op zekere hoogte gerechtvaardigd, want de dieren vertrappen soms de gewassen of infecteren het vee met runderpest, teken en koortsige ziekten.

De toekomst van de dieren- en plantenbescherming ligt echter in ons aller handen. Tussen het behoud van de wilde dieren en het economisch overleven van Kenia bestaat een nauw verband. Des te meer daar het toerisme, in even sterke mate als de verbouw van koffie, de voor de economie zo noodzakelijke harde valuta oplevert.

Wildreservaten

De eerste wildreservaten ontstonden in de jaren veertig van de vorige eeuw. In 1946 werd het Nairobi National Park geopend, spoedig gevolgd door het Amboseli, het Tsavo en het Masai Mara Game Reserve. Tegenwoordig zijn er vijftig reservaten die gezamenlijk zeven procent van de oppervlakte van Kenia beslaan.

Een belangrijke stap vooruit naar een betere bescherming van het wild was het aannemen van de *Wildlife Conservation and Management Act* in 1976,

12

Verdwijnend paradijs?

die in 1977 werd gevolgd door een algemeen jachtverbod.

Voor die tijd werden vergunningen afgegeven voor het beperkt afschieten van bepaalde diersoorten. De bewapende jagers werden echter af en toe stropers of overschreden de hun toebedeelde quota.

Met het jachtverbod kwam er ook een verbod op het bezitten of verkopen van jachttrofeeën. Tot op de avond voor het verbod inging werden in het hele land ivoor, hoorns, klauwen en huiden te koop aangeboden en het was een publiek geheim dat ook door stropers bemachtigde trofeeën officieel werden verhandeld.

Na het ingaan van het jachtverbod werd duidelijk dat stropers de grootste bedreiging vormden voor de in het wild levende dieren van Kenia. Dit probleem wordt nog vergroot door het feit dat vele etnische groepen, zoals de Somali en de Boran, het jagen zien als een eervolle taak van een toekomstig krijger.

Boven: Deze olifant wordt grootgebracht in het dierenweeshuis van David Sheldrick.

Ook de toeristenindustrie heeft af en toe een negatieve invloed op het behoud van de wildbestanden. In gebieden die toeristisch zeer aantrekkelijk zijn, werden, vooral in de buurt van lodges, kunstmatige drinkplaatsen aangelegd. Tijdens perioden van droogte, die de nationale parken natuurlijk niet spaarden, stroomden massa's dieren samen bij deze kunstmatige drinkplaatsen. Het gevolg was overbevolking, het uitbreken van ziekten en de dood van vele dieren.

Een bijzonder probleem is het vernielen van bomen door de olifanten. Wanneer ze te talrijk worden, vormen ze een ernstige bedreiging voor bomen en bosjes en uiteindelijk voor het ecologisch evenwicht als geheel. Hier nemen we dus een merkwaardig fenomeen waar: het tekort aan groot wild buiten de reservaten wordt gecompenseerd door een overbevolking van diezelfde dieren binnen de reservaten. Het succes van het oorspronkelijke idee om een bepaald gebied in ecologisch evenwicht te bewaren, samen met een onaangetast dierenbestand, lijkt steeds twijfelachtiger te worden. Een ander twistpunt zijn de botsende agrarische belangen. De nationale parken leggen beslag op grote stukken weidegrond, terwijl de omvangrijke wildbestanden ook nog eens de aangrenzende, intensief bebouwde cultuurgronden beschadigen. Dit is bijvoorbeeld het geval op de hellingen van de Aberdare Mountains en de Mount Kenya, en in de omgeving van Laikipia. Deze gebieden zijn herhaaldelijk verwoest door rondzwervende kudden olifanten en de woedende boeren hebben al meermalen gedreigd om de dieren eenvoudigweg te vergiftigen.

Ook de sterk groeiende bevolking van Kenia oefent aanzienlijke druk uit op de landbouwgronden. Afgezien van de bedreiging die het wild voor de oogst en de mensen op het land vormt, wekt het reduceren van de hoeveelheid weidegrond voor de agrarische sector ten gunste van de zich steeds uitbreidende reservaten de afgunst op van de gemeenschappen die aan die reservaten grenzen. Etnische groepen als de Masai in het Masai Mara Reserve dringen steeds weer binnen in de reservaten vanwege de daar rijkelijk voorhanden zijnde weide- en landbouwgronden.

De overheid probeert nu om door het aanleggen van theeplantages rond de woudgebieden op de bergen zowel de bestaansmiddelen van de bevolking als de wouden op peil te houden.

Dierenvrienden kunnen door middel van de toegangsprijzen van de reservaten en het lidmaatschap van de *East African Wildlife Society* hun bijdrage leveren aan het behoud van de wildbestanden.

Geschiedenis

De eerste wetten voor de bescherming van in het wild levende dieren werden opgesteld door een speciaal departement van de overheid, waarvan het hoofd een jachtopziener was. Een onafhankelijk ministerie werd pas in 1920 opgericht.

In die tijd werden de blanke kolonisten die het land binnenkwamen als de grootste bedreiging voor het wild gezien. Men geloofde dat de manier waarop zij de enorme stukken grond voor landbouw gebruikten, een manier die sterk afweek van die der inheemse bevolking, de in het wild levende dieren naar de verst verwijderde delen van de wildernis zou verdrijven. Slechts een minderheid geloofde dat een groot dierenbestand in de buurt van Nairobi zou kunnen overleven.

In 1912 stelde hulpjachtopziener Martin Seth-Smith een lijst op van de dieren die binnen een straal van 16 km rond Nairobi konden worden aangetroffen. Hij was ervan overtuigd dat de meeste diersoorten spoedig zouden uitsterven en dat zijn lijst binnen luttele tijd nog slechts een historisch document zou zijn. Over de neushoorns merkte hij op: 'De neushoorn komt nog maar in geringe aantallen voor.' Sinds 1904 was hun aantal snel afgenomen tot er in 1914 in de omgeving van Nairobi waarschijnlijk geen één meer leefde. In het begin van de jaren zestig van de 20ste eeuw werd dit dier echter weer uitgezet in het Nairobi National Park. En met succes. Ondanks de sombere verwachtingen van Martin Seth-Smith komen er tachtig jaar nadat hij zijn lijst heeft opgesteld nog altijd neushoorns voor binnen een straal van 16 km rond Nairobi.

Met de buffel ging het precies hetzelfde. Seth-Smith: 'Buffels worden soms in geringe aantallen waargenomen in het Kikuyu Forest aan de Ngongzijde van de spoorlijn. Het zijn waarschijnlijk randgroepen van de kudden in de Ngong Hills, hoewel het zeker denkbaar is dat enkele oude stieren doorlopend in dit bos verblijven.' Nadat de buffels vele jaren uit de directe omgeving van de hoofdstad waren verdwenen, werden ze in 1963 weer in het Nairobi National Park uitgezet en zijn tegenwoordig zelfs talrijker dan in de tijd van Seth-Smith. In het jaar 1912 leefden er in Nairobi een handvol men-

Verdwijnend paradijs? **12**

213

sen. Nu heeft de stad circa 3,7 miljoen inwoners. Seth-Smith's voorspellingen, destijds goed gefundeerd, werden door de geschiedenis weerlegd: het concept van de wildbescherming functioneert goed.

Zonder andere aspecten van de dierenbescherming te negeren, heeft toch de nadruk steeds gelegen op het beschermen van de meest bedreigde soorten, zoals de Rothschild giraffe en de olifant. De Keniase overheid is een veelomvattende campagne voor het redden van de zwarte neushoorn begonnen. Deze werd door stropers zo genadeloos afgeschoten dat de soort het uitsterven nabij was.

De ook nog net voor uitsterven behoede witte neushoorn, na de olifant het grootste landzoogdier, wordt nu in het Nakuru National Park weer in grotere aantallen aangetroffen. Van beide soorten neushoorns leven tegenwoordig

Boven: Luipaardpaartje in het Masai Mara. Rechts: Neushoorns houden siësta in het Samburu Park.

(1995) echter niet meer dan ongeveer 3000 exemplaren, terwijl men in 1970 alleen al 65.000 zwarte neushoorns telde! De meeste van deze dieren leven in Kenia, Namibië, Zuid-Afrika en Zimbabwe.

Laatste kans voor de neushoorn

In de tweede helft van de 20ste eeuw vond er een onverbiddelijke jacht plaats op de neushoorns in Kenia. De reden voor de bijna volledige uitroeiing van een der indrukwekkendste dieren van Afrika was de grote vraag naar de hoorn van het dier. Deze bestaat uit keratine, de hoornige stof waar ook de vingernagel uit bestaat. In het Verre Oosten wordt de hoorn vooral gebruikt als afrodisiacum en als koortsverlagend middel; in Jemen voor het vervaardigen van kostbare dolkheften.

Een gevolg van het in 1977 afgekondigde jachtverbod was een dramatische toename van het stropen, hetgeen leidde tot het versnelde uitmoorden van de neushoorn. Nadat deze dieren zijn gedood, laat men ze gewoon liggen rotten; alleen de hoorn wordt meegenomen.

In 1985 zette de overheid het *Kenya Rhino Rescue Project* op, dat er binnen vijf jaar door middel van grootschalige maatregelen toe moest leiden dat de neushoorn voor uitsterven werd behoed. Het project omvatte onder meer het oprichten van vier speciale neushoornreservaten en het instellen van bewakingseenheden in de nationale parken. Bovendien werden de maatregelen om het stropen tegen te gaan verscherpt en de neushoornkudden geregistreerd. Om ze te beschermen en om geschikte fokexemplaren te vinden, werden de verspreid over het land levende dieren gevangen en in de veiliger reservaten ondergebracht.

Bezorgde toeristen in Kenia deden gulle giften en in de meeste hotels staan bij de receptie collectebussen waarop een tekst is aangebracht die alle dierenvrienden oproept een bijdrage te leve-

ren aan het reddingsfonds voor de neushoorns, het *Save the Rhino Fund*.

Allereerst werd in het Nakuru National Park een aparte beschermingszone voor neushoorns ingericht, het *Rhino Sanctuary*. Het Rhino Sanctuary is ongeveer 74 km lang en beslaat een oppervlakte van 140 km^2. Dit terrein wordt omgeven door een hek dat onder 5000 volt door zonne-energie geleverde spanning staat. Deze maatregelen bleken zo effectief dat sinds de instelling van de speciale zone geen enkel dier meer is geroofd. Het voorbeeld van het Nakuru National Park toont aan dat de neushoorn in de beschermde gebieden werkelijk veilig is. Inmiddels kunnen de neuhoorns zich in het park vrij bewegen. Een ander klein *Rhino Sanctuary* onder overheidscontrole werd ingericht in het Tsavo Park West. Er zijn reeds plannen om dit reservaat uit te breiden.

Vooral de bezoekers van de reservaten plukken de vruchten van deze intensieve pogingen om de natuur en haar fauna te redden. U moet zich dus gepast gedragen, bijv. door de voorschriften in de reservaten, die van 6-18 uur geopend zijn, onvoorwaardelijk op te volgen. Zo is het in de meeste beschermde gebieden verboden van wegen en paden af te gaan en op andere dan de aangegeven observatie- en picknickplaatsen uw auto te verlaten. Ook gelden vrijwel overal maximumsnelheden.

U moet nooit vergeten dat de vredig grazende olifanten en de overigens nogal luie leeuwen wilde beesten zijn die recht hebben op hun levensgewoonten zonder daarbij door mensen te worden gestoord. De dieren ervaren het meestal als een bedreiging wanneer u te dichtbij rijdt of door uw open autoramen luide kreten van bewondering slaakt. Cheetamoeders voelen zich bijvoorbeeld door safarivoertuigen vaak zo bedreigd dat zij hun jongen in de steek laten.

Draagt ook u door goed gedrag eraan bij dat de dieren ongestoord kunnen leven. Laat u bijvoorbeeld niet verleiden tot de aanschaf van producten die vervaardigd zijn van beschermde dieren. Misschien zullen dan ook toekomstige generaties nog kunnen genieten van de schoonheid van de Afrikaanse natuur, een van de laatste paradijzen op aarde.

12

Verdwijnend paradijs?

RICHARD LEAKEY
– Een archeoloog wordt minister –

De naam Leakey is onlosmakelijk verbonden met de prehistorische opgravingen in Kenia. Maar niet alleen daarmee. In het laatste decennium van de vorige eeuw kreeg een lid van de familie Leakey bovendien een reputatie als natuurbeschermer.

Richard Leakey werd in 1944 in Nairobi geboren als zoon van dr. Louis Seymour Bazett Leakey en dr. Mary Leakey, beiden van Britse afkomst. Al vroeg begon hij zich te interesseren voor het werk van zijn ouders, dat al sinds de jaren dertig aan een zoektocht naar de oermens was gewijd. De expedities voerden de jonge Richard ook naar Tanzania, waar hij in de Olduvaikloof het skelet vond van een vroeg menselijk wezen. Dit zou later onder de naam *homo habilis* (vaardige mens) als een van de belangrijkste schakels in de keten van de menselijke evolutie de geschiedenis ingaan.

Aan het eind van de jaren zestig begon Richard Leakey met een beurs van de *National Geographic Society* zijn eigen opgravingen in Koobi Fora aan de oostelijke oever van het Turkanameer. Eerdere expedities hadden aanleiding gegeven tot het vermoeden dat hier interessante vondsten waren te verwachten. Sneller dan gehoopt werden Richard Leakey's verwachtingen bevestigd: reeds drie weken na het begin van de opgravingen werd een eerste hominide gevonden.

De beslissende vondst werd echter gedaan in het jaar 1972, toen een vrijwel intacte schedel van zo'n 2,2 miljoen jaar oud werd opgegraven. Deze schedel leverde het bewijs voor het bestaan van de oermens *homo habilis*, reeds eerder gesuggereerd door Louis Leakey. Toen men jaren later in Koobi Fora ook de fossiele resten vond van een van onze onmiskenbare voorouders, de *homo erectus* (rechtopgaande mens), viel het niet langer te weerleggen dat de 'wieg der mensheid' in Oost-Afrika moest hebben gestaan en niet, zoals lange tijd werd aangenomen, in Azië.

De wending in Leakey's carrière als archeoloog kwam aan het eind van de jaren tachtig, vele jaren na de ontdekkingen die hem wereldberoemd hadden gemaakt. Nadat in de nationale parken keer op keer olifanten en neushoorns door stropersbenden werden afgeslacht, zonder dat iemand daartegen maatregelen nam, maakte het ministerie van Toerisme en Natuurbeheer de resultaten van een olifantentelling openbaar. Leakey, die op dat moment directeur was van het National Museum in Nairobi, bekritiseerde het bericht en beschuldigde het ministerie ervan het afslachten van wilde dieren te gedogen. Tot ieders verbazing werd de zittende minister door president Daniel arap Moi afgezet en Leakey nam zijn plaats in. De president verklaarde dat huidskleur voor hem niet van belang was, het ging hem om het algemeen belang van Kenia.

Met hulp van de regering ontwikkelde Leakey een omvangrijk programma dat in eerste instantie als doel had de tot dan toe geldende maatregelen, die in het beste geval het image van het land oppoetsten, te vervangen door maatregelen die daadwerkelijk succes beloofden. Hij versterkte de bewakingsdiensten in de reservaten en liet de machinegeweren, munitie en jachttrofeeën van de stropers confisqueren. Inmiddels lijkt dit beleid zijn vruchten af te werpen. Door vermeende corruptieschandalen in het Wildlife-ministerie is Leaky begin 1994 als minister afgetreden en werd Member of Parliament. In 1998 was hij opnieuw directeur van het Kenyan Wildlife Service; in 1999 werd hij directeur van de Civil Service. Intussen heeft Richard Leakey zich uit de politiek teruggetrokken en bekleedt hij geen openbare functies meer.

Rechts: De geleerde Richard Leakey met een hominiden-schedel.

DE WONDERE WERELD ONDER WATER

Ter bescherming van de fantastische wereld onder water werden in Kenia verscheidene zeereservaten opgericht. De kleurrijke wereld van de tropische vissen, de prachtige koraalriffen, de zeesterren, schildpadden en mosselen behoren dan ook zonder meer tot de grootste attracties die Kenia te bieden heeft. De natuur beschermt de kust van Kenia over vrijwel de gehele lengte met een groot rif.

In de beschermde gebieden mag noch met harpoenen op vis worden geschoten, noch iets als souvenir mee naar huis worden genomen. Het doel is om de wereld onder water voor allen als paradijs te bewaren. Ondanks alle goede bedoelingen van deze verboden heeft het rif de laatste jaren veel te lijden gehad van de stroom toeristen.

Malindi-Watamu Marine Reserve: Bij eb zijn in de koraalriffen kilometerslange wandelingen mogelijk. De koraaltuinen in het zuidelijk deel van het Malindi Marine Park bieden de unieke gelegenheid de vele fascinerende soorten koraal te leren kennen. Een bijzondere attractie van het Watamu Marine Park wordt gevormd door drie onderwatergrotten bij de ingang van de Mida Creek.

Kiunga National Marine Reserve: Bijna op de grens met Somalië ligt het Kiunga Reserve. Het wordt nauwelijks door toeristen bezocht en vele watervogels hebben in dit afgelegen gebied hun broedplaatsen. De broedtijd is van juli tot oktober. Vooral schildpadden worden in dit reservaat beschermd, alsmede enige uiterst zeldzame koraalsoorten. Bijzonder bekoorlijk zijn de kleine koraaleilanden die bij het reservaat horen; u kunt ze het best met een boot vanuit het dorp Kiunga bezoeken.

Kisite Marine National Park en het aangrenzende **Mpunguti Marine Reservation** liggen aan de zuidkust. U kunt de betoverende koraaltuinen en uitgestrekte mangrovemoerassen alleen met een boot vanuit Shimoni bereiken. Het hart van het park wordt gevormd door de twee kleine eilandjes Wasini en Kisite.

12

Richard Leakey

217

DUIKEN

Kenia bezit een aantal van de mooiste duikgebieden ter wereld. Het heldere, warme water van de Indische Oceaan en de indrukwekkende onderwaterwereld trekken steeds meer duikliefhebbers van over de hele wereld naar de Oost-Afrikaanse kust. Duikcursussen kunnen zowel ter plekke als bij gespecialiseerde reisorganisaties of grote duikscholen thuis worden geboekt. Het is natuurlijk het handigst om een hotel te kiezen dat over een eigen duikbasis beschikt.

Eén blik, met duikbril, onder water biedt u reeds een fascinerend beeld van een andere wereld. De fantastische kleuren van vissen en planten, en de groteske vormen van de koraaltuinen zijn op deze wijze goed te bewonderen, of nog beter door een boot met een glazen bodem. Het is echter iets geheel anders om naar de diepte te duiken, tussen de vissen te zwemmen en vlak boven de zeebodem te 'zweven'.

Duikscholen vindt men inmiddels bij vele hotels aan de kust. Vaak beschikken ze over de modernste apparatuur. U kunt er al het benodigde huren, van snorkels en duikbrillen tot zuurstofflessen en zwemvliezen.

Ondanks de hoge temperatuur van het water moet u nooit zonder duikerpak gaan duiken. Op grotere diepten kan het behoorlijk koud worden. Bovendien biedt een dergelijk pak bescherming tegen kwallen of scherpe koralen.

De beste tijd om te duiken is van oktober tot maart. Daarna zijn de winden en golven sterker, waardoor het zand van de zeebodem opdwarrelt en het zicht vertroebelt. Vooral een boottocht bij straffe wind is niet voor iedereen even aangenaam. Ook al wordt u niet zeeziek van het duiken zelf, het is niet aan te raden eraan te beginnen als u zich niet lekker voelt.

Rechts: Een onvermoede kleurenpracht in de wereld onder water.

Zelfs wie al over enige duikervaring beschikt, doet er goed aan een duikleraar mee te nemen die vertrouwd is met de lokale omstandigheden. Ook is in Kenia een certificaat vereist waarop vermeld staat dat u reeds over de noodzakelijke duikvaardigheid beschikt. De duikcentra erkennen de volgende certificaten: *Padi,British Sub Aqua Club*, *NAUI* en *CMAS* of een aan *CMAS* gelijkwaardig certificaat. In elk geval dus uw duikkaart en trainingsboekje meenemen!

Mocht u in Kenia voor de eerste maal willen kennismaken met het duiken, dan moet u zich thuis beslist door een arts laten onderzoeken, vooral uw oren, om er zeker van te zijn dat u fit genoeg bent voor een avontuur onder water.

De eerste duikpogingen van een beginneling vinden meestal plaats in een veilig zwembad. Pas na deze oefeningen en na enige uren theorieles staat een uitstapje in de onderwaterwereld op het programma.

Ook al lijkt het wat overdreven om voor een excursie onder water zoveel voorbereidingen te treffen, het is beslist noodzakelijk. Al heel wat ongeoefende duikers zijn in levensgevaar geraakt doordat ze te snel terugkeerden naar het oppervlak vanuit een grote diepte. De gebarentaal die men op de theorielessen leert, is onder water een belangrijk communicatiemiddel. Ook het ruilen van zuurstofflessen moet in verband met een eventueel noodgeval goed worden geoefend. Een geslaagde deelname aan een duikcursus wordt altijd met een internationaal erkend certificaat beloond. Dit certificaat kunt u dan gebruiken op uw volgende reis naar Kenia of een ander land met goede duikmogelijkheden. Een duik is vooral voor beginners vermoeiender dan men wellicht zou denken. U kunt beter voor dezelfde dag niet te veel andere zaken plannen en na het uitstapje een rustpauze nemen om bij te komen.

Wie eenmaal een blik in de fascinerende wereld onder water heeft gewor-

pen, is er waarschijnlijk voor altijd aan verslaafd. De ervaring om onder water geheel afhankelijk te zijn van de andere duikers is een ander opwindend onderdeel van het avontuur.

Duiken kunt u op bijna elke leeftijd leren. Kinderen dienen echter ten minste zo oud te zijn dat ze de theoretische instructies kunnen begrijpen.

En waar de bovenste leeftijdsgrens ligt? Die is niet vastgesteld en hangt natuurlijk hoofdzakelijk af van iemands persoonlijke gestel en conditie. De conditie dient echter wel goed te zijn. Wie zich niet volledig fit voelt, doet er goed aan niet aan een diepzeeduikavontuur te beginnen. In ieder geval moet u, zoals gezegd, voor u begint met duiken zich eerst grondig medisch laten onderzoeken.

Onder water kunt u schitterende foto's maken. De bekende Duitse fotografe en filmmaakster Leni Riefenstahl, die voor de oorlog inhoudelijk en qua intentie verwerpelijke nazidocumentaires maakte, heeft op hoge leeftijd veel onderwaterfoto's gemaakt in Kenia. Er zijn verscheidene boeken met haar fo-

to's gepubliceerd. Wie zich in Kenia met onderwaterfotografie wil bezighouden, zal talrijke motieven vinden die de moeite waard zijn, bijvoorbeeld de kleurrijke keizersvis of de vlindervis. Uiterst spectaculair is ook de langzaam zwemmende schorpioenvis met zijn rode, witte en zwarte strepen en de lange veerachtige vinnen. Wees echter voorzichtig met het aanraken van deze vis: de rugvinnen bevatten een zeer pijnlijk gif.

Er zijn weinig gevaarlijke rifbewoners in Kenia, maar u moet beslist uitkijken voor de giftige steenvis. Dit lid van de familie der schorpioenvissen heeft gifzakjes onder iedere rugvin. Roerloos ligt hij op de zanderige of rotsachtige bodem op zijn prooi te wachten.

De meeste andere zeedieren die men op een duiktocht tegenkomt, zijn echter volkomen ongevaarlijk: de papegaaivis of de doornkroon (een soort zeester), de heremietkreeft of de zeeschildpadden, die tot de beschermde diersoorten behoren en beslist met rust dienen te worden gelaten.

Duiken 12

SAFARI OP ZEE
– Hengelen op zee en visvangst –

Kenia bezit ideale voorwaarden om te kunnen diepzeevissen, want voor de kust treft men een grote verscheidenheid aan roof- en snavelvissen aan.

Een waar paradijs voor diepzeevissers is Shimoni. Daar ontmoeten de rijke blanke zakenlieden uit het hoogland van Kenia elkaar om hun vakantie met diepzeevissen door te brengen. Maar ook in de andere watersportplaatsen langs de kust tussen Shimoni en Lamu kan men goed uitgeruste boten met bemanning huren om een dagje te gaan vissen.

Ervaren diepzeevissers begeleiden de tocht en wijzen u op alle belangrijke zaken. Het seizoen loopt van de maanden november tot maart. Buiten deze periode dienen alleen personen die niet snel zeeziek worden zich aan een diepzeesafari te wagen.

Boven: Een reusachtige vangst wordt opgemeten. Rechts: Een gestrande hamerhaai.

De vaart naar open zee begint 's ochtends vroeg en men weet nooit wat de dag zal brengen: de grootste vangst van het seizoen of slechts een paar bonito's, die men wellicht als kaalgevreten geraamte boven water haalt, wanneer een haai het schip is gevolgd.

Een grote vangst is het gevolg van een echt duel tussen vis en visser. Als men een marlijn van een paar honderd pond aan de haak heeft, weet men nooit of de lijn het zal houden. Duikt de vis weer onder in de diepten van de oceaan of kan hij aan boord worden getrokken? Vastgegespt aan de 'strijdstoel' doet de visser zijn best en het kan lang duren voor de winnaar bekend is.

Niet iedere diepzeevisexcursie wordt met een recordvangst bekroond. Maar wie tot de gelukkigen behoort, zal nog lang aan de belevenis terug denken. Uitzonderlijk goede visgronden zijn te vinden in Malindi. De beste plaats in Afrika voor het vangen van zeilvissen is het Pemba Channel bij Shimoni, dat bekend is vanwege de grote hoeveelheid gestreepte marlijnen, geelvintonijnen en haaien die er voorkomen.

De lijst met recordvangsten in Kenia geeft een idee van wat men kan verwachten: tijgerhaai: 394,3 kg; zwarte marlijn: 363,6 kg; blauwe marlijn: 251,4 kg; hamerhaai: 211,0 kg; geelvintonijn: 87,5 kg; waaiervis: 65,9 kg; bonito: 10,4 kg.

Het diepzeevissen is geen goedkope aangelegenheid. Een goed uitgeruste boot met bemanning kost voor vier personen al gauw zo'n $ 250 per dag. Wie bescheidener hengelwensen heeft, kan in de beken en stromen van de Keniase hooglanden terecht. Hier zijn de prijzen redelijk en de kans op succes is uiterst groot.

Visrijke meren en beken

Op hoogten boven de 2200 m vindt men in Kenia veel forellenstromen, waar men met een visvergunning van slechts 100 Keniase shillings per jaar

mag vissen. De forellen werden tegen het begin van de 20ste eeuw uit Europa ingevoerd en voelen zich in de koude stromen van de Aberdare Mountains en de Mount Kenya uitstekend op hun gemak.

Een van de beste visplaatsen is waarschijnlijk Ngobi, waar zich ook een commerciële viskwekerij bevindt. Als u in Nairobi of elders in Kenia in een restaurant forel eet, is de kans groot dat hij hiervandaan komt.

Goede visgronden zijn ook de twee zoetwatermeren in de Rift Valley. Bij hengelaars is het Naivashameer zeer populair. Hier kan men onder meer de forelbaars en de tilapia (baarsvis) vangen.

Een nog grotere uitdaging vormt de grote nijlbaars in het Victoriameer en het Turkanameer. Deze bezienswaardige prachtexemplaren wegen vaak meer dan 200 kg en zijn zeer smakelijk. Het zijn echter geen echte vechters.

Dat kan absoluut niet gezegd worden van de tijgervis, die is vele malen agressiever en kan men zelfs vanaf de oever vangen.

Het Victoriameer is het visrijkste water van Oost-Afrika. Voor bezoekers van het Masai Mara Reserve kan een excursie naar het Victoriameer worden georganiseerd.

Commerciële visvangst

De visserij is geen belangrijke factor in de economie van Kenia. De in alle goede visrestaurants geserveerde tilapia is voornamelijk afkomstig uit het Victoriameer. Dit een na grootste zoetwatermeer van de wereld ligt in het woongebied van de Luo, die bekend staan als uitstekende vissers. Bij het Turkanameer is de commerciële visvangst de belangrijkste economische activiteit. Na een hongersnood in Noord-Kenia in de jaren zestig van de 20ste eeuw werden veel Turkanagezinnen naar het gebied rond het meer overgebracht om hun te voorzien van nieuwe middelen van bestaan. Met behulp van moderne boten konden ze zichzelf met vissen onderhouden. De grote vangst wordt gedroogd of ingevroren en naar de steden in het zuiden van het land vervoerd.

12

Vissen

BERGAVONTUREN

Wie verhalen hoort over een reis naar Kenia, denkt aan een strandvakantie, aan safari's, aan tropische hitte, savanne, jungle en woestijn, maar niet aan hooggebergte, besneeuwde toppen, steile hellingen en bergbeklimmen.

De top van de Kilimanjaro ligt weliswaar in het buurland Tanzania, vlak bij de grens met Kenia. Om naar Tanzania te reizen, heeft u een visum nodig.

Of u nu uw zinnen hebt gezet op een tocht naar Kenia's hoogste berg, de Mount Kenya, naar de Aberdare Mountains of naar de Kilimanjaro, u zult verrukt zijn over de onaangetaste natuur, de overweldigende vegetatie en de fascinerende dierenwereld. Bergsafari's kan men in de reisbureaus in Mombasa en Nairobi boeken maar ook al in eigen land. In Kenia organiseert bijvoorbeeld de *Mountain Club of Kenya*, Nairobi, bergtochten.

Boven en rechts: Beklimming van de Mount Kenya.

Mount Kenya en de Aberdare Mountains

Rondom Mount Kenya (5199 m) strekt zich het Mount Kenya National Park uit over een terrein van 491 km². De op een na hoogste berg van Afrika ligt pal op de evenaar en is een grote attractie voor bergbeklimmers. Het landschap op de hellingen varieert; eerst zijn er landbouwgronden, dan dichte wouden, bamboejungle en moerassen, onderbroken door valleien. In 1887 klommen baron Samuel Teleki en zijn metgezel Ludwig von Höhnel tot 915 m onder de top. Twaalf jaar later bereikte de Engelsman Halford Mackinder als eerste blanke de top. Tegenwoordig zijn er vele wandelpaden naar de top en enige kleinere klimroutes.

Op de berg gelden dezelfde regels als in alle nationale parken. Bezoekers moeten zich bij de toegangspoorten laten inschrijven voor een dagtocht of een overnachting. Wandelaars zonder gids mogen het park slechts in voor een dagtochtje dat om 16.00 uur dient te worden beëindigd.

Startpunt voor de meeste bergbe-klimmers is de Naru Moru River Lodge (met een terreinwagen kunt u hiervan-daan ook naar het Meteorological Station rijden).

Van de Naru Moru Gate voert de route vervolgens door moerasgebieden naar het Mackinder's Camp / de Teleki Lodge op 4200 m. Hier bevindt zich het beginpunt van de tocht op de tweede dag, die u tot de Point Lenana (4986 m) en weer terugbrengt.

Om de Point Lenana te beklimmen hebt u behalve op de laatste, stijle klim over ijzige ondergrond geen speciale kennis van bergbeklimmen nodig, maar een goede conditie is noodzakelijk. Wanneer u echter de eerste verschijnselen van hoogteziekte vaststelt, die met hoofdpijn en misselijkheid begint, moet u onmiddellijk omkeren.

Het Aberdare National Park is vooral geschikt voor een tochten van verscheidene dagen. Er zijn hutten waar men kan overnachten. Kamperen is vanwege de gevaarlijke leeuwen niet aan te raden. Laat u zich begeleiden door een lokale gids.

Kilimanjaro

Met de Uhuru Peak (5895 m) – is de in Tanzania gelegen Kilimanjaro de hoogste berg van Afrika. De beklim-ming van de Gillman's Point is voor elke bergbeklimmer met enig uithou-dingsvermogen mogelijk. Voor velen is het moeilijk om te wennen aan de ijle lucht. Daarom is het zonder meer nood-zakelijk de klim rustig en in verschil-lende etappes van een dag te doen, zo-dat men kan acclimatiseren. Bergtoeris-ten zijn verplicht om gidsen en dragers via een lokale agent in te huren of zich bij een georganiseerde groep aan te sluiten. Onderweg overnacht u in hut-ten, tenzij er een 'camping route' geko-zen wordt, waarvoor dan extra dragers voor de uitrusting en tenten nodig zijn.

Op de populairste route bereikt u de eerste dag langs een licht stijgend pad

door plantages en vervolgens dicht re-genwoud de Mandarahutten. De vol-gende dag moet er 1000 m worden ge-klommen. Het landschap verandert in een indrukwekkende bergvegetatie met lobelia's en reuzenkruiskruiden.

De volgende dag blijft u voor de hoogteacclimatisering bij de hut. Pas de dag daarna wordt er weer 1000 m ge-klommen, naar de Kibo-hut. Hier kunt u slechts van een korte nachtrust genie-ten, want om 2.00 uur gaat het weer verder voor een zo vroeg mogelijke start van de 5 uur durende slotetappe naar Gillman's Point (5680 m) en dan evt. nog twee uur naar de hoogste top, de Uhuru Peak (Kibo, tot 1918 Keizer-Wilhelmtop geheten), met uitzicht op de smeltende gletscher.

Op de Kilimanjaro kunt u ook uitste-kend bergbeklimmen. De moeilijk-heidsgraad varieert van II tot VII. Het is weliswaar mogelijk een uitrusting te huren, maar de spullen zijn over het al-gemeen van slechte kwaliteit. Neem voor een Kilimanjaro-tocht minimaal een paar stevige bergschoenen, regen-kleding en een warme slaapzak mee.

SPORT

Of het nu voetbal is of golf, duiken of zeilen, atletiek of boksen – de sportmogelijkheden in Kenia zijn legio. Sommige sporten worden alleen door vakantiegangers bedreven, andere zijn populair onder brede lagen van de bevolking. De Keniase hardlopers hebben als topatleten over de hele wereld bekendheid gekregen.

De bal is rond...

...althans, meestal. In armere wijken komt het voor dat men bij 'kick-ball' genoegen moet nemen met een blikje of iets dergelijks. Voetbal is zonder twijfel de populairste sport in Kenia. Op school- of dorpspleinen, overal vinden jongeren de ruimte om hun lievelingssport te spelen. Het enthousiasme voor deze sport kreeg een extra impuls door

het succes van Kameroen bij het wereldkampioenschap van 1990. Zoals overal in Afrika werd de geweldige aanvaller Roger Milla ook in Kenia een volksheld. Het falen van Kenia's eigen elftal (in de voorronden eindigde het team op de laatste plaats) werd daarbij zelfs vergeten.

Goed voetbal op nationaal niveau wordt gespeeld door de clubs *AFC Leopards* uit Nairobi en *Gor Mahia* uit Kisumu, die al jarenlang de nationale competitie domineren. Voor de duizenden voetballiefhebbers in het land is er niets opwindenders en spannenders dan een wedstrijd tussen deze twee rivalen. Het is niet verwonderlijk dat het in deze tijden van voetbalvandalisme daarbij ook wel eens tot ernstige ongeregeldheden komt.

Individueel of in teamverband

Kenia's grootste trots is een drietal professionele boksers: Robert Wangila uit Napunyi, winnaar van de gouden medaille in het bantamgewicht op de Olympische Spelen van Seoel en nu

Boven: Kenia heeft een aantal boksers van wereldklasse. Rechts: Even ontspannen na de marathon van Mombasa.

professional in de Verenigde Staten; Chris Sande, winnaar van een bronzen medaille op dezelfde Spelen, en Steve Muema.

Bij de *East and Central African Boxing Championship* heeft Kenia al vier keer achter elkaar de overwinning behaald. Sinds 1966 neemt Kenia deel aan de Commonwealth Games en in 1974 wonnen Keniase boksers daarbij hun eerste medailles: een gouden en drie bronzen.

In de jaren vijftig van de vorige eeuw werd een voor Kenia nieuwe sport populair: hockey. Aanvankelijk werd deze sport alleen bedreven door sikhs en Goanen (mensen uit Goa in India), maar ook de Kenianen zelf gingen hockeyen en in de vroege jaren zeventig manifesteerde het Keniase team zich op internationaal niveau als een geduchte tegenstander.

Het hockey beleefde een grote opleving door de aanleg van een kunstgrasveld in het City Park Stadium in Nairobi. Hierop won het Keniase team in 1987 de gouden medaille bij de *All African Games*.

Andere populaire sporten zijn rugby, cricket en volleybal, dat vooral populair is op scholen, universiteiten en bij veel sportverenigingen van bedrijven. Het damesteam van de *Kenya Post and Telecommunications* werd in 1990 kampioen van Afrika en vertegenwoordigde Afrika bij de wereldkampioenschappen van 1991 in Japan.

Golf is nog steeds voorbehouden aan de rijke elite en aan toeristen. In de golfwereld geniet Kenia een hoog aanzien vanwege zijn prachtig gelegen golfbanen. Bij de meeste golfclubs zijn dagjesmensen welkom.

De wonderbaarlijke hardlopers

Kenia heeft altijd beweerd dat zijn atleten de beste ambassadeurs voor het land zijn. Terecht. De Keniase atleten zijn wereldberoemd en de sage van Kenia's wonderbaarlijke hardlopers houdt al tientallen jaren stand.

Kenia onderscheidde zich al bij atletische evenementen toen het nog een Britse kolonie was. Bij de *British Empire and Commonwealth Games* van 1958

Sport 12

in Cardiff (Wales) wonnen twee atleten de eerste internationale medailles voor Kenia: Anere Anentia op de 10.000 m en Bortonjo Rotich op de 400 m hardlopen.

Het Keniase volkslied werd voor het eerst gespeeld op de Olympische Spelen van Tokyo in 1964. Hierna zette Kenia zijn atletische carrière voort bij de *All African Games* in Brazzaville, Congo in 1965. Het resultaat mocht er wezen: in totaal wonnen de Keniase atleten acht gouden, tien zilveren en zeven bronzen medailles.

Legendarisch zijn de prestaties van Kipchoge Keino, die de wereldrecords op de 3000 en 5000 m hardlopen brak. Hij werd met de *US Helms Award* onderscheiden als de beste atleet van Afrika.

Bij de Olympische spelen van Mexico in 1968 verbaasde Kenia de wereld: de slechts achttien atleten die Kenia

Boven: De Safari Classic Rally is voor zowel deelnemers als materiaal (hier een Peugeot 504 uit 1974) een ware slijtageslag.
Rechts: De Rally is populair bij jong en oud.

naar de spelen had gestuurd, wonnen drie gouden, vier zilveren en twee bronzen medailles en Kenia werd na de USA het op een na beste deelnemende land. Sommige critici weten dit spectaculaire succes aan het feit dat het stadion in Mexico op gelijke hoogte lag als de trainingskampen in Kenia. De waarheid werd echter duidelijk bij de Spelen in München in 1972. Daar regende het medailles: Kipchoge Keino won zilver en goud; Benjamin Jipcho won zilver, de estafetteploeg won goud en er werd ook nog tweemaal een bronzen medaille gewonnen.

Ook bij de Olympische Spelen van Seoel in 1988 deden de Kenianen van zich spreken: er werden zeven medailles gewonnen, waarvan vijf in de atletiek.

Deze zegereeks van de Keniase hardlopers duurt nog steeds voort: bij de Olympische Spelen van 2004 in Athene boekten o.a. Berbard Lagat, Eliud Kipchoge, Moses Mosop, Ezekiel Kemboi en Brimin Kipruto successen voor hun land, maar ook sportvrouwen als Isabella Ochichi of Catherine Ndereba zijn een voorbeeld van de topsporters die dit Afrikaanse land voortbrengt.

De marathon van Mombasa

De marathon van Mombasa werd voor het eerst georganiseerd in 1985, op initiatief van de Duitse beheerder van de Severin Sea Lodge. De marathon begint en eindigt bij het Sunline sportcomplex en vindt ieder jaar in juli plaats. Deze marathon is inmiddels de op een na belangrijkste in Afrika ten zuiden van de Sahara en heeft zich een plaats verworven op de internationale marathonkalender. In 1990 verschenen er meer dan 5000 deelnemers aan de start, afkomstig uit Zwitserland, Duitsland, Nederland, Frankrijk, Engeland, Australië en de Verenigde Staten. In 2006 behaalden Philip Kimei bij de mannen en Jane Wandahi bij de vrouwen voor Kenia de overwinning.

De Safari Rally

In 1953 werd de Safari Rally ter gelegenheid van de troonsbestijging van koningin Elizabeth II van Engeland voor het eerst gehouden. Tegenwoordig is deze rally een van de beroemdste van de wereld: de Safari Rally die dwars door Kenia gaat. In 2002 vond de race voor de 50ste en laatste maal plaats. Tegenwoordig wordt ze als East African Safari Classic Ralley voortgezet. Tot deze ralley worden alleen voertuigen toegelaten die voor 1974 gebouwd werden en geen 4WD of turbo hebben, maar wel goedgekeurd zijn voor het wegverkeer. Het is een loodzware test voor zowel mens als materiaal. Volgens veel deelnemers is alleen het halen van de finish al een enorm succes.

De Safari Classic Rally voert over meer dan 4500 km van de ruigste wegen in Kenia en Tanzania, door wildernis en savanne, over steile hellingen en door regen gevaarlijk gezwollen rivieren.

De eerste rally in 1953 was slechts 2000 km lang en kende drie verschillen-

de routes. De rijders konden zelf beslissen of ze in Nairobi (Kenia), Morogoro (Tanzania) of Kampala (Oeganda) wilden starten. Aan het eind kwamen alle auto's samen voor hun race naar de finish in Nairobi. De rally was in die tijd, anders dan tegenwoordig, nog een informele gebeurtenis. Sommige deelnemers arriveerden pas 15 minuten voor de start en niemand had van tevoren de route alvast bekeken. De eerste helden van de Safari Rally bleven niet gespaard voor de tegenspoed die ook de automobilisten van tegenwoordig teistert: door de modder en het ruige terrein haalden slechts 16 van de 61 auto's de eindstreep in Nairobi.

In 1955 besloot het rallycomité nog maar één startpunt toe te staan: Nairobi. Een verder nieuwtje was dat een damesteam (mrs. M.J. Wright en mrs. J.E. Burton) de eindstreep haalde en de Lady MacMillan Cup ontving.

De rally werd op de internationale rallykalender opgenomen en vastgesteld op Pasen, in de regentijd (!). Het parcours ligt tegenwoordig geheel op Keniaas grondgebied.

DE NOSTALGIE-EXPRES

Wie herinnert zich niet de beroemde filmscène in *Out of Africa* waarin Dennis Finch Hatton (Robert Redford) de trein aanhoudt om zijn jachtbuit in te laden en daarbij de mooie barones Blixen leert kennen? Jagers op groot wild treft men op deze route weliswaar niet meer aan, maar verder is er weinig veranderd. Nog steeds tuft de legendarische Nostalgie-Expres heen en weer door de verlaten wildernis tussen Mombasa en Nairobi, een reis van bijna 500 km.

Ook tegenwoordig dwingen kuddes olifanten de trein soms tot stoppen. De wagons uit de pionierstijd staan natuurlijk allang in het Spoorwegmuseum te Nairobi, maar de passagiers in de eerste klasse reizen nog steeds in treinwagons uit de jaren dertig van de 20ste eeuw, de hoogtijdagen van het koloniale tijdperk.

In 1886 besloten de Britten vanuit de havenstad Mombasa een spoorlijn naar

Boven: Met de 'Kenya Railway' dwars door Kenia.

Oeganda aan te leggen. Dat was geen eenvoudige onderneming. De rails voor de 'ijzeren neushoorn' moesten niet alleen worden aangelegd door de ongerepte wildernis, maar men moest ook de steile hellingen van de Rift Valley overwinnen. De Britten haalden 32.000 Indiase arbeiders naar Kenia om de grootschalige plannen te realiseren.

Niet weinigen van hen lieten daarbij het leven. Ze vielen ten prooi aan epidemieën of werden het slachtoffer van verrassingsaanvallen door inheemse opstandelingen. Tot de verhalen waarvan iedereen nog steeds de kriebels krijgt, hoort dat van de *Man-eaters of Tsavo* (een roman van J.H. Patterson): 28 Indiërs en minstens evenveel Afrikanen zouden in de loop van tien maanden door leeuwen zijn opgevreten.

Na de voltooiing van de spoorlijn droeg deze in niet geringe mate bij aan de ontsluiting van het hoogland in Midden-Kenia. Duurde het vroeger maanden om het Victoriameer te bereiken, nu bedroeg de reistijd van Mombasa naar Kisumu nog slechts zes dagen. Zo opwindend als in de pionierstijd is het nu niet meer, maar het traject Nairobi-Mombasa is bij reizigers nog altijd populair.

In de eerste klasse reist men niet met onbekenden. De namen van de mede-passagiers en hun wagon- en coupé-nummer staan met de hand geschreven op grote aankondigingsborden op het station van Nairobi.

De eerste klasse is bij de Keniase spoorwegen nog altijd Klasse met een grote K: elk compartiment heeft twee eenpersoonsslaapplaatsen met eigen leeslamp, een klerenkast, een wastafel en een ventilator. Twee compartimenten zijn door een schuifdeur met elkaar verbonden, die men naar behoefte kan openen of sluiten.

De trein vertrekt kloksag 19.00 uur. De conducteur blaast op zijn fluitje, de trein komt schuddend in beweging en krijgt bij het verlaten van het station wat meer snelheid. In de avondschemering staan er veel zwaaiende kinderen langs de rails.

De steward in zijn onberispelijke uniform bedient dan de reizigers in de comfortabele coupés en deelt reserveringen uit voor de tijden waarop u kunt dineren. Als u kiest voor de eerste ronde hebt u het voordeel van een schonere tafel en een grotere menukeuze. Het nadeel van de eerste ronde is dat de ober soms uw nog halfvolle bord weggrist om de volgende serie gasten plaats te laten nemen.

Terwijl buiten de tropische nacht valt, roept de xylofoonspelende conducteur de eerste ronde eters naar een vijfgangendiner in de houten restauratiewagen. Ventilatoren waaieren koele lucht naar beneden en de witgedekte mahoniehouten tafels voor twee tot vier personen wachten op de gasten.

De ober begeleidt iedere passagier naar zijn of haar tafel. U krijgt soep met zelfgebakken bruin- of witbrood, vis, een van de hoofdschotels met rijst of groente, een dessert en thee of koffie. Alles wordt op een piepklein gasstelletje in de keuken van de restauratiewa-

gen bereid. U moet beslist even een blik in die keuken werpen. Tot 23.00 uur worden drankjes in de coupé geserveerd, daarna is de bar gesloten. De steward maakt er echter geen punt van wanneer u zelf meegebrachte whisky drinkt en levert tegen een kleine fooi graag de glazen. De bedden zijn opgemaakt terwijl u aan tafel zat en het geratel van de wielen op de rails wiegt u gemakkelijk in slaap.

Kort na zonsopgang worden de gasten door vrolijke klanken gewekt. Het is beslist de moeite waard om op deze reis vroeg op te staan. Niet alleen omdat men dan nog wat van het voorbijtrekkende landschap kan genieten, maar ook vanwege het ontbijt.

Wie er niet vroeg bij is, staat later in de rij te dringen. Het vereist ook een zeker doorzettingsvermogen om de eieren zo bereid te krijgen als u ze graag wilt. De obers vinden het praktischer om datgene wat ze toevallig in hun handen hebben voor de gasten neer te zetten.

Hoewel er altijd geüniformeerde spoorwegpolitie in de trein aanwezig is, moet u de waarschuwingsborden toch serieus nemen: laat nooit geld of andere waardevolle zaken achter in uw coupé!

Er is een dagelijkse verbinding tussen Mombasa en Nairobi via Voi. De nachttreintreinen vertrekken gelijktijdig uit Mombasa en Nairobi om 19 uur en arriveerde volgende ochtend tussen 8 en 10 uur.

Om zeker te zijn van een eigen coupé moet u ruim van tevoren reserveren.

Er zijn drie klassen. De eerste klasse kost 3375 Ksh. is comfortabel, de tweede 2409 Ksh. heel behoorlijk, beide incl. diner, ontbijt en beddengoed. De derde klasse kost 400 Ksh. maar die moet u om veiligheidsredenen onder alle omstandigheden zien te vermijden. Reserveringen: tel. 221211.

Momenteel is Kenia Railways weliswaar in staat van faillissement, maar zodra er een nieuwe exploitant gevonden is, zal de aloude luister van de Nostalgie Expres ongetwijfeld hersteld worden.

12

Nostalgie-expres

EEN CULINAIRE TRIP

Kenia is het land met de meest afwisselende keuken van Afrika. Nairobi telt meer dan honderd restaurants, van sjofele straatstalletjes, die geroosterde vleesspiesen en maïskolven verkopen, tot elegante en dure etablissementen waar delicatessen als kreeft en kaviaar op de kaart staan. Ook in Mombasa, Malindi en aan de kust is er voor ieders smaak en portemonnee wel iets te vinden.

Buitenlandse gasten zullen meestal het eerst met de 'hotelkeuken' kennismaken. Deze is aangepast aan het internationale publiek, smakelijk en overvloedig, maar weinig exotisch.

Vaak zijn tropische vruchten en vis op het buffet het enige teken dat men zich in een land aan de Indische Oceaan bevindt. Ondanks de overvloed aan sinaasappels, citroenen, papaja's en ana-

Boven: In de restaurants van Kenia kunt u alles krijgen. Rechts: De inheemse keuken moet u beslist proberen.

nassen zijn de vruchtensappen zelden versgeperst.

Veel hotels hebben à la carte restaurants met Italiaanse, Franse of ook wel Indiase gerechten. Een lofwaardig en smakelijk overblijfsel uit de Engelse koloniale tijd is in veel hotels (vooral in het binnenland) de zondagmiddag-*curry*: kippen-, lams- of rundvlees, gebakken met Indiase kruiden en geserveerd met rijst, chutneys en fijngesneden mango's, tomaten, uien en ananas of wat er ook in het hoofd van de kok opkomt.

Het nationale gerecht van Kenia is *ugali*, witte maïspap met groenten of vlees. Daarnaast zijn er eenpansgerechten met gierst, bonen, yam, cassave, bananen en zoete aardappelen. De Kenianen eten ook graag een koolgerecht, *sukuma wiki*, wat letterlijk 'de week doorkomen' betekent. *Irio* is een ander geliefd gerecht. Het bestaat uit groenten als erwten en pompoenen en wordt gekookt in een lemen pot.

In de op de toeristen ingestelde restaurants wordt het eten vaak geserveerd met wat folkloristische entourage. Als u twee vliegen in één klap wilt slaan (dineren en onderhouden worden), bent u in dergelijke restaurants op de goede plek.

De Indiase en Arabische invloeden op de Keniase keuken zijn onmiskenbaar, vooral aan de kust. Indische *Samosa's*, met groente gevulde koekjes van bladerdeeg, en *chapati's*, een soort Indiase pannekoek, kan men op iedere straathoek kopen. De vleesgerechten bestaan voornamelijk uit rund, kip, geit en lam. Mololam is in het hele land beroemd vanwege de hoge kwaliteit.

Aan de kust zijn vooral de vele vis- en schelp- en schaaldiersoorten aan te bevelen. De prijzen zijn, naar internationale maatstaven gemeten, zeer redelijk. Er zijn diverse specialiteitenrestaurants die voortreffelijke gerechten bereiden.

Van de vis en schelp- en schaaldieren zijn vooral aan te bevelen: degenkrab,

kilifi-oesters, zeetong uit Malindi en gerookte tonijn of zeilvis. Ook in de rivieren en meren wordt vis gevangen. Baars en forel staan in veel lodges en camps op het menu.

Onder de buitenlandse restaurants zijn vooral de Indiase populair. Elk serveert, afhankelijk van de herkomst van de eigenaar, zijn eigen gerechten. Het Zuid-Indiase eten is meestal vegetarisch, de Mughlaikeuken kruidig, de Singhcurry een beetje heter en de Ismaili- en Goacurry zeer scherp. De lijst is eindeloos. Bijna elk restaurant heeft zijn eigen specialiteiten. Zo zijn sommige beroemd vanwege hun kiptikka, andere weer vanwege hun uitstekende garnalenmasala. U moet beslist eens een aantal van de vele gebakken en gebraden voorgerechten proberen, waarbij sauzen worden geserveerd die variëren van helsheet tot mildzoet.

Het aantal Italiaanse restaurants is de laatste jaren sterk toegenomen. Een vleugje van het exotische in de bereiding van de traditionele pasta-, vlees- en visgerechten leidt soms tot interessante resultaten.

De drankkaarten van de bars, restaurants en hotels bieden een ruime keuze. De Keniase bieren *Tusker*, *White Cup* en *Premium* kunnen zich verheugen in een grote populariteit, zowel bij de inheemse bevolking als de buitenlandse toeristen.

De prijs van bier en frisdrank is door de overheid vastgesteld en ook in exclusieve restaurants uitgesproken laag. Alleen doorgewinterde drinkers kunnen zich een keertje wagen aan *pombe*, het inheemse bier dat wordt gebrouwen van maïs, gierst of bananen.

De wijn is voornamelijk afkomstig uit Frankrijk en Italië. Aan het Naivashameer wordt ook wijn geproduceerd, die over het algemeen goed te drinken is. Dat kan niet altijd worden gezegd van de palmwijn. De suikerrietborrel *Kenya Cane* is goedkoop en drinkbaar, evenals de koffielikeur *Kenya Gold*.

Als u aan deze drankjes erg moet wennen: voor al het eten en drinken in de wereld geldt dat u zonder te proberen nooit een culinaire ontdekking zult doen. En daarvoor zijn er in Kenia zeker voldoende mogelijkheden.

Culinaire trip 12

231

THEATER EN MUZIEK

Er is zowel traditionele als moderne Keniase muziek. Elke stam heeft zijn eigen muziekinstrument. Trommels zoals die te vinden zijn in West-Afrika zijn in Kenia praktisch onbekend, behalve bij de Embu, Meru en Akamba.

Hét traditionele instrument in West-Kenia is altijd de lier geweest, die in verschillende vormen voorkomt. Zo gebruiken de Abaluhya de *litungu* bij hun dansen, terwijl de Luo de *nyatiti* gebruiken en de Gusii de *obukano*. Het instrument van de Teso in West-Kenia was de *adende*, terwijl snaarinstrumenten als de *amadinda*, de *siriri* en de *marimba* wijd verspreid waren. De *abu*, een blaasinstrument, werd door de Luo gebruikt bij ceremonies en ook om waarschuwingssignalen te geven. De Kikoejoe en enige Nilotische stammen kennen varianten van dit instrument.

Boven: Spelen met vuur – acrobatiek voor toeristen. Rechts: Zangeres in het Safari Beach Hotel.

In de neotraditionele muziek spelen individuele muzikanten of kleine groepjes traditionele Afrikaanse ritmen op gitaren en geïmproviseerde instrumenten. Bekende vertolkers van deze muziek zijn Daudi Kabaka, Fadhili William en John Nzenze. Daarnaast zijn er muzikanten die sterke invloeden van buitenaf hebben ondergaan. Ze spelen onder meer de volgende stijlen: jazz (highlife), *kwela* (spirituals) en *benga*, een mengeling van diverse muzikale richtingen.

Op het gebied van de dans zijn de acrobatische opvoeringen van de Wakamba zeer bekend geworden, net als de oorlogsdansen van de Kipsigi en de Embu, de erotische dansrituelen van de Giriama en de vrouwendansen van de Gusii. Deze dansen worden meestal door instrumenten begeleid; de Masai en verwante Nilotische stammen gebruiken echter alleen ratels en dergelijke. De Luo dragen bij hun dansen volledige kostuums; de Masai daarentegen slechts eenvoudige bedrukte stoffen.

Bij alle belangrijke gebeurtenissen, zoals bruiloften, geboorten of initiatieriten, worden de bijbehorende emoties in muziek en dans omgezet. In de liederen worden ook gedichten overgeleverd die niet zijn opgeschreven. Tijdens de onafhankelijkheidsstrijd dienden dergelijke liederen ook om de bevolking te informeren en te mobiliseren.

Ook het theater werd tijdens de onafhankelijkheidsstrijd gebruikt als middel om informatie over te brengen. In 1951 besloot de koloniale overheid een nationaal cultureel centrum op te richten dat cultuur en vermaak moest bieden aan alle inwoners van Kenia, ongeacht hun ras en herkomst. De voorstellingen waren meestal wetenschappelijk en pedagogisch van aard.

Van deze kunstmatige en restrictieve maatregelen zou de Keniase cultuur zich na de onafhankelijkheid maar langzaam herstellen. Het theaterleven in Kenia concentreert zich vooral in Nairobi en Mombasa, met nu en dan een voorstelling in andere steden. Maar ook in kleinere plaatsen zijn er culturele activiteiten, die vooral door jongeren worden georganiseerd. Zo zijn in elk district theatergroepen opgericht. Nadat ze hun stukken in de provincie hebben gespeeld, trekken ze vaak naar de hoofdstad, in de hoop op de Grote Doorbraak.

Als hoofdstad biedt Nairobi het interessantste theaterleven van Kenia. Zoals altijd al het geval was, zijn de meeste stukken buitenlandse producties. Bovendien wordt de enige theaterschool van het land en die zich in Nairobi bevindt, geleid door Amerikanen.

Er zijn echter tekenen die erop wijzen dat het theaterleven in Kenia zich verder zal ontwikkelen. Zo bestaat in Mombasa al tientallen jaren de *Mombasa Little Theater Club*, die zich van een folkloristisch dansclubje heeft ontwikkeld tot een interessante theatergroep. De groep speelt niet alleen uitstekende Afrikaanse stukken, maar ook Britse komedies.

Drie jaar geleden werd de groep *East African Players* opgericht, een ama-

teurgezelschap dat hoofdzakelijk in Nairobi optreedt en daar reeds veel succes heeft geboekt. De *Phoenix Players* zijn het enige professionele theatergezelschap in Nairobi. De *Mbalamwezi Players* en *Saraskasi Players* voeren voornamelijk Afrikaanse stukken op, beide groepen in Nairobi. Tot hun repertoire behoren onder meer: *Het is niet de schuld van de goden* van Ola Rotimi en *Het proces van broeder Jero* van Wole Soyinka, de Nigeriaanse drager van de Nobelprijs.

Vooral in Nairobi is het straattheater zeer populair. Acrobaten en acteurs voeren hun voorstellingen meestal 's middags en in het weekend op. De opbrengsten hangen af van de gulheid van het publiek.

Hoewel de belangstelling voor het theater steeds verder toeneemt, moet er nog veel worden gedaan om het te ontwikkelen. Veel getalenteerde acteurs hebben problemen met het financieren van hun voorstelling. Er is geen openbare toneelschool en het aantal toelatingen tot het *Kenya Cultural Center* is uiterst gering.

12

Theater en muziek

EEN DAG BIJ GEORGE ADAMSON

George Adamson, door de inheemse bevolking 'Bwana Simba' genoemd, werd geboren op 20 september 1906 in het Indiase Etwah en was tijdens zijn leven al een legende. In 1924 kwam Adamson voor het eerst naar Kenia. Na vele avonturen, onder meer als goudzoeker, werd hij in 1938 assistent-jachtopziener. Op Kerstmis 1942 ontmoette hij zijn latere echtgenote Friederike Victoria, een Tsjechische van geboorte. Ze trouwden in 1944. Friederike werd later bekend als Joy Adamson.

Toen George Adamson in 1956 een leeuwin neerschoot die hem aanviel, betekende dit een belangrijke wending in zijn leven. Joy en George ontfermden zich over de drie welpen van de geschoten leeuwin en één daarvan, Elsa, werd later wereldberoemd door de film *Born*

Boven: George Adamson woonde in het Kora National Park. Rechts: Leeuwen waren alles voor Adamson en zijn vrouw.

Free. In 1963 legde George Adamson zijn functie van jachtopziener neer en wijdde zijn leven verder geheel aan zijn leeuwen. Hij woonde vanaf 1971 in Kora, terwijl zijn vrouw Joy naar Shaba trok om zich met luipaarden bezig te houden.

De dood van Joy (ze werd vermoord door een bediende) overschaduwde Adamsons verdere leven. Hij leefde volkomen teruggetrokken in zijn 'kampi ya Simba' in Kora. Kora ligt ongeveer 150 km ten oosten van de Mount Kenya in een droog gebied met struiken. Deze streek is slecht toegankelijk en alleen aantrekkelijk voor kenners van de wildernis. Het 'kampi ya Simba' ligt in de schaduw van de Kora Rock, zo'n 6 km van de Kora Airstrip.

Toen de auteurs hem in 1989 bezochten, was George Adamson in uitstekende lichamelijke conditie. Het kamp bestond uit twaalf hutten, waarvan de grootste als centrum fungeerde. Hier ontving George zijn gasten. Aan de wanden hingen allerlei foto's uit zijn bewogen leven. Met een radio onderhield hij contact met de buitenwereld en

een aggregaat leverde de stroom voor zijn koelkast, waarin hij de onmisbare serums tegen slangenbeten bewaarde. De bar bestond uit een kleine kist met een paar flessen gin en whisky.

Adamsons drie leeuwen begroetten ons op een rustige en vertrouwelijke manier. Ze lagen onder een boom, vlak bij de omheining van het kamp. Langzaam verdwenen de eenjarige leeuwen, waarvoor George Adamson nog een jaar zou zorgen, in de wildernis. Met een megafoon en een zelf ontworpen taaltje riep George de leeuwen speciaal voor ons terug naar het kamp. De 83-jarige begaf zich daarop onder zijn dieren en de leeuwen schurkten zich speels tegen hem aan.

Tegen de middag kwam Adamsons medewerker met enige Britse gasten terug van een inspectietocht door het reservaat. George luisterde naar hun verslag. Hamisi Farah, zijn kok, bereidde inmiddels de lunch op een open vuur. Gezamenlijk zetten we ons aan de gedekte tafel, samen met Georges 'huisdieren' (glansspreeuwen, neushoornvogels en stokstaartjes).

Tot de dagelijkse beslommeringen van het park hoorde ook het voederen van de dieren. Dit gebeurde op een afgesloten stuk land dat grensde aan de omheining van het kamp. Een van de leeuwen zorgde plotseling voor opwinding door via een gat in het kamp te klimmen. Maar door de aanwezigheid van Adamson ontstond er geen paniek. De helpers dreven de leeuw terug in de kooi.

Het grootste probleem van Adamson was om steeds weer voldoende voedsel voor zijn dieren te vinden. Van de Somali kocht hij kamelen, maar om te voorkomen dat hij geheel van hen afhankelijk werd, hield hij in het kamp ook een aantal geiten. Toen we George weer verlieten, zwaaide hij ons uit bij de poort van zijn kamp; hij zag er voor zijn leeftijd nog sterk en gezond uit.

Op 20 augustus 1989 werd hij door stropers doodgeschoten. Adamson werd op 2 september 1989 met saluutschoten in 'kampi ya Simba' begraven, naast zijn broer Terence, die in april 1986 was overleden, en zijn lievelingsleeuw Boy.

RELIGIES

In Kenia leven christenen (66 %), moslims (6 %), hindoes, sikhs en aanhangers van natuurgodsdiensten (26 %) samen zonder noemenswaardige conflicten of discriminatie. De verschillende religieuze groeperingen zijn niet gelijkmatig over het land verdeeld, maar zijn aan de kust en in het binnenland met verschillende aantallen vertegenwoordigd. In Midden-Kenia treft men vooral christenen en aanhangers van animistische sekten aan, terwijl de kust en de noordoostelijke provincie overwegend islamitisch zijn. Daar wonen ook de meeste Kenianen van Arabische en Aziatische afkomst.

De islamisering van de kuststreek begon met de binnenkomst van islamitische Arabieren in de 8ste eeuw. Pas in de 19de eeuw breidde de islam zich ook uit naar het binnenland, maar de godsdienst kreeg daar nooit erg veel betekenis omdat de christenen in die tijd al intensieve missieactiviteiten hadden ontplooid.

De meeste Afrikaanse moslims aan de kust behoren tot de orthodoxe soennieten, terwijl de Aziatische moslims overwegend tot de sjiitische richting behoren. Ook de leden van de stammen der Somali zijn overwegend islamitisch.

Ongeveer 5000 Kenianen zijn ismaëlieten. Zeer weinig, maar door hun *Aga Khan Foundation* hebben ze toch veel invloed. Hun leider is de imam der ismaëlieten, zijne hoogheid Karim Aga Khan IV, een directe afstammeling van de profeet Mohammed. De *Aga Khan Foundation* heeft veel scholen, ziekenhuizen en woningen gebouwd.

De invloed van de islam is het sterkst in de Lamu-archipel. Daar houdt men zich niet alleen strikt aan het alcoholverbod (hoewel er bars en hotels zijn

Rechts: In Kenia leven verschillende religieuze en etnische groepen naast en met elkaar.

waar alcohol wordt geschonken), maar ook wat betreft de kleding houdt men zich strak aan de voorschriften van de koran. De vrouwen zijn buitenshuis steevast gehuld in de traditionele zwarte *bui-buis* en de mannen, in ieder geval de oudere, dragen de tot de enkels reikende *kanzus*, en op het hoofd een klein keppeltje, de *kofia*. Lamu is verder beroemd vanwege het belangrijkste islamitische feest aan de Afrikaanse oostkust: het *Maulidi al-Nabi*, gehouden ter viering van de geboortedag van de profeet.

De meerderheid van de 38 miljoen Kenianen hangt echter christelijke kerken en sekten aan. De katholieken vormen de grootste groep, daarnaast zijn er presbyterianen, anglicanen, baptisten, methodisten, quakers en anderen.

Het christelijk geloof heeft zijn huidige betekenis vooral te danken aan het werk van de missionarissen die sinds de 19de eeuw in Kenia werkzaam zijn. Zij richtten scholen en ziekenhuizen op en tot op de dag van vandaag zijn er door hun orde gefinancierde missieposten. Zo is bijvoorbeeld in een afgelegen gebied als de Turkanaregio de enige mogelijkheid tot scholing te vinden in de missiepost North Horr. De nomadenfamilies laten hun kinderen soms maanden achtereen onder de hoede van de missionarissen. Vaak is een van de kinderen zo succesvol dat hij of zij een vervolgopleiding kan gaan volgen in een van de grotere steden.

Al gaan de meeste Keniase christenen trouw iedere zondag naar de kerk, de Afrikaanse voorouderverering speelt ook tegenwoordig nog een grote rol.

De religies van de diverse Afrikaanse bevolkingsgroepen in Kenia onderscheiden zich weliswaar in hun belevingswijze en uiterlijke kenmerken, maar de basiselementen lijken sterk op elkaar. Alle hebben gemeenschappelijk dat de aanhangers geloven in een god die als hoogste wezen alles heeft geschapen. Naast deze god kent men een groot aantal goede en kwade demonen

en geesten die met offers en amuletten gunstig moeten worden gestemd.

Een grote rol is meestal ook weggelegd voor de natuur. Zo gelden bomen en bergen vaak als heilige plaatsen die alleen op bepaalde tijden en door bepaalde personen mogen worden betreden.

De belangrijkste rol is echter weggelegd voor de voorouders. Men treedt via mediums met hen in contact en vraagt hun steun en hulp. Diverse mensen kunnen medium zijn: de medicijnman bijvoorbeeld, of een van de stamoudsten. De welgezindheid van de voorouders hoort voor een Afrikaan tot de belangrijkste hulpbronnen in het leven.

Aan de medicijnman wordt in de stammen en het dorpsleven traditioneel een grote betekenis toegekend. In de eerste plaats is hij een genezer die zijn kennis van geneeskrachtige kruiden, wortels en planten inzet voor het welzijn van de gemeenschap. Gezien door westerse ogen lijkt hij nog het meest op een combinatie van .een arts en een priester. Maar daarnaast is hij ook een tovenaar die niet alleen met de voorouders maar ook met geesten en demonen in contact kan treden. Zijn domein is het goede, de witte magie, die wordt ingezet in de strijd tegen de kwade krachten van de zwarte magie. Zo wordt in het magisch-animistische wereldbeeld iemand al snel als heks of kwade tovenaar gezien wanneer hij vermeende schade of ongeluk aan zijn vrienden of buren heeft gebracht. Tegen een dergelijke vloek kan men zich slechts beschermen met fetisjen die men van de medicijnman krijgt.

Voor veel Europeanen komen de verhalen over natuurreligies altijd wat naïef en ouderwets over. Bij nadere beschouwing zal men echter ook bij de zogenaamd ontwikkelde religies en levenswijzen talrijke archaïsche trekjes ontdekken, die zo zijn ingeroest dat wij ze heel normaal vinden. Waar bijgeloof ophoudt en geloof begint, moet ieder voor zichzelf bepalen. Maar hoe belangrijk religieuze tolerantie is voor het vreedzaam samenleven van verschillende geloofsgemeenschappen kan men in ieder geval uit het voorbeeld van Kenia leren.

12

Religies

ONTWIKKELINGSLAND KENIA

Vergeleken met veel andere Afrikaanse landen kan Kenia tamelijk progressief worden genoemd. Toch zijn ook in Kenia de economische en sociale problemen enorm. Als oorzaken hiervoor kunnen worden genoemd de gevolgen van het kolonialisme, massale werkloosheid, een bevolkingsgroei van bijna twee procent per jaar en de steeds terugkerende perioden van droogte.

Ook tegenwoordig nog woont driekwart van de Keniase bevolking buiten de steden, terwijl slechts een kwart van het totale landoppervlak geschikt is voor landbouw. De belangrijkste gewassen zijn koffie, thee, vruchten, groenten en bloemen. Daarnaast spelen runder- en schapenteelt een belangrijke rol. Alleen grote landbouwondernemingen kunnen winstgevend opereren, maar zij zijn een uitzondering. Na de

Boven: Het grootste probleem van Kenia is de bevolkingsgroei. Rechts: Werk is er voornamelijk in de steden.

onafhankelijkheid werd weliswaar een grote landhervorming doorgevoerd, waardoor de Afrikaanse boeren en veefokkers land verkregen om te bewerken, maar de toebedeelde percelen bleken al snel te klein om zelfs maar de eigen familie te kunnen voeden. Winsten die in modernere landbouwtechnieken werden geïnvesteerd, gaven alleen een positief resultaat bij ongewoon goede oogsten.

Alle hoop richt zich nu op grootschalige irrigatieprojecten, zoals die bij de rivieren Turkwell en Kerio. Tot nu toe hebben de landbouwprojecten van de overheid evenwel slechts gedeeltelijk succes gehad.

Wat wel zeker is, is dat de groei in de landbouw geen gelijke tred houdt met de bevolkingsgroei. Het inwonertal van Kenia is sinds de onafhankelijkheid meer dan verdubbeld (2008: ca. 38 miljoen). Tegenwoordig is al 43 procent van de bevolking jonger dan 15 jaar. Voor al deze kinderen moeten voeding, scholing en werk worden gezocht.

Nog altijd is een groot deel van de Keniase bevolking analfabeet, vooral

op het platteland. Voor veel arme, kinderrijke families is het een grote financiële belasting om hun kinderen naar school te sturen. Weliswaar hoeft men in elk geval voor de basisschool geen lesgeld te betalen, maar de lesmaterialen en het schooluniform moeten wel zelf worden gekocht.

Door de slechte toekomstperspectieven op het land trekken velen naar de stad in de hoop daar betere kansen op werk te hebben. Al 33 procent van de bevolking woont in de steden. Maar het enige wat hun daar meestal wacht, is werkloosheid. Als gevolg daarvan tieren in Nairobi en Mombasa, de tweede stad van het land, misdaad en prostitutie welig.

De grote sociale verschillen – de helft van de bevolking leeft onder het bestaansminimum – worden op plaatsen waar zakenlieden en toeristen verblijven, wel heel duidelijk.

Tot de hoogste prioriteiten van de regering behoort het creëren van nieuwe arbeidsplaatsen. Er moeten nieuwe economische activiteiten worden ontwikkeld om Keniase producten te kunnen laten concurreren op de wereldmarkt. Zodoende kan men harde valuta verkrijgen die men dringend nodig heeft.

De belangrijkste takken van industrie zijn de productie van cement, sisal, soda en kunstmest, en het vervaardigen van textiel. De meeste grotere industriële ondernemingen zijn eigendom van grote buitenlandse firma's.

Kenia's belangrijkste handelspartner is van oudsher Groot-Brittannië, gevolgd door de Verenigde Arabische Emiraten, Japan, Duitsland en de Verenigde Staten.

De belangrijkste deviezenbron van Kenia is echter het toerisme, dat in de jaren tachtig van de 20ste eeuw een enorme vlucht had genomen. Daardoor ontstonden weliswaar veel nieuwe arbeidsplaatsen, maar zo rooskleurig als de statistieken de economische rol van het internationale toerisme voorstellen, is de situatie in werkelijkheid niet. Want wat meestal niet in de statistieken wordt vermeld, zijn de enorme investeringen in de toeristische infrastructuur, van de inrichting en het onderhouden van hotels tot de uitbouw van het toeristische

12

Ontwikkelingsland

verkeersnet, die veel kosten en deviezen vergen.

Bovendien is het toerisme, dat in 2001 ca. € 250 miljoen opbracht, een crisisgevoelige bron van inkomsten, zoals de recente geschiedenis steeds weer heeft bewezen. Zo liep de omzet na de onlusten van 1982 drastisch terug. Ook de burgeroorlog in Somalië, de Golfcrisis van 1991, de onlusten van 1997, de islamitische aanslag van 1998 en de aanslag op een Israëlisch hotel in Mombasa in 2002 hadden ernstige gevolgen voor de reiswereld.

Maar men blijft niet werkeloos toezien bij alle problemen waar het land mee te kampen heeft. Zowel alleen als met buitenlandse hulp probeert men met verschillende maatregelen de economische en sociale positie van het land te verbeteren.

Daartoe horen onder meer omvangrijke landbouw- en natuurbeschermingsprojecten en plannen voor geboortebeperking. Particuliere initiatieven hebben daarbij vaak evenveel succes als overheidsprojecten. Talrijke ontwikkelingsprojecten in Kenia zijn te danken aan de *Aga Khan Foundation*, de hulporganisatie van de ismaëlitische moslims. Deze organisatie financiert belangrijke gezondheidsprogramma's, de aanleg van waterbronnen in afgelegen dorpen, de oprichting van kleuterscholen en andere scholen en praktische cursussen voor volwassenen. Deze hulp blijft niet voorbehouden aan de eigen aanhang, maar dient tot nut van de gehele gemeenschap.

Een boom planten

Het grootste probleem van Kenia is de toenemende woestijnvorming. Waren er vroeger nog grote bosgebieden, door het uitbreiden van de landbouw en de stijgende vraag naar hout is het bosbestand in een periode van vijftig jaar teruggebracht van dertig procent tot slechts drie procent van het totale landoppervlak. Ook tegenwoordig nog is hout de belangrijkste energiebron voor grote delen van de Keniase bevolking.

Inmiddels is men zich er echter van bewust dat het kappen van de wouden tot een ecologische catastrofe leidt. Reeds 25 procent van het land is halfwoestijn.

Een van de succesvolste campagnes tot redding van het bosbestand is de *Green Belt Movement* van de bioloog professor Wangari Maathai, die in 2005 de Nobelprijs voor de Vrede ontving. Het door de overheid ondersteunde herbebossingsproject roept iedere Keniaan op om een boom te planten en ervoor te zorgen dat die regelmatig water krijgt.

Op hun boerderij in de Meru Hills werken minister Kanake en zijn gezin ook al jaren aan het bevorderen van nieuwe boomaanplant. Door lange studies naar een aantal cultivatiemethoden zijn zij echte landbouwexperts geworden.

Het modelvoorbeeld van geslaagde herbebossing is het werk van de Zwitser René Haller. Tien km ten noorden van Mombasa ligt de grootste cementfabriek van Afrika (Bamburi), waarvoor koraalsteen wordt afgegraven, waarna een troosteloze woestijn overblijft. In 1971 begon Haller hier zijn project. Hij heeft tot nu toe zo'n miljoen casuarina's geplant, de enige boomsoort die op deze bodem kan overleven. De duizendpoten die hij er uitzette, vormden de gevallen naalden om tot een humuslaag die op zijn beurt weer een voedingsbodem bood aan nieuwe plantensoorten.

Maar dat was nog niet alles. Haller bracht in zijn groene paradijs talrijke diersoorten onder (onder andere reuzenschildpadden) om het ecologische systeem in evenwicht te houden. Alles wat de nijlpaarden, krokodillen, vissen, runderen en schapen op enigerlei wijze opleveren, wordt gebruikt om het herbebossingsproject te financieren.

Rechts: Driekwart van de Keniase bevolking woont op het platteland. Volgende pagina's: Zonsondergang in de savanne.

VOORBEREIDINGEN

Klimaat

Kenia kent verschillende klimaatzones. Door de enorme hoogteverschillen – van de kust tot de meer dan 4000 m hoge bergen – zijn er in de verschillende delen van het land grote verschillen in temperatuur en luchtvochtigheid. De kustgebieden hebben een subtropisch klimaat met temperaturen overdag van 22-35 °C en een relatief hoge luchtvochtigheid, terwijl in het hoogland een droog en koeler klimaat heerst. De woestijngebieden in het noorden zijn zeer droog en heet met sterk wisselende dag- en nachttemperatuur. Er gaan soms jaren voorbij waarin er hier geen regen valt, zelfs niet in het regenseizoen.

Er zijn twee regentijden: de 'lange regens', gewoonlijk van april tot mei, en de 'korte regens' van eind oktober tot eind november. Juni, juli en augustus zijn de koelere maanden, januari en februari de warmere. Door de verschillende klimaatzones kan me het hele jaar naar Kenia reizen. Het hoogseizoen is in januari-maart en juli-september.

Kleding

Kenia is een land zonder strenge kledingvoorschriften. Alleen in de duurste hotels en restaurants zijn jacquet, stropdas en avondjurk verplicht. Bij safari's door de reservaten doet u er goed aan felle kleuren te vermijden. Op maat gesneden safarikleding wordt snel vervaardigd. Voor een safari hebt u lange broeken en flink veel overhemden nodig, plus een dunne trui voor de koele avonden. In de kustgebieden kunt u het best lichte katoenen kleding dragen. Denkt u er wel aan dat aan de kust vrijwel uitsluitend moslims wonen. Bij een wandeling langs het strand of door de stad dienen vrouwen sjaals of doeken over schouders en armen te dragen om niet te provoceren. Naakt of topless zwemmen is verboden.

Wat betreft de uitrusting zijn fotoapparatuur en goede verrekijker onontbeerlijk om de vogels en dieren goed te kunnen bekijken. Zonnebrandolie en -crème kunt u bij iedere goede drogisterij krijgen, maar dergelijke artikelen zijn in Kenia tamelijk duur. Hetzelfde geldt voor shampoo, aftershave, scheercrème en tampons. Het is beter alle benodigde toiletartikelen van huis mee te nemen.

Reisdocumenten

Nederlandse en Belgische reizigers naar Kenia dienen te beschikken over een **visum,** een paspoort dat nog tot minstens zes maanden na het vertrek uit Kenia geldig is en een terugreis- of doorreisticket; voor bewoners van de Commonwealth-landen bestaat geen visumplicht (behalve voor Australië, Nigeria en Sri Lanka). Dit visum is verkrijgbaar bij de Keniase ambassade in Den Haag of Brussel of bij aankomst in Kenia, bijvoorbeeld op de luchthaven van Mombasa of Nairobi, wat echter omslachtig is en veel tijd kost. Kosten van het visum: circa 50 US$ of € 40, geldigheidsduur: drie maanden (een keer binnen reizen). Wie op doorreis slehts een paar dagen in Kenia verblijft, krijgt een voordeliger transitvisum. Bij binnenkomst en vertrek moet er een Immigration Card worden ingevuld. Omdat de bepalingen op korte termijn kunnen veranderen, moeten individuele reizigers voor vertrek in elk geval informeren bij de Keniase ambassade. Bij vertrek uit Kenia moet een belasting van ongeveer 50 US$ worden betaald.

Geld

De munteenheid van Kenia is de Keniase shilling, afgekort KSh of KES en onderverdeeld in 100 cent. Er zijn bankbiljetten van 1000, 500, 200, 100 en 50 shilling. Verder zijn er munten van 1, 5, 10, 20 en 50 shilling. De wisselkoers van de shilling bedroeg in 2008: 1 euro = ca. 100 KES. De actuele dagkoers vindt u op www.oanda.com.

De gangbare vreemde valuta is de Amerikaanse dollar, de bekendste travellercheques die van American Express. Het is zinvol een kleine voorraad dollars bij u te hebben. Let bij het wisselen niet alleen op de koers, maar ook op de wisselkosten. Een zwarte markt bestaat niet meer. Wij raden u af om in de aankomsthal van het internationale vliegveld van Nairobi geld om te wisselen, daar het gevaar bestaat dat u door criminele bendes in de gaten gehouden en gevolgd wordt.

De meeste hotels accepteren creditcards als *Master Club* of *Visa Card*, maar zelden *American Express*. Bij geldautomaten van Barclays Bank kunt u ook met een EC kaart geld opnemen.

Gezondheid

Belangrijk is een goede ziektekostenverzekering die ook het ziektentransport naar huis dekt. Voor de reiziger uit Nederland of België zijn inentingen niet verplicht. Een inenting tegen hepatitis A en een DTP-vaccinatie (difterie, tetanus, polio) zijn wel aan te raden. Een geldige gelekoortsvaccinatie is aan te bevelen en als u uit een gelekoortsgebied komt, verplicht. Informeer over vertrek bij uw arts, GGD, Tropeninstituut in Amsterdam (tel. 020-568 87 11) of Instituut voor Tropische Geneeskunde in Antwerpen (tel. 03-247 66 66, e-mail: info@itg.be) of op www.lcr.nl.

Malaria-profylaxe is erg belangrijk, want **malaria** behoort tot de grootste gezondheidsrisico's in Kenia, vooral in de toeristische centra aan de kust en de meren in het noorden en westen. In het hooggebergte (boven de 1400 m) komt het echter ook voor. Boven de 2500 m is er slechts een zeer gering infectierisico. Malaria wordt overgedragen door muggenbeten en tot nu toe is er geen vaccin tegen. De enige voorzorgsmaatregel die men kan treffen, is het slikken van malariatabletten (bijv. Lariam). De tabletten moeten precies volgens voorschrift worden ingenomen, zowel tijdens als nog enige tijd na het verblijf in Kenia.

Malaria is een ernstige koortsziekte en er zijn zelfs vormen met dodelijke afloop. Belangrijk is het snel herkennen van de ziekte en tijdige behandeling. Wanneer u na een verblijf in Kenia last krijgt van koortsaanvallen of andere verdachte klachten, moet u onmiddellijk naar de dokter gaan en zeggen dat u in de tropen bent geweest. Een bloedonderzoek kan uitwijzen of u bent geïnfecteerd. Ook het innemen van malariatabletten biedt geen volledige bescherming tegen de ziekte. Het advies luidt: 's avonds lichaamsbedekkende kleding dragen, muggenolie gebruiken (vooral in de schemering) en in risicogebieden onder een muskietennet slapen. Tegen de langs de kust voorkomende **dengue-koorts**, verspreid door muggen die overdag actief zijn, helpt slechts één ding: consequente bescherming tegen muggen. Let ook beslist op een goede hygiëne m.b.t. voedingsmiddelen en drinkwater om diarree te voorkomen – 'Boil it, peel it or forget it'.

Een ander gevaar, dat men echter kan vermijden, is **aids**. Deze ziekte is in Afrika wijdverbreid en het is bekend dat het grootste deel van de vrouwelijke en mannelijke prostituees in Kenia ermee is besmet. Mocht u tijdens uw verblijf in Kenia ziek worden of een ongeluk krijgen, dan kunt u ervan uitgaan dat de meeste bloedproducten op het virus zijn getest. Als u heel voorzichtig wilt zijn, kunt u wegwerpinjectiespuiten meenemen.

De meeste binnenwateren in Kenia zijn besmet met **bilharzia** en daarom niet geschikt om in te zwemmen. De bilharziaparasiet, een uiterst kleine worm, dringt ook door onbeschadigde huid het lichaam binnen en zwermt uit naar organen als lever en blaas, waar hij grote schade kan aanrichten. Behandeling is mogelijk, maar duurt zeer lang. De ziekte wordt meestal niet herkend. Symptomen zijn onder meer: vermoeidheid, diarree en jeuk.

In sommige gebieden van Kenia komt momenteel **slaapziekte** (de Afrikaanse Trypanosomiasis) voor. Bescherm u dus beslist tegen de muggen!

REIZEN NAAR KENIA

Meestal reist men met het vliegtuig naar Kenia. De nationale luchtvaartmaatschappij Kenya Airways en ca. 30 buitenlandse luchtvaartmaatschappijen vliegen regelmatig op de *Jomo Kenyatta International Airport* in Nairobi. Ook Mombasa heeft een vliegveld met goede nationale en internationale verbindingen: vanuit Londen en Amsterdam tweemaal per dag met o.a. de KLM en vanuit Brussel driemaal per week.

REIZEN IN KENIA

Met het vliegtuig

Kenya Airways vliegt regelmatig van Nairobi naar Mombasa, Malindi en Kisumu. Chartermaatschappijen op Wilson Airport bieden regelmatig vluchten aan naar Lamu, Diani Beach, de wildreservaten Amboseli en Masai Mara, naar Nyeri en naar het Turkanameer. Voor elke binnenlandse vlucht wordt een belasting van 200 KSh p.p. berekend.

Met de trein

Treinreizen in een eerste- of tweedeklaslaapwagon zijn een goedkope en comfortabele manier om door Kenia te reizen. De treinen rijden dagelijks tussen Nairobi en Mombasa. Bij de prijs (eerste klasse) inbegrepen zijn een menu en een slaapplaats. Er zijn ook derdeklaswagons, maar die zijn meestal overvol en oncomfortabel. Vgl. p. 228.

Met de bus of met de taxi

Stadsbussen zijn meestal overvol, vooral in het spitsuur. Bovendien is het meestal niet gemakkelijk om vast te stellen waar de bussen precies naar toe gaan. De langeafstandsbussen tussen Mombasa en Nairobi rijden overdag en 's nachts. Helaas komen er nog steeds ongelukken voor door roekeloos rijgedrag en vermoeidheid van de chauffeur. Langeafstandsbussen zijn niet luxueus, maar wel goedkoop. Er zijn veel zogenaamde taxi's die niet erg betrouwbaar

zijn. Maar de erkende *Kenatco-* en *Bunson*-taxi's en de Engelse taxi's in Nairobi zijn ok. De overige taxi's herkent u aan de gele streep op de zijkant. De prijs voor de rit moet u van tevoren afspreken. Een typisch Keniaas vervoermiddel is de *matatu*, een kruising tussen een bus en een taxi. Ze vertrekken van vaste haltes wanneer de wagen vol is. Het zijn meestal Japanse auto's met 6-8 zitplaatsen, maar meestal vervoeren ze rond de 30 passagiers. Veilig zijn ze niet. Een *matatu*-rit is daarom alleen iets voor wie erg moedig of zuinig is. Ze zijn meestal zwaar overbeladen en slecht onderhoude. Bovendien hebben de chauffeurs altijd grote haast en rijden ze als gekken.

Met de auto

In Kenia rijdt men links en het verkeer is zeer hectisch. U doet er dan ook goed aan om na het vallen van de duisternis niet meer onderweg te zijn, omdat onverlichte voertuigen, dieren en slechte wegen het rijden bij nacht uiterst gevaarlijk maken. Voor u tot een rit besluit, kunt u het best bij de Keniase Automobielclub naar de toestand van de wegen informeren: *Automobile Association of Kenya*, Nairobi, tel. (020) 72 03 82, en Mombasa, tel. (020) 267 78.

Gerenommeerde autoverhuurbedrijven in Mombasa en Nairobi bieden een ruime keus aan voertuigen, van *fourwheel drives* voor safari's tot limousines met chauffeur en airconditioning voor stadsrondritten. Om een auto te kunnen huren, moet u uw Nederlandse of Belgische rijbewijs laten bekrachtigen door het *Road Transport Office* in Nairobi; een internationaal rijbewijs hoeft u niet te laten bekrachtigen.

Verhuurbedrijven als Avis en Hertz hebben ook in Kenia hun filialen. Daarnaast is er nog een grote hoeveelheid plaatselijke verhuurbedrijven. De prijzen van de internationale firma's zijn weliswaar wat hoger, maar de auto's zijn over het algemeen ook beter. Autohuur is in Kenia meestal niet goedkoop.

Wanneer u in Nairobi, aan de kust of in andere goed ontsloten delen van het land blijft, heeft u voldoende aan een normale personenauto. Voor een safari in een National Park of het noorden van het land is het beter een wagen met vierwielaandrijving te huren.

Reisbureaus

De grootste zijn: *Nairobi:* **Abercrombie & Kent (A&K) Ltd**, tel. 22 87 00. **Archers Tours & Travel**, tel. 22 31 31. **Bruce Travel Ltd**, tel. 22 67 94. **Bunson Travel Service**, tel. 31 13 31. **Diners World Travel**, tel. 33 36 66. **Express Travel**, tel. 33 47 22. **Flamingo Travel**, tel. 33 13 60. **Let's Go Travel**, tel. 21 30 33. *Mombasa:* **Bunson Travel Service**, tel. 31 13 31. **Diners World Travel**, tel. 245 87. **Express Travel**, tel. 31 24 61.

PRAKTISCHE TIPS VAN A - Z

Apotheken

De apotheken in de steden zijn goed bevoorraad. Wie een specifiek medicijn nodig heeft, kan het beter meebrengen of de samenstelling opschrijven.

Douane

Persoonlijke eigendommen, fotoapparatuur en films kunnen belastingvrij worden ingevoerd. Het invoeren van 200 sigaretten, 50 sigaren, 250 g tabak, 1 l sterke drank en 250 ml parfum is toegestaan. Radio's, videocamera's en dergelijke mogen belastingvrij worden ingevoerd. Vuurwapens mogen alleen met een vergunning van het *Central Firearms Bureau* worden ingevoerd. Dit bureau is te bereiken onder P.O. Box 30263, Nairobi.

Elektriciteit

De netspanning in alle grotere steden is 220-240 volt. De kleinere hotels en guesthouses hebben eigen generatoren. Voor de meeste Europese elektrische apparaten hebt u een adapter nodig met drie vierkante gaatjes. Ze zijn in Nederland of België in iedere elektriciteitswinkel verkrijgbaar.

Feestdagen

In Kenia zijn in totaal elf officiële feestdagen:
1 januari: *Nieuwjaar*
maart/april: *Goede Vrijdag* en *Tweede Paasdag*
1 mei: *Dag van de Arbeid*
1 juni: *Madarakadag*
10 oktober: *Moidag*
20 oktober: *Kenyattadag*
12 december: *Jamhuridag* (Dag van de Onafhankelijkheid)
25/26 december: *Eerste en Tweede Kerstdag*
Wisselende feestdag: *Idd ul-Fitr* (aan het eind van de ramadan)

Fooien

In de meeste restaurants is de bediening bij de prijs inbegrepen. In de andere is tien procent fooi een goede richtlijn. Bagagedragers verwachten minstens 20 KSh. De meeste toeristen geven, als ze tevreden over de service zijn, ook hun safariteam, taxichauffeurs en stadsgidsen een fooi.

Fotograferen

Respecteer de gevestigde macht: het fotograferen van de president of andere hoge functionarissen is verboden. Dit geldt ook voor politieagenten, het leger en staatsveiligheidsinstellingen (zoals vlieghavens of regeringsgebouwen).

Fotografeer nooit iemand zonder diens toestemming. Op het platteland ziet men vaak mensen in traditionele klederdracht, bijv. Masai die hun vee hoeden. Ze weten dat ze een begeerd foto-object zijn en verwachten dan ook een vergoeding. Wees vriendelijk wanneer u met hen onderhandelt over de prijs voor een foto.

Vooral de ultragevoelige diafilmpjes die zo geschikt zijn voor het fotograferen van dieren met telelens zijn over het algemeen betrekkelijk duur. Het is dus het beste voldoende van huis mee te nemen. In Nairobi, Mombasa en de touristische centra kunt u uw kleurenfilms snel laten ontwikkelen en afdrukken.

Maten en gewichten

De maten en gewichten komen overeen met het metrieke stelsel.

Nationale parken: entree

De Kenya Wildlife Service (www.kws.org) heeft voor de belangrijkste nationale parken een elektronisch ticketsysteem, gebaseerd op de smart card, ingevoerd: Nairobi National Park, Lake Nakuru, Aberdeare, Amboseli, Tsavo East en Tsavo West National Park. De entree voor deze parken kan alleen nog met een van tevoren, bij een KWS-kantoor gekochte smart card, dus niet meer contant ter plaatse, worden betaald.

Entree: Aberdares, Amboseli, Lake Nakuru: 40 US\$, Tsavo, Meru 40 US\$, Nairobi, Shimba Hills: 20 US\$, alle overige parken: 20 US\$ voor buitenlandse bezoekers boven de 18 jaar. Voertuigen tot zes zitplaatsen: 300 Ksh, tot twaalf zitplaatsen: 800 Ksh per dag.

Natuurbescherming

Natuur- en dierenvrienden kunnen een bijdrage leveren aan het natuurbehoud door lid te worden van de **East African Wildlife Society**, PO Box 20110, Nairobi, tel. 020-387 41 45, www.eawildlife.org, of van de **East African Natural History Society**, PO Box 40658, Nairobi, tel. 74 21 32.

Telefoon / fax

Om Kenia te bellen toetst u 00 254 in; het netnummer van Nairobi is 20, dat van Mombasa 41. Wanneer u binnen Kenia zelf belt, moet u een 0 voor het netnummer intoetsen. Vrijwel alle plaatsen hebben sinds 2004 **nieuwe netnummers**. In sommige streken zijn ook de abonneenummers gewijzigd.

Mobieltjes:de meeste grote Europese aanbieders hebben roamingovereenkomsten met providers in Kenia. Er worden ook prepaidkaarten verkocht.

Tijdsverschil

In Kenia is geen zomertijd. In het zomerhalfjaar is het in Kenia een uur vroeger, in het winterhalfjaar twee uur vroeger dan in België en Nederland.

Veiligheid

De criminaliteit in Kenia is groot en op de wegen gebeuren veel ongelukken. Er komen misdaden voor als roofoverval, inbraken en er zijn zakkenrollers, vooral in 'Nairobbery'. Voorzorg en voorzichtigheid zijn beslist noodzakelijk. Ga niet 's nachts de straat op. In het algemeen kunt u 's nachts beter niet in de binnenstad van Nairobi en Mombasa komen. In bepaalde buurten van Nairobi (zoals Tom Mboya Street, River Road, Machakos Bus Terminal) ook overdag niet. Neem liever een taxi. Verberg uw waardevolle spullen als fototoestellen, geld en dergelijke, en laat ook niets zichtbaar in de auto of uw hotelkamer liggen. De meeste mensen nemen natuurlijk ook geen kostbare juwelen en dergelijke mee op reis. Hebt u toch iets waardevols bij u, dan kunt u dat in de hotelsafe deponeren. Vermijd eenzame stranden, duistere cafés en aanlokkelijke aanbiedingen voor een wel héél goedkope rondrit door de stad. Drankjes die onbekenden u aanbieden, kunnen een middel bevatten waardoor u spoedig bewusteloos bent.

Voor het zwemmen in meren en zee moet u de plaatselijke bevolking vragen of er gevaar dreigt van krokodillen, nijlpaarden of bilharzia! In de noordelijke regio's van Kenia en in de kuststreek ten noorden van Malindi is de situatie niet veilig. Risico's neemt u ook als u reist op landwegen in gebieden ten noorden en noordoosten van Isiolo met inbegrip van het Samburu National Park en de Shaba National Reserve, ten noorden van het Baringomeer, van Kitale en het Turkanameer, de noordoostelijke provincie en de noordelijke kustprovincies. Reizen naar deze gebieden, vooral naar Lamu, kunt u beter met een vliegtuig maken. Bij tochten met een auto in de genoemde streken moet u bescherming zoeken in een bewaakt konvooi.

Activiteiten van bendes kunnen ook in de grensstreken tussen Kenia en Tanzania - in de streek rond het Natronmeer, Namanga en het Amboselipark - niet worden uitgesloten.

Vliegende dokter

Voor reizigers in het binnenland van Kenia is het aan te bevelen lid te worden van de *Flying Doctor Service*. Voor een bijdrage van 25 dollar voor een maand en 50 dollar per jaar komen de artsen u bij noodgevallen met hun goed uitgeruste vliegtuigen vanuit zelfs het meest afgelegen gebied van Kenia overbrengen naar Nairobi. Deze dienst vervangt echter geenzins de ziekenkostenverzekering voor uw buitenlandse reis, want transport terug naar bestemmingen in Europa valt er niet onder. In Kenia is hun tel. nr. 020-315 454.

ADRESSEN

Touristische informatie

De **Kenya Tourist Board** heeft een vestiging in Amsterdam (Leliegracht 20, tel. 020-638 46 61, fax: 020-670 53 57). Informatie over Kenia vindt u ook op www.landenweb.net/kenia en www.kenia.startpagina.nl of (engelstalig) op www.magicalkenya.com, www.kenyatourism.org of www.visitkenia.com. Schriftelijk kunt die ook aanvragen bij de **Keniaanse ambassade** in Nederland of België (zie onder) of bij de **Kenya Tourist Board** in Nairobi: Kenya Re-towers, Ragati Road, tel. (020) 271 12 62.

Ambassades / consulaten

Ambassade van Kenia in Nederland, Nieuwe Parklaan 21, 2597 LA Den Haag, tel. 070-350 42 15, e-mail: kenre@dataweb.nl; openingstijden: ma-vr 9-13 en 14-16 uur.

Ambassade van Kenia in België, Winston Churchilllaan 208, 1180 Brussel, tel. 2-340 10 40, fax: 2-340 10 50.

Nederlandse ambassade in Kenia, Riverside Lane, off Riverside Drive, Nairobi. Postadres: P.O. Box 41537, 00100 Nairobi, tel. 00-254-20 42 88 000, fax: 20 444 74 16, e-mail: nlgovnai@africaonline.co.ke; openingstijden: ma-do 8.30-10 en 14.30-15.30, vr 8.30-10 en 12.30-13.30 uur, www.netherlands-embassy.or.ke

Belgische ambassade in Kenia, Limuru Road, Muthaïga, Nairobi. Postadres: P.O. Box 30461, Nairobi, tel. 00-254-20 71 22 011, fax: 00-254-20 71 23 050, openingstijden ma-vr 9-17 uur, e-mail: Nairobi@diplobel.org

Nederlands consulaat in Mombasa, P&O Nedlloyd East Africa Limited at Maritime Centre, Archbishop Makarios Close, Mombasa; postadres: P.O. Box 880301, Mombasa, tel. 00-254-41-231 41 90, fax: 222 67 58, e-mail: nedconsulate@wanachi.com, openingstijden: ma-vr 11.30-16.30 uur.

Belgisch ereconsulaat in Kenia, Kenya HIV/STD Research Project, P.O. Box 91276, Ganjoni Clinic, Opposite Mombasa Sports Club, Mombasa. Postadres: P.O. Box 91276, Mombasa, tel. 00-254-474 236, fax: 00-254-41 47 40 55, consulbel@mombasa.be.

Tanzania: Re-Insurance Plaza, Nairobi, tel. (020) 311 948.

Oeganda: Riverside Paddocks Nairobi, tel. (020) 444 54 20.

Luchtvaartmaatschappijen

In Nairobi hebben alle belangrijke internationale luchtvaartmaatschappijen een filiaal:

Air France, International House, Mama Ngina Street, tel. Nairobi (02) 21 69 54; **Air Tanzania**, International Life House, Nairobi, tel. (020) 214 783; **British Airways**, International House, Mama Ngina Street, tel. Nairobi (020) 327 70 00. **Egypt Air**, Hilton Arcade, City Hall Way, tel. Nairobi, (02) 22 68 21; **Kenya Airways** en **KLM**, Barclays Plaza, Loita Street, tel. Nairobi (020) 327 40 00, (020) 229 387 (KLM).

Praktische Tips **13**

NUTTIGE UITDRUKKINGEN

Engels en Swahili zijn de officiële talen in Kenia. Engels wordt vrijwel overal verstaan, maar een paar woorden Swahili kunnen zeer nuttig zijn. De Kenianen zijn altijd bereid om hun taal aan geïnteresseerde buitenlanders te leren. Het Swahili is ontstaan aan de Oost-Afrikaanse kust en wordt daar door iedereen gesproken. Het is een Bantoetaal met vele, vooral Arabische, vreemde woorden. De missionarissen hielden van deze eenvoudige taal, die zij transcribeerden in het Latijnse alfabet. Het Swahili spreek je net zo uit als je het schrijft. Hieronder volgt een aantal nuttige woorden en uitdrukkingen:

Hallo . . . . *jambo*
Welkom . . . . *karibu!*
Hoe maakt u het?. . . . *habari yako?*
Met mij gaat het goed . . . . . *mzuri*
Dank u . . . . *asante*
Dank u vriendelijk . . . . *asante sana*
In orde / Geeft niet . . *hakuna matata*
Tot ziens . . . . *kwaheri*
Goede reis . . . . *safari njema*
Eenvoudig restaurant . . . . . *hoteli*
Eten. . . . . *chakula*
Drinken. . . . . *kukunywa*
Koffie . . . . *kahawa*
Thee . . . . *chai*
Heet (of warm). . . . . *moto*
Koud . . . . *baridi*
Bier . . . . *bia*
Brood . . . . *mkate*
Vlees . . . . *nyama*
Fruit . . . . *matunda*
Groente . . . . *mboga*
Vis . . . . *samaki*
Boter . . . . *siagi*
Suiker. . . . . *sukari*
Zout . . . . *chumvi*
Nu . . . . *sasa*
Vandaag . . . . *leo*
Morgen . . . . *kesho*
Snel . . . . *haraka*
Langzaam . . . . *pole pole*
Waar?. . . . . *wapi?*
Waarom? . . . . *kwanini?*
Wat? . . . . *nini?*

Wie?. . . . . *nani?*
Ja . . . . *ndio*
Nee . . . . *hapana*
Hoeveel?. . . . . *ngapi?*
Wat kost dat? . . . . *bei gani?*
Slapen . . . . *kulala*
Lopen. . . . . . *kuenda/kwenda*
Stoppen. . . . . *kusimama*
Kopen . . . . *kununua*
Verkopen . . . . *kuuza*
Winkel. . . . . *miduka*

Getallen en dagen

Een. . . . . *moja*
Twee. . . . . *mbili*
Drie . . . . *tatu*
Vier . . . . *nne*
Vijf . . . . *tano*
Zes. . . . . *sita*
Zeven. . . . . *saba*
Acht . . . . *nane*
Negen . . . . *tisa*
Tien . . . . *kumi*
Elf. . . . . *kumi na moja*
Twintig . . . . *ishirini*
Dertig . . . . *thelathini*
Veertig . . . . *arobaini*
Vijftig . . . . *hamsini*
Zestig . . . . *sitini*
Zeventig . . . . *sabini*
Tachtig . . . . *themanini*
Negentig . . . . *tisini*
Honderd . . . . *mia moja*
Duizend . . . . *elfu moja*
Ochtend. . . . . *asubuhi*
Avond . . . . *jioni*
Overdag . . . . *mchana*
Nacht . . . . *usiku*
Maandag. . . . . *Jumatatu*
Dinsdag . . . . *Jumanne*
Woensdag . . . . *Jumatano*
Donderdag . . . . *Alhamisi*
Vrijdag. . . . . *Ijumaa*
Zaterdag . . . . *Jumamosi*
Zondag. . . . . *Jumapili*

AUTEURS

Eva Ambros werkte lang als studiereisleider in Afrika voor ze reisboekenschrijfster werd. Zij werkte mee aan de bijdragen *Nairobi, Een paradijs aan de voet van de Kilimanjaro, Richard Leakey* en *Ontwikkelingsland Kenia.*

Angela Anchieng werkt bij het ministerie voor Pers en Omroep. Ze werkte mee aan: *Nairobi, Ngong Hills, Gikomba, Tsavo National Park, Taita Hills, Jipemeer* en *Chalameer.*

Zdenka Bondzio heeft tien jaar door Kenia gereisd. Zij schreef *Een dag bij George Adamson.*

Barbara Credner is geografe en reisde een jaar lang door Afrika op de motor. Ze werkte aan alle hoofdstukken mee als auteur en redacteur.

Michie Gitau is afgestudeerd aan de Universiteit van Nairobi. Hij schreef de stukken *Masai Mara, Het Turkanameer, Verdwijnend paradijs?, Richard Leakey* en *Bergavonturen.*

Eric Hanna is directeur van een reclamebureau in Nairobi. Hij was medeauteur van *Kokospalmen en zilveren stranden, Malindi* en *Lamu en omgeving.*

Jean Hartley is freelance auteur in Nairobi. Zij schreef de hoofdstukken *De wondere wereld onder water, Duiken, Vissen* en werkte mee aan *De kust.*

Brigitte Henninges is reisjournalist. Zij werkte aan vrijwel alle artikelen mee.

Clive Mutiso uit Nairobi werkte als auteur en medeauteur mee aan *Naivashameer, Nakurumeer, Bogoriameer, Baringomeer, Thika en omgeving* en *Sport.*

Clement Obare is pedagoog in Kenia. Hij schreef *Kakamega Forest, Victoriameer* en *Kisumu.*

Prof. Osaga Odak is antropoloog. Hij was auteur, respectievelijk medeauteur van *Vele volken – één volk, Kericho, Kitale, Een culinaire trip, Theater en muziek* en *Ontwikkelingsland Kenia.*

Philip Okwaro is freelance auteur en fotograaf in Kenia. Hij werkte mee aan *Amboseli National Park.*

Mourine Wambugu is freelance auteur. Ze was medeauteur van *Rondom de Mount Kenya, Aberdare Mountains, Mount Kenya National Park, Meru National Park* en *Samburu, Maralal en Marsabit.*

Rupert Watson is freelance auteur. Hij was auteur van *Olorgasailie en Magadimeer, Nairobi National Park* en *Meren in de Great Rift Valley.*

FOTOGRAFEN

13

Praktische Tips

LEVERBARE TITELS

– EUROPE –
Crete *1:200,000*
Madeira *1:60,000*

– ASIA –
Afghanistan *1:1,500,000*
Burma → Myanmar
Bangkok and Greater Bangkok
 1:15,000 / 1:75,000
Cambodia - Angkor *1:500,000*
Central Asia *1:1,750,000*
China:
 North East *1:1,500,000*
 North *1:1,500,000*
 Central *1:1,500,000*
 South *1:1,500,000*
Hong Kong *1:22,500*
Himalaya *1:1,500,000*
India:
 Indian Subcontinent *1:4,500,000*
 North *1:1,500,000*
 North East — Bangladesh
  1:1,500,000
 East *1:1,500,000*
 West *1:1,500,000*
 South *1:1,500,000*
Indonesia:
 Indonesia *1:4,500,000*
 Bali - Lombok *1:180,000*
 Java - Jakarta *1:750,000 / 1:22,500*
 Kalimantan — East Malaysia —
  Brunei *1:1,500,000*
 Papua - Maluku *1:1,500,000*
 Sulawesi - Nusa Tenggara —
  East Timor *1:1,500,000*
 Sumatra *1:1,500,000*

Japan *1:1,500,000*
Korea *1:1,500,000*
Malaysia *1:1,500,000*
Malaysia - West — Singapore
 1:1,500,000 / 1:15,000
Myanmar (Burma) *1:1,500,000*
Nepal *1:480,000 / 1:1,500,000*
Pakistan *1:1,500,000*
Philippines - Manila
 1:1,500,000 / 1:17,500
Singapore *1:22,500*
Southeast Asia *1:4,500,000*
Sri Lanka *1:450,000*
Taiwan *1:400,000*
Thailand *1:1,500,000*
Vietnam — Laos — Cambodia
 1:1,500,000

– AFRICA –
Egypt *1:2,500,000 / 1:750,000*
Kenya *1:1,100,000*
Namibia *1:1,500,000*
Tanzania — Rwanda — Burundi
 1:1,500,000
Tunisia *1:750,000*
Uganda *1:700,000*

– AMERICAS –
Argentina:
 North — Uruguay *1:2,500,000*
 South — Uruguay *1:2,500,000*
Bolivia — Paraguay *1:2,500,000*
Brazil:
 South *1:2,500,000*
Caribbean:
 Lesser Antilles *1:2,500,000*

Central America *1:1,750,000*
 (Costa Rica *1:900,000*)
Chile - Patagonia *1:2,500,000*
Colombia — Ecuador *1:2,500,000*
Cuba *1:775,000*
Dominican Republic — Haiti
 1:600,000
Mexico *1:2,500,000*
Peru — Ecuador *1:2,500,000*
South America - The Andes
 1:4,500,000
Venezuela — Guyana — Suriname —
 French Guiana *1:2,500,000*

– AUSTRALIA / PACIFIC –
Australia *1:4,500,000*
Hawaiian Islands:
 Hawaiian Islands *1:330,000 /*
  1:125,000
 Hawaii, The Big Island *1:330,000 /*
  1:125,000
 Honolulu - Oahu *1:35,000 / 1:150,000*
 Kauai *1:150,000 / 1:35,000*
 Maui - Molokai - Lanai *1:150,000 /*
  1:35,000
New Zealand *1:1,250,000*
South Pacific Islands *1:13,000,000*

Nelles Maps, kaarten van topkwaliteit!
Met reliëfaanduiding, afstanden in kilometers en bezienswaardigheden.
Altijd actueel!

Kenia

Accommodatie

ACCOMMODATIE

De gebruikte symbolen voor de hotelcategorieën geven de volgende prijsindicatie:
🌑🌑🌑 meer dan 50 US $
🌑🌑 tussen 10 en 50 US $
🌑 tot 10 US $

2 MOMBASA

MOMBASA (☎ 041)

Mombasa-eiland

🌑🌑🌑 **Sapphire**, Mwembe Tayari Rd., in de buurt van het station, tel. 49 16 57, fax: 49 52 80, Chinees en Indiaas restaurant, zwembad, fitness, sauna, stoombad. **Royal Court**, Haile Selassie Rd., tel. 22 33 79, fax: 231 23 98, royalcourt@swiftmombasa, dakterras met bar en fraai uitzicht over de stad. **Mombasa Serena Beach Hotel**, Shanzu Beach Road, Shanzu Beach, tel. 548 57 21/2/3, fax 548 54 53. 5-sterren hotel op 20 km van het centrum aan het prachtig witte Shanzu-strand, grote, elegant ingerichte kamers, een oase van rust!
🌑🌑 **Glory Guest House**, Kwa Shibu Road, tel. 31 32 04, restaurant, geen parkeerplaats. **Manson Hotel**, Kisumu Rd., tel. 22 24 19, verzorgd, goede prijs-kwaliteitverhouding.
🌑 **New Peoples Lodge**, ten noorden van het centrum in de Abdel Nasser Road, tel. 31 22 31, goed, goedkoop restaurant, verkeerslawaai. **Ramadhan Guest House**, Abdel Nasser Rd, tel. 22 99 65, in de buurt van het Malindi-busstation, lichte, luchtige kamers. **Metric Hotel**, zijstraat van de Moi Ave vlak bij de tusks, tel. 22 21 55, schone, kleine kamers.

Voorstad Nyali

Nyali heeft comfortabele, rustige overnachtingsmogelijkheden te bieden, pal aan het strand. 🌑🌑🌑 **Nyali Beach**, tel. 47 46 40, fax: 47 28 77, reservering ook via Block-Hotels Nairobi, tel. (020) 53 54 12, fax: 54 59 54, klassiek luxehotel in Engelse koloniale stijl, 2 zwembaden, windsurfing, duikschool, golf en squash in de Nyali Golf Club. **Reef**, tel. 47 17 71, via Nairobi tel. (02) 21 43 22, op een klip boven het zandstrand, architectonisch interessant, kindvriendelijk, goede watersportmogelijkheden. **Voyager Beach Resort**, 9 km ten noorden van Mombasa, voor boekingen (041) 475 114, fax: (041) 472 544, uitgestrekt parkachtig complex met drie verdiepingen tellende gebouwen in Afrikaanse stijl.
🌑🌑 **Mombasa Beach**, tel. 47 18 61, fax: 47 29 70, www.mombasabeachhotel.kenya-safari.co.ke, nuchtere stijl, maar prachtig uitzicht op zee. **Bahari Beach Club**, 12 km van Mombasa aan de noordrand van het Nyalistrand, tel. 47 28 22, kamers zonder uitzicht op zee, smal strand, tennis, fitness. **Silver Beach**, tel. 47 51 14, indrukwekkend, halfrond gebouw in Afrikaanse stijl, all-inclusive-hotel. **Tamarind Village**, Cement Silo Rd., tel. 47 46 00, fax: 47 30 73, www.tamarind.co.ke, luxe appartementencomplex in Swahilistijl voor als u zelf alles wilt doen, uitzicht op de oude haven.
🌑 **Fischerman's Inn**, Mwamba Drive, tel./fax: 47 12 78, www.fishermans.visit-kenya. com, eenvoudiger en intiemer dan de grote hotels, goede prijs-kwaliteitverhouding.

3 ZUIDKUST

Shelly Beach (☎ 041)

🌑🌑🌑 **Shelly Beach**, slechts 3 km van het veer naar Mombasa, tel. 245 10 01, fax: 45 13 49, all-inclusive-complex, tuincottages, diverse sportmogelijkheden, vlak bij de stad.

Tiwi Beach (☎ 040)

🌑🌑🌑 **Tiwi Beach Resort**, tel. 33 00 241, fax: 33 00 190, information@tiwibeachresort.com, erg groot complex voor volledig verzorgde reizen, tropische tuin, enorm zwembad, 3 restaurants, 5 bars, ruim sportaanbod, excursies naar Travellers Mwalugunje Elephant Camp.
🌑🌑 **She She Baharini Beach Hotel**, tel./fax: (020) 856 20 24, www.sheshebeach.com, goed restaurant, bar, zwembad, comfortabele kamers, cottages voor enkele personen.
🌑 **Twiga Lodge & Camping**, tel. 51 267, het ontmoetingspunt voor rugzaktoeristen, eenvoudige bungalows, goede campmogelijkheid onder palmen aan het strand (pas op voor diefstal), restaurant, bar, winkel, safari's naar de Shimba Hills en Mwaluganje Elephant Sanct.

Sand Island Beach Cottages, tel. 51 233, fax: 51 201, goed uitgeruste cottages voor individuele reizigers in fraaie tuin aan zee, bij eb wordt een zandbank zichtbaar, snorkeluitrusting gratis, vers fruit uit eigen tuin.

Diani Beach (☎ 040)

NOORD-DIANI: ⑤⑤⑤ **Leopard Beach**, tel. 320 27 21, fax: 320 34 24, leopardb@africaonline.co.ke, www.leopardbeachhotel.com, populair, recent gerenoveerd luxecomplex in Afrikaanse stijl, boven op de klippen boven het strand, mooie tropische tuin, meerdere restaurants, waaronder het uitstekende 'Chui Grill' met vis, zeevruchten en diverse grillspecialiteiten; zwembaden, duiksport etc.
Diani Reef Beach Resort, tel. (040) 320 27 23 / 320 33 08, fax (040) 320 21 96 / 320 30 67, e-mail: info@dianireef.com, www.dianireef.com, in 2005 geopend, tropische tuin met kunstmatig aangelegde zoetwaterlagune, 144 kamers met uitzicht op zee, 3 restaurants zoals Het Sake Oriental met Indische, Chinese en Japanse keuken, 5 bars, Nirvana Health en Wellness Spa (verjongingskuren, aromatherapie, modderpakking, schoonheidsbehandeling, ayurveda), jacuzzi, sauna en Turks bad, zoutwaterbad, fitnesscentrum, groot aanbod van activiteiten op het gebied van sport en vrije tijd, kinderopvang in het Kids Club complex, waterglijbanen.
The Sands at Nomad, wwww.thesandsatnomad.com, pas enkele jaren geleden geopend, 18 kamers, 12 luxe suites (sommige met jacuzzi) en 7 exclusieve strandcottages aan de kuststrook vlak achter het strand, 5 m diepe zoetwaterlagune, (ook voor duikcursussen voor beginners), het 'Forest Breeze' Centrum biedt traditionele massage, ayurveda en schoonheidsbehandelingen, duikstation, het Red Pepper Restaurant serveert een tropisch ontbijt en 's middags en 's avonds Thaise gerechten; traditionele Italiaanse keuken en vis in het Nomad Beach Bar & Restaurant en tapas in de Riva's Bar aan het zwembad.
Leisure Lodge, tel. 320 26 20, fax: 320 20 46, leisure@africaonline.co.ke, erg mooi en uitgebreid complex met twee zwemparadijzen en gebouwen in Afrikaanse stijl, golfcourt, duikschool. **Indian Ocean Club**, tel. 320 37 30,

fax: 320 35 57, een van de meest smaakvolle luxehotels, aan Mwachema Rivers, hoofdgebouw in Moorse stijl, beste inrichting, versch. sportactiviteiten, duiken, vissen op volle zee, tochten in boten met glazen bodem, vogelkijken op de Mwachema River. **Southern Palms Beach Resort**, tel. 320 37 21, fax: 320 33 81, 300 kamers in twee verdiepingen tellende gebouwen in Swahilistijl, mooi vormgegeven zwemparadijs. **Kazkazi Beach**, tel. 320 31 79, fax: 320 22 33, all-inclusive-complex in Moorse stijl.

⑤⑤ **Diani Reef**, tel. 320 27 23. dianireef@form-net.com, 600 bedden in een vier verdiepingen tellend gebouw, dat zich langs het strand kronkelt, fantasierijk groot zwemparadijs.
ZUID-DIANI: ⑤⑤⑤ **Safari Beach**, tel. 320 27 26, fax: 320 23 57, 214 kamers in ronde, pittoreske Afrikaanse bouwsels, kindvriendelijk, goed eten en uitstekend sportprogramma, reservering via Alliance-Hotels. **Baobab Beach Resort**, tel. 320 26 23, fax: 320 20 32, www.baobab-beach-resort.com, vroegere Robinsonclub, nagebouwd Afrikaans dorp aan mooi stuk strand, in oerwoud met vele baobabs en apen.

⑤⑤ **Jadini Beach**, tel. 320 26 22, verscheidene gebouwen dicht opeen in verschillende stijlen, comfortabel, met uitzicht op zee, pal ernaast het zusterhotel **Africana Sea Lodge**, tel. 320 26 22, fax: 320 22 69, dicht opeen gebouwde ronde hutten met *Makuti*-daken, geen uitzicht op zee, goede watersportmogelijkheden met duikschool, reserveren via Alliance-Hotels. **Nomad Hotel**, tel. 320 36 43, fax: 320 23 91, cottages en banda's met terrassen aan zee, restaurant met Itaiaanse keuken, lekkere visgerechten, uitgebreide bufets bij dagelijks wisselende thema's. duikschool en kitesurfen.
Diani Sea Lodge, tel. 320 21 15, 145 eenvoudige kamers in platte rijtjeshuizen, relatief klein zwembad. **Papillon Hotel**, tel. 320 26 27, all-inclusive-hotel, goedkoop, kindvriendelijk, aangename sfeer, veel kamers met uitzicht op zee. **Shaanti, Holistic Health Retreat**, tel. (020) 444 06 62, www.shaantihhr.com, luxe wellness resort, vooral op psychisch gebied, yoga, meditatie, ayurveda, aromatherapie, reflexologie, alg. schoonheidsbehandeling, danstherapie.

GALU BEACH: ☺☺☺ **Neptune Paradise Village**, tel. 320 36 20, fax: 320 30 19, 5 km ten zuiden van Diani, twee verdiepingen tellende Afrikaanse ronde gebouwen met spits kegeldak, zwembaden, restaurants en bars aan het strand, kinderopvang.

Shimoni

☺☺ **Pemba Channel Fishing Club**, in Mombasa, tel. 041-31 37 49, fax: 31 68 75, gespecialiseerd in sportvissen, maar ook met duikschool en tochten op de Ramisi River, elegante huisjes in koloniale stijl, zwembad, goed eten, apr. tot juli gesloten. **Shimoni Reef Lodge**, tel. (041) 47 17 71, fax: 47 13 49, fraai gelegen op een klip boven het Wasinikanaal, zeewaterzwembad, centrum voor duikers.

Shimba Hills (☎ 040)

Shimba Hills Lodge, tel. (041) 222 96 08, GSM 0722-200 952, fax (041) 222 91 21, shimba@aberdaresafarihotels.com, www.aberdaresafarihotels.com. Boekingen via Block-Hotels in Nairobi of bij de hotels aan de kust, 'boomhotel', kamers met uitzicht op een drinkplaats, junglebar en observatieplatform, kinderen onder 7 jaar niet toegestaan, zeer aan te bevelen georganiseerde wandelingen naar de zonsondergang.

Mwaluganje Elephant Sanctuary (☎ 040)

Travellers Mwaluganje Elephant Camp, tel. 51 202, fax: 51 207, goed uitgeruste tenten, drinkplaats, vooral georganiseerde tochten van het Tiwi Beach Hotel.

4 NOORDKUST

Bamburi- en Shanzu-Beach (☎ 041)

☺☺☺ **Serena Beach**, tel. 548 57 21, fax: 548 54 53, mombasa@serena.co.ke, Shanzu Beach, beste hotel van de streek, dat alleen vanwege zijn bijzondere architectuur een bezoek waard is, gebouw in Lamustijl, binnen ingetogen, prachtig houtsnijwerk, excellent

eten, de meeste sportactiviteiten zijn incl., boekingen via het Serenakantoor in Nairobi. **Traveller's Beach Hotel**, Bamburi Beach, tel. 548 51 21, fax: 548 56 78, travellershtl@swiftmombasa.com, reusachtig complex, talrijke restaurants (bijv. met goede Indiase keuken), bars en winkels, nachtclub, verschillende sport- en wellnessmogelijkheden, diverse zwembaden en kanalen, waardoor u in bijna alle richtingen zwemmen kunt. **White Sands**, Bamburi Beach, tel. 548 59 26, fax: 5485652, gm@whitesands.sarova.co.ke, uitgestrekt complex met 720 bedden en indrukwekkende tuin- met zwembad, niet alle kamers met uitzicht op zee, duikstation, goede bediening, lekker eten. **Severin Sea Lodge**, Bamburi Beach,tel. 548 50 01, severin@severin-kenya.com, erg pittoresk in een kokospalmengaard, restaurant in een verbouwde dhow, tennisbanen, duikstation en 18-holes golfbaan. ☺☺ **Bamburi Beach**, tel. 548 56 11, all-inclusive-complex met fantasievol vormgegeven zwembad, aan een fraai stuk strand, fitnessapparatuur, squashcourts, nachtclub. **Neptune Beach Resort**, Bamburi Beach, tel. 48 57 01, fax: 548 57 05, met 78 kamers een van de kleinere hotels, gezellige sfeer.

Watamu (☎ 042)

☺☺☺ **Hemingway's Hotel**, tel. 32 006, fax: 32 256, reservations@hemingways.co.ke, populair bij zeevissers, kamers met uitzicht op zee, mooi strand, snorkel- en dhowtochten. **Turtle Bay Beach Club**, tel. 32 003, fax: 32 268, watamu@turtlebay.co.ke, vaak volgeboekt, uitgestrekt all-inclusive-complex, geschikt voor families, kinderopvang, ruim aanbod van recreatie.

Malindi (☎ 042)

☺☺☺ **Kilili Baharini Resort**, Casuarina Road, tel. 20 169, fax: 21 264, aanbevelenswaardig complex pal aan het Silver Sandsstrand, met groot en diverse kleinere zwembaden. **Tropical African Dream Village**, 3 km voor de stad, tel. 20 442, fax: 20 788, fraai, groot all-inclusive-complex aan het Silver Sandsstrand, *Makuti*-hutten in tropische tuin, groot watersportaanbod.

C

⊕⊕ **Scorpio Villas**, tel. 20 194, fax: 21 250, scorpio@swiftmombasa.com, 50 m van het Silver Sandsstrand in een grote tropische tuin met 3 zwembaden, goed restaurant, organisatie van safari's en excursies. **Lawford's Beach Club**, aan de rand van de plaats, tel. 20 440, fax: 20 459, Duitse directie, duikstation. **Eden Roc**. tel. 20 480, fax: 20 333, mooi, rustig complex, de weg naar het strand loopt enkele honderden meters door een terrasvormige tuin. **Driftwood Beach Club**, tel. 20 155, fax: 30 712, www.driftwoodclub.com, aangenaam bungalowcomplex aan het zuidstrand, duikschool en bar. **Blue Marlin**, Harambee Road, tel. 20440, fax: 20459, www.diani-sea.com/blue.htm, gerenoveerd hotelcomplex met 145 kamers, duikstation.
Stephanie Sea House, tel. (042) 20 430, fax (042) 30 096, e-mail: stephanie@swiftmalindi.com, heerlijke tropische tuin, direct aan het strand van het onderwaterreservaat, Beach Club met volpension, lodge cottages met logies en ontbijt, activiteiten: duiken, surfen, fotosafari, zeevissen, onderwaterexcusrsies, restaurant met uitzicht op de Indische Oceaan, Italiaanse en plaatselijke keuken.
⊕ **Tana**, tel. 20 234, eenvoudig, kamers met ventilator en muskietennet, populair bij rugzaktoeristen. **Silversands Campsite**, tel. 20 412, twee km ten zuiden van de stad, kamperen en verhuur van eenvoudige banda's aan het strand, fantastisch uitzicht.

Lamu (☎ 042)

⊕⊕⊕ **Peponi**, aan de rand van Shela Village, tel. 633 421, fax: 633 029, peponi@users.africaonline.co.ke, pal aan het strand, beste restaurant uit de buurt, fantastische visgerechten, omvangrijk watersportgebied, excursies.
Kipungani Bay, aan de zuidwestkant van het eiland Lamu, boeking via: Heritage Hotels Nairobi, tel. (020) 444 66 51, fax (020) 444 66 00, www.heritage-heastafrica.com, klein, romantisch hotel aan een kilometerlang zandstrand, 15 strandhutten met muren van traditionele grasmatten en daken van palmbladen, binnenin comfortabel ingericht, drank en spijzen (vis en zeevruchten) worden op de veranda met uitzicht op de oceaan geserveerd, zoetwater-

zwembad, snorkelen, duiken, zwemmen met de dolfijnen, dhou-tochten, kayak, surfen, zeevissen.
⊕⊕ **Petley's Inn**, tel. 633 164, beste hotel van de stad Lamu, pal aan de haven, zwembad, bar met dakterras. **New Lamu Palace**, tel. 633 272, fax: 633 104, aan de oeverpromenade, voor plaatselijke begrippen groot, modern en duur, dakterrasrestaurant, bar met alcohol. **Stone House**, tel. 633 544, fax: 633 149, dakrestaurant met fraai uitzicht over de stad, bijzonder aan te bevelen zijn de zeevruchten. **Island Hotel**, in het centrum van Shela Village, tel. 633 290, fax: 633 568, kisiwani@swiftkenya.com, 14 kamers in traditionele Lamustijl, romantisch dakrestaurant met smakelijke curries en visgerechten. **Shela Bahari Guest House**, Shela Village, tel. 632 046, klein, pittoresk huis in prachtige omgeving, met aardig restaurant.
⊕ **Lamu Guest House**, in de buurt van het Lamumuseum, tel. 633 338, eenvoudig, schoon. **Casuarina Rest House**, in het voormalige politiebureau, tel. 633 123, luchtige kamers met mooi uitzicht en ventilator. **Kizingo Bandas**, info@kizingo.com.

Manda / Kiwayu

⊕⊕⊕ **Blue Safari Club**, eiland Manda, reserveren via Nairobi tel. (020) 89 01 84, fax: 89 00 96, een belevenis voor 500 US$ per nacht.
⊕ **Camp Site**, enige overnachtingsmogelijkheid op Manda, afgezien van de Blue Safari Club. **Kiwayu Camping Site**, op Kiwayu, overnachting in eenvoudige hutten. De laatste jaren is de toestand van de camp site achteruit gegaan.

⬛5 NAIROBI

Nairobi (☎ 020)

⊕⊕⊕ **Windsor Golf & Country Club**, voor de poorten van de stad, tel. 56 23 00, windsor@africaonline.co.ke, behoort naar verluidt tot de beste hotels ter wereld. Kamers met haard en Engelse stijlmeubelen, in de omgeving golfcourt, koffieplantages en woud. **Norfolk**, Harry Tuku Rd., tel. 250 900, fax: 25 000, boeken via Lonrho Hotels, Nairobi, tel. 21 69 40, fax: 21 67 96, www.lonrhohotels.com, oudste hotel in Nairobi van onvergelijkelijke charme, een plek voor nostalgici, Ibisrestaurant (een van de beste in Kenia), Lord Delamere Bar. **Nairobi Safari Club**, Koinange Str./University Way, tel. 25 13 33, fax: 22 46 25, info@ nairobisafariclub.com, modern gebouw met indrukwekkende lobby, alleen suites. **Nairobi Serena**, boven het Central Park, tel. 28 22 000, fax: 72 51 84, nairobi@serena.co.ke, luxehotel met alle comfort, die men van een Serenahotel verwacht, fitnessclub in Arabische stijl. **Safari Park**, Thika Road, tel. 36 33 000, fax: 36 33 919, sales@safaripark.co.ke, enkele km buiten de stad op een 25 ha groot terrein, architectonisch interessante gebouwen in Afrikaanse stijl, bustransfer naar het stadscentrum. **The Sarova Stanley**, centraal gelegen hoek Kenyatta Ave./ Kimathi St., tel. 22 88 30, fax: 24 97 57, www.sarovahotels.com, zwembad op het dak, restaurant in het beroemde *Thorn Tree Café*. **Hilton**, Mama Ngina Street, tel. 250 000, nairobi@hilton.com, centraal gelegen, zwembad op het dak. **Intercontinental**, tel. 32 000 231, fax 32 000 030 centraal gelegen aan de Uhuru Highway. **Panafric**, iets buiten het centrum in de Kenyatta Ave., tel. 279 44 44, fax: 272 18 78, gm@panafric.sarova.co.ke, modern hoog gebouw. **The Landmark**, in Westlands, tel. 444 87 13, fax: 44 61 59, landmark@africaonline.co.ke, Block Hotels, bustransfer. **Panari**, Mombasa Road, tel. (020) 69 46 000, fax (020) 82 89 85, e-mail: info@panarihotel.com, nieuw luxehotel tussen het centrum en de luchthaven in, in het Panari Sky Center (met winkelstraat, ijsbaan, bioscopen, theater etc.), 136 smaakvol ingerichte kamers, uitzicht op het Nairobi National Park (Sundowner cocktails met uitzicht over de wilde dieren in het park).

☺☺ **Boulevard**, Harry Thuku Road, vlak bij het Nationaal Museum, tel. 22 75 67, fax: 33 40 71, hotelboulevard@form-net.com, tennis, zwembad, biertuin, restaurant. **Six Eighty**, centraal gelegen in de Kenyatta Ave hoek Muindi Mbingo Str., tel. 31 56 80. **Fairview**, Bishops Street achter het Panafric Hotel, tel. 71 13 21, reserv@fairviewkenya. com, prachtige tuin, een van de beste hotels in zijn prijsklasse.

☺ **Africana**, Dubois Rd., tel. 22 06 54, schone kamers, restaurant met Indiase keuken. **Iqbal**, Latema Rd., tel. 22 09 14, erg populair bij rugzaktoeristen, voor zijn prijsklasse aanbevelenswaardig, bagagedepot, goedkope safari's via *Iqbal Tours*. **Parkside**, Monrovia Str. tegenover de Jevanjee Tuinen, tel. 21 41 54, alle kamers met bad, vriendelijk personeel, restaurant. **Nairobi Youth Hostel**, Ralph Bunche Rd., tel. 372 30 12, ontmoetingspunt voor reizigers, mededelingenbord, schone kamers. **YMCA**, State House Road, tel. 272 41 16. **YWCA**, Nyerere Road, tel. 55 89 82. **Flora Hostel**, 5th Ngong Road, tel. 272 30 13.

Omgeving Nairobi

☺☺☺ **Giraffe Manor**, Langata, tel. 89 10 78, www.giraffemanor.com, exclusieve, buitengewone herberg in een oud Engels landhuis. In de grote tuin leven giraffen, die graag eens door het raam van de kamers gluren, uitstekend eten.

☺☺ **Whistling Thorns**, Ngong Hills, Isinya/ Kiserian Pipeline Rd., tel. 35 07 20, zeer aanbevelenswaardige accommodatie met cottages, campsite, zwembad, restaurant, wandelmogelijkheden, paardensafari's.

6   TEN ZUIDEN VAN NAIROBI

Shompole Conservancy

☺☺☺ **Shompole Camp**, boekingen via: tel./ fax (020) 88 32 80 / 88 33 31/2, reservations@ theartofventure.com, www.shompole.co.ke. In 2002 geopend, eigenaardig kunstzinnig uitgevoerde lodge, vol met kanaaltjes, overal in de omgeving zijn open, ruime, uit natuurmateriaal opgetrokken tentonderkomens met een eigen koel bad als contrast met het hete droge landschap, geweldig uitzicht op de Rift Valley, activiteiten: voetsafari, (nachtelijke) gamedrives, sundownerexcursies, mountainbiketochten, kanotochten op de Ewaso Ng'iro River, excursies naar het Natronmeer (flamingo's en weestijnrozen) markt in het naburige Massaidorp Shompole.

Sampu Camp, boeking bij Lets Go Travel, tel. (020) 34 03 31, www.letsgosafari.com.

Amboseli National Park

❸❸❸ **Amboseli Serena Lodge**, tel. Nairobi (020) 71 10 77, fax: 71 81 03, www.serenahotels.com, architectonisch meesterwerk, luxe ronde gebouwen in de stijl van Masaihutten, veranda met drinkplaats, jungleachtige tuin, zwembad, dicht bij de Enkongo Narok moerassen met veel wild, *game drives*, vogelkijken, voordrachten, Masaidansen. **Kibo Safari Camp**, tel. (020) 445 05 32, fax: (020) 445 03 92, patterson@wananchi.com. **Ol Tukai Lodge**, tel. Nairobi (020) 444 55 14, fax (020) 444 84 93, oltukai@mitsuminet.com. Heel mooi ingerichte, natuurstenen bungalows met terras. De bungalows aan de ene kant van het complex met schitterend uitzicht op de Kilimanjaro, aan de andere kant met uitzicht op de eindeloze savanne met haar olifanten. Uitstekend eten, goede service en kampvuur in de avond vormen het slotakkoord van het zeer aangename verblijf in deze lodge. **Tortilis Camp**, boeken via Cheli & Peacock Safaris, Nairobi, tel. (020) 60 30 90, www.chelipeacock.com, 15 wonderschoon gelegen, luxe tenten met perfect uitzicht op de Kilimanjaro, zwembad, 'ecotoerisme'-concept: warm water opgewekt door zonne-energie, eigen biologische groententuin, de naburige Masaigemeenschappen worden ondersteund, door Masais geleide wilderniswandelingen.
BUITEN HET PARK: **Amboseli Sopa Lodge**, tel. Nairobi (020) 22 71 36, ksc@africaonline.co.ke, in het jachtreservaat 30 km ten oosten van het Nationale Park, zwembad, uitzicht op de Kilimanjaro. **Kimana Lodge**,tel. Nairobi (020) 22 71 36, ksc@africaonline.co.ke, dicht bij Buffalo Lodge, wandelingen onder leiding, nijlpaardpoel.
❸❸ **Namanga River Hotel**, in de grensplaats Namanga, goedkoop alternatief voor de dure lodges in het park.

Tsavo National Park West

❸❸❸ **Finch Hatton's Safari Camp**,tel. Nairobi (020) 523 237, fax: 523 245, finchhattons@iconnect.co.ke, absolute luxe met Chinees porselein, kaarslicht en klassieke muziek, koloniale stijl en atmosfeer, verschillende bronnen en 's nachts verlichte nijlpaardpoelen,

excellent eten, aan de westrand van het park. **Ngulia Lodge**, tel. Nairobi (043) 30 091, ngulialodge@kenya-safari.co.ke, prachtig gelegen op 900 m hoogte, aangenaam klimaat, ietwat eenvoudiger, geen *game drives*, 2 drinkplaatsen, maar,minder dieren. **Kilanguni Lodge**, reserveren via Serena, Nairobi, tel. (020) 284 23 33, fax: 271 81 02, cro@serena.co.ke, fraai, veelbezocht complex temidden van de belangrijkste bezienswaardigheden, mooi uitzicht op de Chyulu Hills en de Kilimanjaro, 's nachts belichte drinkplaatsen met veel dieren, visitor centre, restaurant en bar voor eendaagse bezoekers. **Tarhi Safari Camp**, tel. (0722) 326 055, boeking: tel./fax (041) 548 02 93, tarhiecocamps@africaonline.co.ke, www.camptarhi.de. Aan de Voi River met schitterend uitzicht op de wijdse savanne. Het camp combineert de charme van een pionierscamp uit vroegere tijden met het comfort van een luxecamp. **KVoi Wildlife Lodge**, tel. (043) 30 762, fax (043) 30 761, boeking tel. (020) 712 57 41, fax (020) 712 57 43, wwww.voiwildlifelodge.com, buiten het park gelegen luxehotel, ideaal vertrekpunt voor excursies naar het park.
❸❸ **NNdololo Safari Camp**, boeking bij Tsavo Park Hotels, tel. (043) 300 50, fax (043) 302 85, www.tsavohotels.co.ke, op de dichtbeboste oever van de Voi River, betaalbaar tented camp. **Ngulia Safari Camp**, tel. (043) 300 50, fax (043) 302 55, gerenoveerd, banda's en luxe kamers, kampeerplaats. **Kitani Safari Camp**, tel. (041) 548 50 01, fax (041) 545 212, gerenoveerd, de ruime tenten zijn van alle comfort voorzien, de afgelegen Kibo Suite is een ideale schuilplaats voor pasgehuwden. **Ziwani Safari Camp**, boeking via Lets Go Travel, tel. (020) 444 71 51, 25 comfortabele tenten, in de schaduw van de Kilimanjaro. Het camp is bereikbaar na een 2 uur durende rit door woeste savanne vanuit Voi of Mtito Andei of met het vliegtuig vanuit Mombasa of Nairobi.

Tsavo National Park Oost

❸❸❸ **Voi Safari Lodge**, tel. (043) 30 019, fax: 30 080, reserverenvia Lets Go Travel, tel. (020) 444 71 51, voilodge@kenyasafari.co.ke, prachtig gelegen met weids uitzicht over de savanne, een onderaardse gang eindigt bij een olifantendrinkplaats.

Galdessa Safari Camp, tel. Nairobi (020) 712 09 43, fax: 56 49 45, mellifera@swiftkenya.com, klein, duur, milieuvriendelijk luxecamp (stroom opgewekt door zonnecollectoren), aan de Galanarivier, 15 km ten westen van de Lugardwatervallen, wandel-, kameel- en hengelsafari's.

Satao Camp, tel. Mombasa (041) 47 50 74, fax: 47 12 57, luxe tentenkamp aan een drinkplaats, die in de droge tijd veel bezocht wordt door olifanten, wilderniswandelingen met gids, jeepverhuur.

Pattersons Camp, boeken via Nairobi tel. (020) 433 89, 471 59, patterson@wanachi.com, nieuw complex aan de Athi River.

Crocodile Camp, African Safari Club, tel. Mombasa (041) 48 55 20, aan de oostelijke parkrand, 3 km buiten de Sala Gate aan de Galanarivier, krokodillen worden gevoederd.

Kilalinda, boekingen via Private Wilderness, Nairobi, tel (020) 605 352, fax (020) 605 391, in een 8 km^2 groot, privéreservaat aan de rand van Tsavo National Park Oost, zes luxe ingerichte bungalows aan de Athi River met uitzicht op het Yatta plateau, privéveranda en een eigen tuin. Op de zanderige rivieroever kunt u krokodillen, nijlpaarden en impala's bewonderen, verder: ontbijt bij zonsopgang op een eigen platform boven in een baobab; activiteiten: bushdrives, excursies in het Tsavo National Park Oost en West, tochten met een rubberboot op de Athi River, voetsafari's, observatie van vogels, zwembad.

Chyulu Hills

$\circledS\circledS\circledS$ **Campi ya Kanzi**, boekingen direct bij: Campi ya Kanzi, Mtiti Andei, tel./fax: (030) 22 25 16, of via Private Wilderness, Nairobi, tel (020) 22 73 75, fax: (020) 21 63·91, luxe tentenkamp in de stijl van de 19de eeuw in de Chyulu Hills, 6 tenten op houten platforms en één tentensuite 'Hemingway', gegroepeerd rondom een gebouw met panoramaterras, met uitzicht op de Kilimanjaro, door verschillende hoogtes een afwisselend landschap, game drives, excursies in de omliggende nationale parken, voetsafari's, observatie van vogels, restaurant met Italiaanse en lokale specialiteiten. Het kamp wordt samen met de plaatselijke Masai geleid.

Taita Hills

$\circledS\circledS\circledS$ **Salt Lick Lodge**, (043) 30270, www.Saltlicklodge.com, architectonisch buitengewoon complex met luxe ronde hutten, door hangbruggen verbonden, ze staan in een halve cirkel om een drinkplaats, wild bekijken kan ook 's nachts bij het licht van schijnwerpers, kinderen onder 5 jaar niet toegestaan. **Taita Hills Safari Lodge**, momenteel gesloten.

Lake Chala

$\circledS\circledS\circledS$ **Lake Chala Safari Lodge**, tel. (043) 424 31, weinig bezochte lodge met fantastisch uitzicht over Lake Chala naar de Kilimanjaro.

7 MASAI MARA (☎ 050)

Masai Mara Game Reserve

Lodges beslist telefonisch reserveren!
$\circledS\circledS\circledS$ **Kichwa Tembo Camp**. tel. Nairobi (020) 75 02 98, fax: 74 68 26, kichwa@africaonline.co.ke, erg duur luxecamp net buiten het park aan de Oloololo Gate, uitstekende keuken, zwembad, vanwege het vele wild met omheining. **Bateleur Camp**, luxe filiaal van het Kichwa Tembo Camp, tel. Nairobi over CCAfrica (020) 74 52 39, fax (020) 75 04 68, 9 luxe tenten, eigen butler, exclusieve ligging aan de Mara River, ballonvaarten, zwembad. **Governors Camp**, tel. Nairobi (020) 273 40 00, fax: 273 40 23, reservations@governorscamp.com, duur luxe tentenkamp in het westelijke deel van het park, maar in de prijs zit veel inbegrepen waar u elders extra voor betaalt. **Little Governors' Camp**, vanuit Governors' Camp per boot te bereiken, klein, chique en romantisch gelegen, geen zwembad, drinkplaats. **Governors' Il Moran**, het nieuwste Governors Camp, 10 tenten pal aan Mara River, exclusieve safarisfeer, absolute privésfeer, groot aanbod aan activiteiten (zie Infopagina), o. a. excursie naar Lake Victoria met het chartervliegtuig. **Mara Intrepids Club**, tel. 22 321, reserveren via Heritage Hotels Nairobi, tel. (020) 444 66 51, fax: (020) 444 66 00, www.heritage-eastafrica.com, duur luxecamp aan Talek River, bar met uitzicht op de rivier, safari's met nachtzichtapparatuur, luipaarden worden

G

dgl. met vlees gelokt. **Siana Springs Camp**, tel. 22 553, fax: 22 429, vroeger Cottar's Camp, buiten het park, ongeveer 15 km van de Sekenani Gate aan de weg naar Narok, reserveren eveneens via Heritage Hotels Nairobi, nieuw gebouwd complex met heerlijk zwembad, schaduwrijk, veel wild, erg populair bij inheemsen. **Mara Sarova Lodge**, 3 km van de Sekenani Gate, reserveren via Sarova Hotels Nairobi, tel. (020) 271 66 88, fax: (020) 271 55 66, www.sarovahotels.com, groot tentenkamp met vijver, ballonvluchten, klein museum, kindvriendelijk. **Fig Tree Camp**, boeking via Mada Hotels Nairobi, tel. (020) 22 14 39, fax: (020) 33 21 70, madahold@form-net.com, prachtig gelegen op een eiland in de Talek River, een beetje eenvoudiger, boomhutbar, zwembad, ballonvluchten, paardensafari's. **Mara Buffalo Camp**, tel. Mombasa (041) 48 55 20, African Safariclub, rustieke banda's, 's avonds kampvuur. **Keekerok Lodge**, boeking via Block Hotels Nairobi, tel. (020) 532 329, www.blockhotelske.com, oudste lodge in het park, centraal gelegen, comfortabele kamers, bar met uitzicht op nijlpaardenpoel, omvangrijk serviceaanbod van huurauto's tot ballonvaarten. **Mara Serena Lodge**, tel. 22 253, reserveren via Serena Hotels Nairobi, tel. (020) 284 233, fax: (020) 271 81 02, cro@serena.co.ke, vrij groot bungalowcomplex in de stijl van een Masaidorp, fraai gelegen aan de rand van een escarpment met fantastisch uitzicht op de Mara River en de savanne, ballonvluchten. **Olkurruk Mara Lodge**, tel. (020) 33 68 58, op de Olooloo escarpment met fantastisch uitzicht, 10 km slechte piste tot aan het park. **Cottars 1920's Camp**, Cottars Safari Service, Nairobi, tel. (020) 57 56 17, fax (020) 88 22 34, www.cottars.com, klein nostalgisch kamp (12 gasten), exclusieve ligging aan een bron in een privégebied aan de grens van Serengeti met adembenemend uitzicht, luxeus ingerichte tenten, uitstekende game drives met gids, wandelingen en nachtsafari's, champagne brunch in de wildernis, observatie van luipaarden, massages. **Siana Springs Camp**, aan de oostrand van de Masai Mara, tel. (020) 446 651, fax (020) 444 66 00, reservations@heritagehotels.co.ke, www.heritage-eastafrica.com. De 38 ruime tenten voldoen aan de hoogste eisen. Het camp heeft ook een zwem-

bad, organiseert safari's, nachtelijke game drives en diverse lezingen. **Richard's Camp**, tel. (020) 604 053, safaris@chelipeacock.co.ke, in het hart van de Masai Mara aan de rand van een klein bosperceel, een tented camp van de buitencategorie, het kleine aantal tenten (slechst 6) staat borg voor een intensieve en persoonlijke dienstverlening aan de gasten. **Mpata Safari Club**, tel. (020) 310 867, fax (020) 310 859, mpata4@africaonline.co.ke, door de Kenya Association of Travel Agents onderscheiden als beste safari lodge van Kenia. De lodge ligt op een heuvel en biedt een adembenemend uitzicht over de Masai Mara. Mara Explorer, tel. (050) 22 168, fax (050) 22 327, boeking via Heritage Management, tel. (020) 444 66 51, fax (020) 444 66 00, info@heritagehotels.co.ke, www.heritage-eastafrica.com. Het exclusieve, smaakvol ingerichte camp van slechts 10 luxeuze tenten ligt op een dicht beboste bocht in de Talek River, midden in de Masai Mara. Vanuit elke tent heeft men vrij uitzicht over de rivier. Early morning tea, ontbijt en diner in de wildernis, game drives, safari's te voet, ballontochten, bezoek aan een Masai-dorp, lezingen, 24 uur per dag exclusieve diensten door een persoonlijke butler. ☺☺ **Dream Camp**, boeking via Dream Travel, Nairobi, tel. (020) 57 74 90, dreamtravel@form-net.com, 18 tenten met uitzicht op de Talekrivier, goedkoop, ecologisch geleid.

🅰 Eenvoudige **campsites**, deels fraai gelegen, vindt u bij alle toegangspoorten van het park, bij de Sand River en de Serena Lodge. Pas op voor de vraatzuchtige bavianen!

8 GREAT RIFT VALLEY

NAIVASHA (☎ 050)

☺☺ **La Belle Inn**, Moi Ave., tel. 21 007, labelleinn@kenyaweb.com, intussen wat vergane glorie, maar nog steeds het beste hotel van de stad, restaurant met groot terras, zeer goed en overvloedig ontbijt, bar, bewaakte parkeerplaats. **Silver**, Kenyatta Ave., tel. 20 580, bar, restaurant.

Naivashameer

☺☺☺ **Lake Naivasha Country Club**, tel. 20 925, boeking via Block Hotels, Nairobi, tel.

(020) 53 54 12, fax: 532 962, www.blockho-telske.com, prachtige tuin met toegang tot het meer, boottochten, fietsverhuur, vogelkijken, Cessnavluchten, kindvriendelijk. **Crater Lake Tented Camp**, te. (050) 213 97 boeking via The Pride of Africa Safaris, Nairobi, tel. (020) 88 42 58, fax: 88 44 45, thepride@iconnect.co.ke, www.prideofafricasafaris.com, of via Let's Go Travel, Nairobi, romantische, luxe tentenkamp aan de oever van het Green Crater Lake met wonderbaarlijk uitzicht, goed restaurant, nachtelijke *game drives*, wandelingen met gids. **Lake Naivasha Simba Lodge**, tel. (020) 434 39 60, fax (020) 434 39 63, nieuw gebouwde lodge in een wijds park met toegang tot het meer waar buffels, nijlpaarden, giraffen en veel vogelsoorten hun thuis hebben. **The Great Rift Valley Lodge**, tel. (050) 500 47, boeking bij Heritage Management, tel. (020) 444 66 51, fax (020) 444 66 00. Deze luxe lodge is met de auto vanuit Nairobi in minder dan 2 uur te bereiken en biedt een rondom een fantastisch uitzicht over de Rift Valley. Ze is zeer geschikt als basis voor tochten naar het Baringo-meer, het Bogoria-meer, het Nakuru-meer en het Hell's Gate Park. Bovendien kunt u er paardrijden, mountainbike safari's maken, telt het 2 tennisbanen, een 18-holes golfbaan en een groot zwembad. ⓈⓈ **Elsamere Conservation Centre**, aan de zuidzijde van het meer, tel. 21 055, fax: 21 074, www.elsatrust.org., rustige cottages met terras en uitzicht op het meer, excursies naar Hell's Gate en naar Mt. Longonot Nat. Park. Ⓢ **Fischerman's Camp**, zuidoever, tel. 031 13, kampeerplaats, hutten te huur, fiets- en bootverhuur. **YMCA**, tel. 30 396, voor wie voor zichzelf kan zorgen.

NAKURU (☎ 051)

ⓈⓈ **Midland**,Geoffrey Kamau Rd., tel. 221 21 25, fax: 44 517, beste hotel van de stad. **Waterbuck**, hoek Government Ave. / West Rd., tel. 21 56 72, kamers deels met balkon. **Kunste**, modern gebouw, net buiten de stad aan de weg naar Nairobi, tel. 221 240. Ⓢ **Shik Parkview**, Kenyatta Av., tel. 21 23 45, eenvoudig, centraal gelegen. **Carnation**, Mosque Rd., tel. 43 522, georganiseerde excursies naar het nationale park.

Nakurumeer

ⓈⓈⓈ **Lake Nakuru Lodge**, 3 km ten zuiden van het meer, tel. 850 518, tel. Nairobi (020) 21 24 05, fax: 23 09 62, luxe herberg met prachtig uitzicht, schaduwrijk, zwembad. **Sarova Lion Hill Lodge**, tel. 85 02 35, tel. Nairobi (020) 71 33 33, reservations@sarova.co.ke., beste lodge in het park, uitstekend eten in een openlucht restaurant, zwembad, sauna. **Naishi House**, reserveren via KWS Tourism Department, klein (plaats voor 8 personen) en vredig in het zuiden van het park, mooi uitzicht, georganiseerde safaritochten. Ⓐ Diverse kampeerplaatsen, ook hutten voor individuele reizigers. **Makalia Campsites**, fraai gelegen bij een waterval in het zuiden van het park.

NYAHURURU (☎ 065)

ⓈⓈ **Thomson's Falls Lodge**, tel. 22 006, fax: 32 170, aantrekkelijk complex in de stijl van een Schots landhuis, boven de watervallen, kampeermogelijkheid. Ⓢ **Kawa Falls**, tel. 322 95 buiten de plaats aan de weg naar Gilgil, netjes, restaurant.

Baringomeer (☎ 053)

ⓈⓈⓈ **Island Camp**, boeking via Let's Go Travel, Nairobi tel. (020) 34 03 31, Info@letsgosafari.com, luxe complex aan de zuidpunt van het eiland Ol Kokwe, 23 tenten, fraai gelegen met uitzicht op het meer, incl. bootstransfer van Kampi ya Samaki (bew. parkeerplaats), watersport, vogelkijktochten. **Lake Baringo Club**, tel. 514 01, tel. Nairobi (020) 535 412, luxe herberg voor redelijke prijzen in mooie tuin, een paradijs voor vogelliefhebbers, zwembad, badminton, tafeltennis, paard- en kameelrijden. **Samatian Island**, boeking via Let's Go Travel, Nairobi tel. (020) 34 03 31, Info@letsgosafari.com, klein, erg duur complex op een eilandje. Ⓢ **Lake Breeze**, tel. 51 464, sober, kamperen mogelijk. **Robert's Camp**, tel. 851 879, naast de Lake Baringo Club pal aan het meer, camping, banda's, een cottage, bar, 's nachts grazen nijlpaarden tussen de tenten!

Bogoriameer (☎ 051)

😊😊 **Lake Bogoria Hotel**, 3 km voor de Loboi Gate, tel. 42 696, www.bogoriasparesort.com, boeking via Let's Go Travel, Nairobi, tel. 34 03 31, fax: 214 713, www.letsgosafari.com., mooi gelegen, warmwaterzwembad, parkexcursies.
😊 **Papyrus Inn**, aan de Loboi Gate, tel. 43 279, eenvoudig, restaurant, bar, kamperen toegestaan.

🔳 Drie kampeerterreinen aan de zuidzijde van het meer: **Acacia**, **Riverside** en **Fig Tree** (erg fraai gesitueerd), terreinwagen noodzakelijk.

Elmenteitameer (☎ 049)

😊😊😊 **Elmenteita Lodge**, tel. (051) 850 86 30, mooie plek met prachtig uitzicht op het meer, wandelingen naar het meer.

9 CENTRAAL KENIA

Thika (☎ 067)

😊😊 **Blue Post**, 2 km buiten de plaats, tel. 22 241, beste hotel ter plaatse, aan de weg naar de Chaniawatervallen, vanuit enkele kamers een fantastisch uitzicht op de watervallen. **December 12th Hotel**, Commercial Str., in de buurt van het postkantoor, tel. 22 140, restaurant, café.

Nyeri (☎ 061)

😊😊😊 **Outspan**, 1 km buiten de stad, tel. 24 24, tel. Nairobi (020) 54 07 80, luxe, transferstation naar het bekende Treetops Hotel, magnifiek park, *game drives* in het Aberdare N.P., wandelingen, vogelkijken. **Aberdere Country Club**, 17 km ten noorden aan de weg naar Nyahururu, tel. 55 620, ark@form-net.com, luxueus, ooit het ontmoetingspunt van de blanke boeren, receptie voor The Ark in de Aberdare Mountains, gelegen midden in het eigen wildreservaat, voetsafari's, rijtochten, hengelen, *game drives* in de Aberdare Mountains in de buurt de Solio Game Ranch. Boeking bij Fairmont Hotels, tel. (020) 216 940, fax (020) 216 796, www.fairmont.com.
😊😊 **Allmendinger's Guesthouse**, ten noorden van de Aberdare Country Club, tel. 55 261,

zeer aan te bevelen, zie ook Gliding Club of Kenya p.177. **White Rhino**, tel. 4384, verwaarloosd hotel met koloniale charme, gezellige bar.
😊 **Wajee Nature Park & Camp**, 18 km ten zuiden van Nyeri, kampeerterrein met goede voorzieningen in prachtige natuur, banda's.

Aberdare National Park

😊😊😊 **The Ark**, boeking via Aberdare Safari Hotels, tel. (061) 556 20, dure luxe lodge, op 2300 m hoogte midden in het bergwoud van het park met uitzichtterrassen en uitzicht op Mt. Kenya, 's nachts verlichte drinkplaatsen, kamers klein en donker.
Treetops, boekingen via Block Hotels Nairobi, tel. (020) 54 07 80, architectonisch excentriek, duur boomhuthotel, aan de rand van het park niet meer in het bergwoud, grote buffel- en olifantenkuddes aan de verlichte drinkplaats en dientengevolge is de vegetatie ernstig aangetast, nauwe kamers, gemeenschap. badkamer, transfer van het Outspan Hotel in Nyeri.
😊 **Kiandongoro Fishing Lodge**, boekingen bij het Park Headquarter, gelegen op het hoogveen bij de Gura River, 2 grote stenen hutten met haard, veranda, bad, populaire uitvalsbasis voor hengelaars.

Nanyuki (☎ 062)

😊😊😊 **Mount Kenya Safari Club**, 10 km ten oosten van Nanyuki, tel. 30 000, kenya.reservations@fairmont.com, luxe herberg met golfcourt, mooi uitzicht op Mt. Kenya, zwembad, tennis, hengelen, particulier wildreservaat.
Sweetwaters Tented Camp, tel. (020) 216 940, fax (020) 216 796, lonhots@formnet.com. De luxe ingerichte tenten liggen allemaal rondom een drinkplaats, zodat men vanaf de veranda van elke tent de zich daar verzamelende dieren kan bekijken. De accommodatie en de voortreffelijke mogelijkheden tot het observeren van de dieren maken het camp extra aantrekkelijk. De in de buurt gelegen **Ol Pejeta Lodge**, tel. (062) 324 08, is van hetzelfde kwaliteitsniveau.
😊😊 **Sportsman's Arms Hotel**, aan de oostelijke rand van Nanyuki op parkachtig terrein, tel. 32 347, rijk aan traditie, betere middenklas-

se; **Simba Lodge**, Simba Rd., aan de noordrand van Nanyuki, tel. 317 23, rustig encomfortabel. **Trout Tree Restaurant**, tel. (062) 62 059, trouttree@wanachi.com, 12 km ten zuiden van Nanyuki, cottage met goed uitgeruste eigen keuken, 4 tweepersoonskamers, aangesloten bij het aan te bevelen restaurant waar u onder een enorme vijgenboom excellente forelgerechten, frisse salade en ook vlees geserveerd kunt krijgen, met uitzicht op de forellenweekvijver.

🟢 **Nanyuki Riverside**, tel. (0722) 899 950, centraal gelegen, goedkoop.

Naro Moru (☎ 062)

🟢🟢🟢 **Naro Moru River Lodge**, eersteklas onderkomen 2 km ten noorden van Naro Moru, tel. 620 23, boekingen via Alliance Nairobi, tel.(02) 33 75 01, www.alliancehotels.com, organiseert trekkingtochten op Mt. Kenya en andere excursies (hengelen, rijtochten), verhuur van berguitrusting, kamperen mogelijk. **Mountain Rock Lodge**, 7 km ten noorden van Naro Moru, tel. (076) 62 625, fax: 62 051, vertrekpunt voor een beklimming van Mount Kenya. **Serena Mountain Lodge**, tel. (061) 203 07 85, fax (061) 203 08 58.

🟢🟢 **Mountain View Lodge**, tel. 62 088, organiseert bergtochten, bagagedepot, restaurant en bar.

Meru (☎ 064)

🟢🟢 **County**, Kenyatta Hwy., tel. 20 432, fax: 31 264, kamers deels met balkon, verzorgd, restaurant. **Pig & Whistle**, tel. 31 411, schaduwrijk complex met cottages, goede prijskwaliteitverhouding.

Meru National Park

🟢🟢🟢 **Elsa's Kopje**, boeking via Cheli & Peacock Safaris, Nairobi, tel. (020) 60 30 90, www.elsaskopje.com, meest exclusieve camp in het park (tweepersoons meer dan 500 US$), met individueel gebouwde hutten, fantastische ligging op een van de 'kopjes', veranda's en zwembad met fantastisch uitzicht, service en voorzieningen perfect, voetsafari's, nachtelijke wildkijktochten, rafting.

Leopard Rock Lodge, tel. Nairobi (020) 24 69 82, ralf@inmarasat.francetelecom.fr, nieuw complex aan de Murera River, zwembad, wandelweg langs de rivier (nijlpaarden, krokodillen), *game drives*, voetsafari's, boottochten.

🟢 **Murera Bandas**, pal bij de parktoegang, voor individuele reizigers. **Campsites** in het park.

Chogoria (☎ 064)

🟢 **Transit Motel**, in Chogoria, een klein plaatsje aan de oostelijke helling van Mt. Kenya, tel. 22 096, startpunt voor een van de mooiste routes naar Mt. Kenya, restaurant, kamperen mogelijk.

Embu (☎ 068)

🟢🟢 **Izaak Walton Inn**, aan de weg naar Meru, tel. 311 28, met bekend restaurant.

Isiolo (☎ 064)

🟢🟢🟢 **Wilderness Trails Lodge**, Lewa Downs, 12 km ten zuiden van Isiolo, boekingen via Let's Go Travel, Nairobi, Standard Str., tel. (020) 34 03 31, uitstekende service en mooi uitzicht.

🟢 **Mocharo**, tel. 523 85, goedkoop, veilig parkeren, geen restaurant.

Samburu / Shaba / Buffalo Springs (☎ 064)

🟢🟢🟢 **Larsens Camp**, tel. 31 373, boeking via Wilderness Lodge Nairobi, tel. (020) 559 529, fax: 650 384, duur, luxe tentenkamp aan de Ewaso Ngiro Fluss, *game drives*, vogelkijken, bezoek aan een Samburudorp. **Samburu Intrepids Club**, boeking via Lets Go Travel Nairobi, tel. (020) 444 71 51, fax 444 7270, prestigehotels@form-net.com, luxe tenten aan de rivier, restaurant en bar met houten terrassen, mooi gelegen, prachtig zwembad, kameelrijden, rafting, ontbijten in de wildernis. **Samburu Lodge**, boeking via Lets Go Travel Nairobi, tel. tel. (020) 444 71 51, fax 444 7270, erg populaire lodge aan de oever van de Ewaso Ngiro, cottages met veranda en uitzicht op de rivier, vogelkijken, krokodillen worden gevoederd, traditionele dansen, enige lodge in het park met tankstation. **Samburu Serena Lodge**, boeking via Wilderness Lodges Nairobi, tel. tel. (020) 444 71 51, fax 444 7270, cro@serena.co.ke, aan de zuidelijke oever van de rivier, d.w.z. in het Buffalo Springsgebied; na de brand van 1998 geheel en erg mooi gerenoveerd, veel activiteiten. **Sarova Shaba Game Lodge**, boeking via Sarova Hotels Nairobi, tel. (020) 271 66 88, fax: 271 55 66, reservations@sarova.co.ke, verzorgd complex, spectaculair gelegen, weelderige tuin met vijvers (bron in de buurt van de lodge!), zwembad.

◪ Enkele **kampeerterreinen** voor individuele reizigers.

Laikipia Plateau

⊚⊚⊚ **Ol Malo**, boekingen: Ol Malo, African Safari & Travel Inc., Nairobi, tel (020) 57 16 61, fax (020) 57 16 65, klein kamp in absoluut spectaculaire omgeving aan de noordkant van het Laikipia Plateau midden in een onberoerd wildrijk landschap, op rotspunt boven de Ewaso Ng'iro River, 4 luxe, met stro bedekte en uit natuursteen en olijfbomenhout opgetrokken cottages, fantastisch uitzicht vanaf de veranda en de badkamer, zwembad direct aan kant van de rotspunt met adembenemend uitzicht, restaurant met open haard, 's nachts verlichte vijver, game drives, excursies naar Karisa Hills, kamelentocht met overnachting aan de rivier. ⊚⊚ **El Karama Ranch**, tel. (020) 32526, www.Horsebackinkenya.com, tentenkamp, paardensafari's.

Maralal (☎ 0368)

⊚⊚⊚ **Maralal Safari Lodge**, tel. 620 60, Nairobi (020) 21 11 24, fax: (020) 21 11 25, 3 km ten noorden van Maralal, restaurant en bar met terras pal aan een drinkplaats, waar dieren uit het Maralal National Sanctuary naartoe gelokt worden. ⊚ **Jamaru**, tel. 622 15, vermoedelijk het beste van de eenvoudigere hotels ter plaatse, goed restaurant. **Yare Safari Club & Camp**, 4 km buiten de plaats richting Isiolo, tel. 622 95, Nairobi tel./fax: (020) 21 40 99, camping, banda's met strodaken, restaurant, kameelsafari's, wandelingen, mountainbiketochten.

Marsabit / Marsabit National Reserve (☎ 069)

⊚⊚ **Marsabit Lodge**, tel. 20 44, tel. Nairobi (020) 313 372, info@letsgosafari.com, luxe safarihotel hoog boven het kratermeer, enige accommodatie in het reservaat, weinig bezocht, vaak gesloten. ⊚ **JJ Centre**, tel. 2296 in de buurt van het tankstation, eenv., maar wel het beste onderkomen ter plaatse. **Marsabit Highway Hotel**, tel. 22 36, in het centrum.

Moyale

Eenvoudige accommodaties in **Hotel Medina**, **Barissah Hotel**, **Bismillahi Boarding & Lodging**.

10 TURKANAMEER

Turkanameer west

⊚ **Turkwel**, in het centrum van Lodwar, tel. (054) 21 235, erg eenvoudig. **Skyway Lodge**, in Kalokol, erg eenvoudig.

Turkanameer oost

⊚⊚⊚ **Oasis Lodge**, in Loyangalani, tel. Nairobi (020) 50 32 67, travel@swiftkenya.com, enige luxehotel aan het meer, zwembad en bar ook voor eendaagse gasten, boottochten naar South Island National Park, hengeltrips, autoverhuur, wandelingen. **◪** **El-Molo Camp**, in Loyangalani, mooi, schaduwrijk kampeerterrein met een warmwaterzwembad.

South Horr

⊚ **Mt. Nyiro Hotel** en **Good Tourist Hotel**, twee erg eenv. hotels aan de hoofdstraat. **◪** **Kurungu Campsite**, kampeerterrein met douches / toiletten, 15 km ten noorden van South Horr.

11 WESTELIJK KENIA

Kericho (☎ 052)

⊚⊚ **Tea Hotel**, aan de weg naar Nakuru, tel. 30 004, fax: 20 576, in 1950 gebouwd voor de managers van de theeplantages in de buurt, nu een hotel en plek voor nostalgici. **Midwest**, tel. 301 96, goede voorzieningen, weinig charme. **Kericho Lodge & Fish Resort**, tel. 20 035, 2 km buiten de plaats, op de helling bij de Kimugu River, uitstekend restaurant, goed aanbod aan activiteiten, kamperen mogelijk.

⑤ **Kericho Garden Lodge**, tel. 20 878, erg eenvoudig onderkomen aan de weg naar Nakuru, camping.

Eldoret (☎ 053)

⑤⑤⑤ **Sirikwa**, tel. 206 24 99, het beste hotel van de stad, zwembad.

⑤⑤ **Eldoret Wagon Wheel**, Oloo Rd., tel. 206 22 70, ooit het ontmoetingspunt van de blanke kolonisten, gezellige bar, restaurant met buffetten. **New Lincoln**, Oloo Rd., tel. 822 093, veel geprezen, goedkoop hotel.

Kitale (☎ 054)

⑤⑤ **Kitale Club**, ca. 1 km buiten de plaats richting Eldoret, tel. 31 330, voormalig ontmoetingspunt van blanke kolonisten met veel sportmogelijkheden, golf, zwembad. **Alakara**, Kenyatta St., tel. 20 395, eenvoudig, maar desondanks het beste hotel in de stad, goed restaurant, veilige parkeerplaats. **Bongo**, Moi Ave., tel. 20 593, eenvoudig hotel, aan te bevelen. ⑤ **Sirikwa Safaris (Barnley's House)**, tel. (0733) 793 524, 23 km ten noorden van Kitale aan de weg naar Kapenguria, kamers in boerenhuis, ingerichte tenten en campingmogelijkheid, georganiseerde vogelsafari's en wandelingen in de Cherangani Hills en in Mt. Elgon National Park.

Mount Elgon (☎ 054)

⑤ **Mount Elgon Lodge**, tel. (07 22) 86 64 80, tel. Nairobi (020) 33 08 20, enige hotelachtige onderkomen in een oude boerderij 1 km vanaf de parkingang. **Delta Crescent Farm**, tel. (0722) 610 222, 5 km van Chorlim Gate, banda's en tenten op een boerderij, transport naar de parkingang, excursies met terreinwagens.

🔺 **Kapkuru Camp Site**, vlak achter de Chorlim Gate, kampeermogelijkheden en hutten voor individuele reizigers.

Kakamega (☎ 056)

⑤⑤ **Golf**, tel. 20 125, beste hotel ter plaatse, zwembad, mooie tuin, u mag gebruik maken van de ernaast gelegen sportclub. **Sheywe Guest House**, aan de rand van het dorp, tel. 30 320, een beetje buiten de drukte, aangename sfeer, goed restaurant, aan te bevelen. ⑤ **Bendera**, tel. 20 380, beste onderkomen in de goedkope categorie.

Kakamega Forest (☎ 056)

⑤⑤ **Rondo Retreat**, Isecheno Area, tel. 30 268, cottages in fraaie tuin, veel wild in de omgeving, goed eten, organiseert transfers van Kakamega en wandelingen met gidsen. ⑤ **Udo's Bandas & Campsite**, Buyangu Area, banda's en camping voor individuele reizigers. **Forest Rest House**, Isecheno Area, goedkope kamers, veranda, camping.

Kisumu (☎ 057)

⑤⑤ **Imperial**, Jomo Kenyatta Hwy., tel. 200 02, info@imperialkisumu.com, beste hotel ter plaatse. **Royale**, Jomo Kenyatta Hwy., tel. 40 924, sfeervol gebouw uit de koloniale tijd. **Sunset**, 2 km ten zuiden van de stad, tel. 41 102, fax: 22 745, fraai gelegen op een helling boven het meer, zwembad, redelijke prijzen. **New Victoria**, Kendu Lane hoek Gor Mahia Rd., tel. 21 067, eenvoudig, kamers deels met uitzicht op het meer. ⑤ **Wilson Coffee House Boarding and Lodging**, Gor Mahia Rd., schoon, restaurant met prachtig uitzicht, goede bediening.

Homa Bay

⑤ **Hippo Buck Hotel** en **Hill View Lodge**, beide een beetje buiten het centrum aan de weg naar Mbita, biedt de beste overnachtingsmogelijkheid. In het plaatsje zijn een aantal goedkope hotels.

Kisii (☎ 058)

⑤⑤ **Zonic**, Hospital Rd., beter, nieuw hotel, goede kamers, ook met balkon. ⑤ **Kisii**, Moi Hwy., tel. 20 715, mooie tuin, restaurant, bar en aangename sfeer, bewaakte parkeerplaats. **Sawaka Towers**, tel. 21 218, modern gebouw, aangename bar, kamers deels met prachtig uitzicht, maar een beetje verwaarloosd. **Mwalimu**, aan de rand van de plaats aan de weg naar Kericho. tel. 31 636, goed restaurant, maar verwaarloosde kamers.

Rusinga Island

☺☺☺ **Rusinga Island Fishing Club**, boeking via Let's Go Travel, Nairobi, Standard Str.,tel. 34 03 31, fax: 33 68 90, www.letsgosafari.com., schaduwrijk complex met fraai uitzicht op het meer, activiteiten: verschillende watersportmogelijkheden, vooral sportvissen, bezoek van het opgravingsterrein of een vissersdorp, *game drive* in het Ruma National Park. Het kamp is ook het doel van een vliegsafari vanuit Masai Mara.

Mfangano Island

☺☺☺ **Mfangano Island Camp**, reserveren via Governors Camps, Nairobi, tel. (020) 33 18 71, fax: 72 64 27, reservations@governorscamp.com, exclusief luxecamp gebouwd in traditionele Luostijl, hengeltrips met speedboten van het camp, vanuit het Governors II Moran Camp (Masai Mara) vliegt men hierheen voor een vliegsafari.

LEVERBARE TITELS

Australië – Tasmanië
Bali – Lombok
Baltische staten
Brazilië
Cambodja – Laos
Canada: *Ontario, Québec, Atlantische Provincies*
Canada: *Rocky Mountains, Westkust, Prairieprovincies, Territories*
Canarische eilanden
China – Hong Kong – Tibet
Costa Rica
Corsica
Cuba
Cyprus
Dominicaanse Republiek
Egypte
Filippijnen
Griekenland: *Noord- en Centraal-Griekenland, Peloponnesos*
Griekse eilanden
  Egeïsche Zee
Grote Antillen
  Bermuda, Bahama's
Hongarije
Ierland

India: *Noord-, Noordoost- en Centraal-India*
India: *Zuid*
Israël – Jordanië
Kenia
Kleine Antillen
  Aruba, Bonaire, Curaçao
Kreta
Kroatische kust
Malediven
Maleisië – Singapore – Brunei
Marokko
Mexico
Moskou – St. Petersburg
Myanmar *(Birma)*
Namibië
Nepal
Nieuw-Zeeland
Noorwegen
Peru
Polen
Portugal
Provence – Côte d'Azur
Spanje:
  Pyreneeën, Jakobsweg, Atlantische Kust, Midden-Spanje

Spanje:
  Middellandse Zeekust, Zuid-Spanje, Balearen
Sri Lanka
Syrië – Libanon
Tanzania
Thailand
Toscane
Tsjechië
Turkije
USA: *Oostkust, Midwest, Zuidelijke Staten*
USA: *Westkust, Rocky Mountains, Californië en Texas*
Verenigde Arabische Emiraten
Vietnam
Zuid-Afrika
Zweden

Nelles Gids – betrouwbaar, actueel, informatief.
Altijd up-to-date, rijk geïllustreerd en met eersteklas reliëfkaarten.
256 pagina's, ca. 150 kleurenfoto's, ca. 25 kaarten